KB033470

사마귀가
친구에게

V

※ 저자와 협의하여 인지는 붙이지 않습니다.
※ 이 책은 ㈜디앤씨미디어가 저작권자와의 계약에 따라 발행한 것으로 본사와 저자의 허락 없이는
   어떠한 형태나 수단으로도 내용을 이용할 수 없습니다.

사마귀가
친구에게

V

D&C
BOOKS

차례

6장

6장

빈손을 내려다보았다.

'진짜?'

그렇게 애정을 고백하던 안스카리우스가, 법황청 본당에 들어가기 전까지만 해도 자신을 지키지 못해 안달이었던 인간이, 이렇게 손바닥 뒤집듯 태도를 바꾼다고?

티티라는 —그녀답지 않게— 상대방을 이해하려고 노력했다. 안스카리우스는 법황에 대한 혐오감을 수년간 설명해 왔지. 법황이 사제왕의 연인인 나를 해치리라 확신했을 거야. 그래서 더더욱 보호하고 경계했는데, 정작 연인이 무언가를 숨기는 듯하면 실망할 수밖에 없을 터—

하지만 그건 그의 사정이고.

티티라는 결국 그녀였다.

티티라 돔니니는 안스카리우스를 이해하길 거부했다. 그녀는 제 위를 밟고 서려는 권력에 경기를 일으켰다. 권력에 굴복하지 않는 증오심이야말로 그녀의 핵심이었으므로, 포기할 수 없었다. 그걸 버린다면 더 이상 내가 아니지 않나.

그렇게 눈이 벌게진 채 중얼거리다가…… 문득 자신이 이미 법황에게 복종했다는 사실을 깨달았다.

허탈해졌다.

티티라는 독약을 서랍 뒤편에 붙인 뒤 맥없이 침대로 쓰러졌다.

이미 법황의 종이 되었는데, 안스카리우스에게 화를 낼 처지인가? 그의 행동이 모욕적이지 않다는 뜻이 아니라, 더 이상 자신에게 지킬 것이 없다는 뜻에 가까웠다.

유폐당하고도 감정이 평탄하단 사실은 위험 신호였다. 이건 절대로 안스카리우스를 사랑해서 스스로를 다독인 게 아니었다. 그보단 지킬 것이 사라져서다. 이제 그녀에겐 모욕을 받을 만큼의 자아도 없었다.

티티라 돔니니는 이제 상주도, 시민도, 자유인도, 심지어 신민조차 못 되었다. 그저 교국인의 일개 첩실이자 법황의 노예일 뿐…….

전부 자신이 원했다. 스스로 걸어 들어왔다.

티티라는 멍하니 천장을 바라보았다.

꼼짝없이 갇힌 느낌이 들었다. 안스카리우스 때문만은 아니었다.

안스카리우스는 예고했던 대로 내실에 다시 찾아왔다.

티티라는 그에게 화를 내지 않았다. 표현하자면 차라리 '평온하다'는 단어가 알맞았다. 고의로 안스카리우스를 무시하지도 않았다. 한

번 흘끗 본 뒤, 고개를 살짝 젓곤 미뤄 두었던 책에 집중했다.

안스카리우스는 잠시 문 앞에 서 있다가…… 제 앞으로 성큼성큼 다가왔다. 큰 그림자가 드리웠다. 그녀는 글자가 흐려지자 몸을 틀었다.

그러자 그가 한쪽 무릎을 꿇었다.

티티라는 그제야 시선을 들었다.

"왜?"

그의 눈썹이 살짝 꿈틀댔다. 아마 제 여상한 목소리 때문일 텐데.

"괜찮나?"

"당신이 가둬 놓고, 뭘 어쩌자고?"

"……."

"즐겁게 이야기할 마음은 안 들고, 같은 침대에서 잘 마음도 없어. 잘 거면 저기서."

티티라는 푹신하고 긴 의자를 손가락질했다.

"물론 떠나면 더 좋고."

그녀가 다시 고개를 숙였다.

"티."

책을 보는 시선을 확 찌푸렸다.

"그냥 '티티라'라고 하지."

그가 손을 뻗어 책등에 얹었다. 아니, 책등이 아니라 제 손등 위에 온기가 닿았다.

"법황과 나눈 이야기를 고백할 수 없다면, 그렇다고 이야기해라."

"……."

"협박당해 침묵했다고 이야기해. 그러면 내가 너를 지키겠다. 다시는 법황청에 가지 못하도록, 이번에야말로 아이 핑계를 대야겠군."

티티라는 눈을 깜박였다. 제 시선이 닿는 곳에 서랍이 보였다. 저 뒤에 독약이 있었다.

"그럴 필요 없어."

"……."

"난 당신한테 정직하게 얘기했어. 믿지 않는다 해도 내가 어떻게 설득하겠어. 법황은 탈란타우에의 죽음에 대해 정확히 말한 거냐고 추궁했고, 그 뒤 내가 시노드 신넬에서 어떤 사람이었는지, 시노드 신넬은 어떤지를 물어봤어. 참, 그리고 당연하게도 당신 과거를 캐묻기도 했어. 희한하지. 당신도 법황이 딱 이런 걸 물을 사람인 걸 알면서 들으려고 하질 않아."

그는 뚫어져라 자신을 바라보았다.

"안스카리우스, 당신도 안다. 오래전 법황이 당신 출신을 알고도 사제왕 위를 승계시켰다는 걸……. 교류가 시작되는 것을 싫어할 뿐, 그 인간이 배움에는 열려 있단 사실을 모를 수가 없어."

"……."

"내 태도가 문젠가? 태연해서? 난 첫날에 받을 충격은 다 받았다고. 법황이 안스를 아는 체할 줄 몰랐으니까. 그 뒤 머릿속에서 별별 상상을 다했지만 현실은 그보다 훨씬 못했어."

마침내 안스카리우스의 입이 열렸다.

"내 기억을 되살려 주겠다고 하던가?"

티티라의 얼굴이 굳었다.

제 말을 하나도 듣지 않은 것 같았다. 어쩌면 바로 그렇기에 정곡을 찔렀다.

"……그건 불가능해."

그의 손에 힘이 들어갔다.

"대답이 느리군."

"난 확실한 증거 없이 거래하지 않아. 당신 기억을 살려 주겠노라 법황이 말했다면 난 손톱만큼이라도 미리 알 수 있길 요구했을 거야. 당신 권능을 보이라고. 하지만 지금 어디 당신 기억이 돌아왔나? 아니지."

"티, 똑똑히 말한다. 법황은 수백 년을 이어 온 저주 하나를 붙들고 있는 것에 불과하다. 절대로 시노드 신넬식 '마법사'가 아니다. 법황에게 불가해한 능력이 있었다면 사제왕들이 부귀를 누릴 수 있었겠나. 법황의 진정한 힘은 교국에 먹구름처럼 낀 개인숭배다. 결코 '요술'이 아니고, '요술'을 부릴 수도 없다."

그는 짓씹듯이 말했다. 같은 말을 여러 단어로, 거듭, 얼음장을 깨부수는 망치처럼.

'안스의 기억이 되살아날 수 있다.' 이 명제에서 티티라는 완전히 미친 사람이었다. 희망을 품었다가, 잃었다가, 애초부터 품은 적 없다고 생각하다가, 그냥 아무 생각도 하지 않게 해 달라고, 나는 단지 안스에게 사과하고 싶을 뿐이라며 몸을 웅크리고…….

티티라는 부르르 떨며 대답했다.

"나도 알아. 난 당신이 문신에 고통받는 모습을 보고 경악한 시노드 신넬인이잖아……. 믿지 않는다고 대체 몇 번이나 말했지? 내가 당신보단 세속적이라고 생각하는데."

"아니. 너는 잘 모른다. 사람은 잘 모르는 것에 현혹되기 마련이다. 다만 이제는 그 잘못된 믿음을 바로잡고, 법황이 인간에 불과하다는 사실을 받아들이라고 말하는 거다. 그자는 손을 튀겨 바다를 끓일 수 있던 성서 속 예언자가 아니다. 원하는 물건이 있으면 직접 걸어가야 하는, 우리와 똑같은 인간이다."

"알고 있다니까. 자기 마음대로 단정지어 놓고 연설을 하네. 지금 가둬 둔 데에 화내지 않는 것도 진짜 노력하고 있는 건데, 개자식이."

티티라는 그의 말을 잘 이해하고 있었다. 법황은 그저 인간이었다. 요술을 부릴 수 있다면 그렇게 많은 병사를 곁에 둘 필요가 없었겠지. 사실…… 그 흉흉한 칼잡이들, 편집증적인 경비만으로도 충분한 증거가 되었다.

그러나 안스카리우스가 계속해서 들쑤시는 게 싫었다. 자신은 물론 절대 그렇게 생각하지 않을 테지만— 그래도 혹시, 혹시, 안스의 기억이 살아날지 모른다는 일말의 희망마저 꺼뜨리지 않았으면 했다.

이성이 탄탄하게 버티는 순간만큼은 '안스가 돌아올 수 없다'고 선언하겠지. 그러나 밤늦게 창밖을 보며 '혹시 안스가 돌아온다면'이라는 문장을 중얼거리게 만드는 희망, 그렇게 중얼거리다 잠들면 진짜 같은 꿈을 꾸게 만드는 그런 희망을…… 그가 잔인한 굽으로 짓밟고 있었다.

물론 티티라는 안스카리우스와 똑같은 문을 밀어 닫으려 하고 있었다. 법황에게 고백했듯 바라다 바라다 마침내 무너지는 한심한 몰골을 피하기 위해, 온몸의 체중을 실어 희망이 흘러나오는 문을 닫고 있었다.

안스카리우스도 마찬가지였다. 애초에 안스를 싫어했고, 법황이 그것으로 협박했다고 생각하는 지금은 더더욱 싫어할 테니, 연인의 불쾌한 희망이 보이는 문을 닫아 없애려 했다.

그러나 티티라는 그렇게 힘주어 문을 밀어 닫으면서도…… 문틈을 훔쳐보고 싶었다.

티티라는 그런 스스로가 너무 싫었다.

"티."

그녀는 한숨을 쉬며 마주 보았다.

"금족령을 풀기 전엔 그냥 꺼져."

"……."

"혼자 둘 수 없으면 차라리 아펭글로라도 보내 줘. 당신은 지금 꼴도 보기 싫어."

그가 제 손등을 가늘게 매만졌다. 티티라는 거칠게 뿌리치며, 동시에 자리에서 일어났다.

"계속 여기 있을 거면 가까이 올 생각 하지 마."

잠깐 말을 끊었다가, 일그러진 웃음으로 이어 갔다.

"물론 당신이 원하면 가까이 올 수 있겠지. 들어 올려 침대로 갈 수도 있겠고, 옷을 벗길 수도 있겠지. 뭐, 그렇게 해 봐."

"……."

"가둬 두었으니 이제 뭘 못 하겠어. 끝까지 가면 어때?"

그를 상처 입히기 위해선 무슨 말이라도 할 작정이었다.

……자신을 가두어서는 아니었다.

정직해지려는 노력은 날이 잘 든 칼처럼 그녀를 상처 입혔다. 고통스러웠다. 그러나 스스로에게 거짓말을 해선 안 됐다.

안스카리우스가 나를 가두어서 화난 게 아냐.

그보단, 그가 내 희망을 분쇄하려 들었기 때문이야. —물론 나도 희망이 분쇄되길 바랐지만 그래도 왠지 기분이— 아니, 나는 희망을 품고 싶어. —무슨 소리야? 안스의 기억은 못 돌아와.— 돌아올 수도 있잖아…….

"네가 아니라고 부정하니 두 번 묻지 않겠다. 하지만 법황은 역사상 어떤 '마법'도 해낸 바가 없다. 오로지 '약속'만이 살아 있을 따름이다. 네가 반드시 기억하길 바란다."

……이렇게 작은 소망을 산산조각 내는 것이다.

티티라는 충격받지 않은 척하면서 턱에 힘을 주었다.

"나가."

안스카리우스의 손이 스르르 떨어졌다.

그는 자리에서 일어서 그녀를 바라보았다.

티티라는 무시한 채 다시 책 위로 고개를 숙였다. 자신이 한순간 절망에 떨었다는 사실을 들키고 싶지 않았다.

잠시 뒤, 문이 닫혔다.

그녀는 힘이 빠져 의자 위로 길게 누웠다.

다음 날, 놀랍게도 아펭글로가 방문했다.

티티라는 스스로 상황을 무마하기 위해 던진 말을 안스카리우스가 주의 깊게 경청했음을 알아차렸다. 그 사실에 짜증스러운 애정이 솟았는데, 애써 보이지 않는 곳으로 쑤셔 넣었다.

눈앞의 아펭글로는 오로지 사제왕의 명령 때문에 왔다는 기색을 역력히 풍겼다. 팔짱을 낀 채 소파에 앉아선 먼저 말을 꺼내지도 않았다. 침묵이 흐른 지 벌써 십여 분이 넘었는데, 티티라는 그가 언제까지 고요할 수 있을지 궁금해졌다.

그녀는 문득 좋은 생각을 떠올렸다.

자리에서 일어서 책상으로 걸어갔다. 서랍을 열곤, 눈에 잘 띄는 곳에 두었던 종이를 꺼냈다.

티티라는 그의 옆자리에 그것을 내려놓았다.

아펭글로가 찡그린 채 고개를 들었다. 자신이 얼마나 싫은지, '이게 무엇이냐.'고 묻지도 않았다.

티티라는 그의 혐오감에도 담담했다. 당신이 전해 준 일기장 덕분에 법황의 노예가 되길 맹세했다고 바로잡지도 않았다. 앞으로도 말할 생각 따윈 없었다. 그에게 고백하는 것은, 제 선택을 위로받고자 하는 약한 마음가짐에 불과했다.

그녀도 고집 세게 침묵한 채 검지로 종이를 가리켰다. 그는 그 몸짓이 불쾌하다는 듯 오만상을 찌푸리곤 그녀의 선물을 낚아챘다.

아펭글로가 편지를 내려다보았다.

티티라는 세 발자국 앞에 서서, 겉봉에 선명하게 쓰인 그레슈카의 글씨를 감상했다.

[아펭글로]

그의 손가락이 움츠러들었다. 떨린다기보단 발작 같았다. 그렇게 한순간 종이를 완전히 구겨 버렸다.

아펭글로가 시선을 들었다.

"어디서 얻으셨습니까?"

티티라는 내내 날카로웠던 사람이 바보 같은 질문을 하자 깜짝 놀랐다.

"어디서 얻었겠어요? 직접 받아 왔습니다. 그레슈카 씨와 잘 아는 사이거든요."

"……."

"사제왕 각하께서 당신이 살아 있단 소식을 전해 주셔서, 제가 오지랖을 좀 부렸죠."

"……."

"뭐, 필요 없다면."

티티라가 손을 뻗자, 그가 편지를 살짝 당겼다.

그녀는 웃지 않으려고 노력하며 다시 자세를 바로 했다.

"절 너무 싫어하셔서 그것도 필요 없으실까 싶었습니다."

그가 인상을 찌푸렸다.

"당신은 안스에게 어떤 일이 일어났는지 알면서도 사제왕의 조력자가 되었습니다. 돌아보지 않기로 결심한 분에게 좋은 대접을 해 드리기 힘듭니다."

"……."

"왜 제 환심을 사시려는지 알 수 없지만, 죄책감이라면 그만두십시오."

그에게 단단히 미운털이 박힌 모양이었다. 아펭글로는 본인이 동요했단 사실을 뻔히 알면서도 꿋꿋하게 밀쳐 내고 있었다.

"그렇게 말씀하시는 것치고, 편지는 돌려주기 싫으신 모양인데요."

"……저는 경고하는 겁니다. 제가 이 편지를 본다 해도 여전히 당신을 싫어할 수밖에 없다는 것을요."

사실 티티라는 그가 고작 편지 하나에 제게 친근하게 다가왔다면 더 원망했을 것이다. 그에게 안스가 최우선이라는 사실이 얼마나 위로가 되었는지 모른다.

그렇기에 웃으며 대답해 주었다.

"네. 상관없어요. 바라지도 않았습니다."

아펭글로는 잠시 자신을 노려보더니, 편지를 뜯었다.

티티라도 처음 보는 내용물이었다. 봉투가 두터워 이미 예상했지만, 편지는 한두 장이 아니었다. 저렇게 긴 고백이 필요한가 싶으면서, 한순간 공문은 아닐지 의심스러울 정도였다.

결국 그녀는 편지를 훔쳐보길 포기하곤 아펭글로를 바라보았다. 그는 시야가 어두운 사람처럼 미간에 힘을 준 채 한 줄, 한 줄 더듬어 나갔다.

잠시 뒤, 긴 한숨이 새어 나왔다.

그가 종이를 접었다. 이내 부리부리한 시선이 제게 와 닿았다.

"다른 말은 없었습니까?"

"없었어요. 편지도 안 주겠다고 하는 걸 제가 설득해서 들고 왔습니다."

"……."

"수십 년 동안 왕래가 없었는데 글씨체만 보고 알아보시다니 대단하네요."

"그레슈카를 왜 설득했습니까?"

아펭글로는 대뜸 물었다. 엉성하게 주변부를 돌아다니던 티티라의 이야기는 완전히 잘려 나갔다. 그녀는 피하고 싶은 내용을 고스란히 앞으로 데려온 그에게 조금 질렸다.

"시노드 신녤인 중 누가 바다를 넘을 수 있었겠어요? 수십 년 만에 찾아온 기회를 놓치지 말아야죠."

"아니, 그레슈카는."

그의 입에 담긴 그레슈카의 이름이 너무 생소했다. 상주는 제게 독한 말만 지껄이던 인간이었는데, 문득 그이에게도 젊음이 있었겠구나, 하는 기묘한 감각이 들었다.

"내가 살아 있단 소식을 듣고도 꿈쩍하지 않을 사람입니다. 추억을 나누긴커녕 의도적으로 단절을 선택했겠지요."

"당신이 그녀를 잘 몰랐나 봐요. 이렇게 편지를 주었잖아요."

아펭글로는 자신을 뚫어져라 바라보았다.

"저는 틀리지 않았습니다. 이 편지의 절반은 당신에 대한 이야기고, 남은 절반도 우리의 젊은 시절을 추억하고 있진 않습니다."

티티라는 예상하지 못한 답변에 화들짝 놀라 몸을 일으켰다. 그러나 아펭글로는 편지를 빼앗기지 않으려는 듯 외투 속에 숨겼다. 그녀는 기가 막혀 '허' 하는 감탄사를 내뱉었다.

"무슨 내용입니까? 제 이야기가 있으면 저도 읽어야겠어요."

"제 이야기도 있습니다. 전 제공하지 않을 겁니다."

티티라는 인상을 찌푸렸다. 자신이 그레슈카의 편지를 고이 보관한 것은 당연히 옛 친구와 나눌 소회를 지키기 위해서였다. 그런 사적인 감정은 죽어도 훔칠 생각이 없었다.

그런데 저 편지의 절반이 내 이야기를 하고 있다고?

티티라는 이번만큼은 포기하지 않고 맨발로 테이블을 밟았다. 그와 자신 사이에 있는 유일한 물건이 무게를 못 견디고 바르르 떨렸다.

"그럼 제가 쓰여 있는 부분만 보여 주세요."

"싫습니다."

그는 태연하게 자리에서 일어섰다.

"오늘은 먼저 가 보겠습니다."

티티라는 확 달려들었다.

그러나 그가 도망가는 것이 먼저였다. 도대체 저 나이에 어떻게 저리 빠를 수가 있는 건지. 그레슈카는 아무리 정정해도 가끔 지팡이의 힘을 빌리는데 말이지.

그는 금세 문을 활짝 열었다. 양옆을 지키고 서 있던 하녀들이 빼꼼 고개를 내밀었다.

티티라는 바깥으로 나갈 수 없어 우뚝 멈추었다. 불쾌감을 이기지 못한 얼굴로 노려보았다.

"오늘도 교국에 대해 가르침을 드릴 수 있어 기쁩니다."

그는 자연스럽게 인사말을 읊조리곤, 무언가 이상하다는 듯이 좌우를 둘러보았다. 멱살을 잡을 기세로 달려들다가 우뚝 멈춘 자신, 문 앞을 지키는 시종과 하녀들, 심지어 무장한 몇몇을 보더니 순식간에 상황을 파악한 듯했다.

아펭글로는 떨떠름하게 덧붙였다.

"……적적하실 텐데 언제든 다시 부르시면 찾아뵙겠습니다. 그때까지 건강하십시오."

그가 몸을 돌려 떠났다.

티티라는 일그러진 얼굴로 닫히는 문을 지켜보았다.

티티라는 여전히 안스카리우스를 외면했다.

그는 매일같이 자신을 찾아왔고, 매일같이 안부를 물었다. 첫날과 다른 점은 그가 제 방에서 자고 간다는 점이었다.

티티라는 그가 같은 침대에 들까 거의 경기를 일으켰지만, 그도 최소한의 양심은 있었다. 안스카리우스는 발치에 있는 긴 소파에서 구겨져 잤다. 충분히 옆방 침대를 선택할 수 있었을 텐데 저러는 모양이 괜히 가증스러웠다.

그녀는 그가 등을 돌린 채 소파에 누워 있을 때면, 괜히 그와 서랍을 번갈아 보았다. 그래. 가증스러우면서, 가슴이 따끔거렸다. 나도 웃기는 인간이지.

이렇게 유폐된 이상 그의 아버지를 언제 죽일 수 있을지는 모르겠지만, 그래도 결심이 흐려지지는 않았다. 그녀는 단 한 번의 기회가 오더라도 성실하게 임무를 해낼 작정이었다. 안스카리우스의 아버지에겐 유감이 아주 많을뿐더러, 애초에 다른 선택지도 없었으니까.

안스카리우스에게 희미하게 가졌던 죄책감도 억지로 밟아 불씨를 꺼트렸다. 아버지와는 고작해야 십 년을 알고 지낸 사이인데, 친혈육 같은 애정이 얼마나 있겠어?

그렇게 속으로 중얼거리다 보면 기절하듯 잠들 수 있었고, 아침에 깨어나면 방에는 아무도 없었다.

다시 지루하게 낮을 보내고 밤이 되면 그가 찾아들었다. 이리저리 뒤척이다 잠들면 다시 아침이었고, 아무도 없었다.

티티라는 여느 때처럼 무기력하게 침대에 누워 있다가, 누군가 방문했다는 외침에 벌떡 상체를 일으켰다.

"―아펭글로께서 사전에 약속을 잡으셨다고 하는데, 아가씨께선 따로 전달 주신 바가 없어서요."

"들어오라고 해요."

티티라가 바닥에 내려서며 말했다.

문이 열렸다.

아펭글로는 지난번보다 멀끔한 차림새로 앞에 서 있었다. 이내 혼자 들어와선 문을 밀어 닫았다.

티티라는 숨기지 않고 말했다.

"지난번엔 제가 싫어서 검댕까지 묻혀 오더니 오늘은 멀쩡하십니다. 본인 환심을 사지 말라고 하던데, 충분히 산 것 같네요?"

"당신이 산 건 아닙니다. 그레슈카의 편지가 저를 샀습니다."

"그게 그거죠."

"아니요. 오해하시는군요. 그레슈카의 '이야기'가 저를 샀습니다."

"……."

그녀는 여전히 그레슈카가 자신을 무어라 표현했는지 몰라서 답답했다. 뭐, 그녀의 전적을 생각하면 욕하면서도 좋은 이야기를 해주었겠지만, 지금은 그렇게 뭉뚱그린 추측이 도움되지 않았다.

"당신."

"뭐요?"

"시노드 신녤에서부터 '총독을 향한 사랑에 눈이 뒤집어졌다.' 하더군요."

아니, 그레슈카, 이 인간은 수십 년 만의 친구한테 하라는 자기 이야기는 안 하고…….

"그래서 '교국까지 따라가선 도무지 무슨 짓을 저지를지 모르겠다.'고, '다른 방면에선 명민한 청년인데 사랑만 들어가면 정신 나간 년처럼 된다.'고 욕을 써 놨습니다."

그녀의 짜랑짜랑한 꾸지람이 기억나 귓가가 아플 정도였다.

아펭글로는 자신을 살피듯 고개를 기울였다.

"그레슈카는 '당신이 처음엔 총독을 죽이려 들었으면서, 순식간에 사랑에 빠졌다.'고 썼습니다."

"……."

"제 친구는 사제왕 바를라암 각하께 어떤 일이 있었는지 모릅니다. 그러니 당신을 단지 철없이 사랑에 빠진 바보로 봤을 겁니다."

이유 없이 등골이 서늘해졌다.

"하지만 저는 아닙니다. 왜 당신이 첫만남에 사제왕 바를라암 각하를 죽이려 했는지, 왜 그러고도 '사랑에 빠지게' 되었는지 이유를 알고 있습니다."

"……."

"이제 현실로 돌아와, 저는 잘 이해가 가지 않는군요. 지난번 제게 안스가 아무 상관 없는 듯 말씀하셨지요. 진실을 알려 준 저를 탓하신 이유가 무엇입니까?"

"……."

"당신은 처음 만난 순간 사제왕 바를라암 각하를 죽이려 들었는데…… 그 회한과 복수심은 어디로 간 겁니까?"

티티라는 반사적으로 대답했다.

"저 사람을 죽일 순 없어."

"사랑에 빠졌습니까?"

"그래."

그녀는 바보가 되는 편이 나았다. 아펭글로가 자신을 또 한 번 경멸의 눈길로 바라보고 떠나길 바랐다.

그러나 아펭글로는 욕설을 내뱉지 않았다. 그보단 예상했던 답을 들었다는 듯, 골똘히 생각하는 표정이 되었다. 앞에 선 그녀는 아랑곳하지 않은 채 진지하게 중얼거렸다.

"이래서야 죽일 사람은 따로 있겠는데……."

티티라는 철렁 내려앉아 등 뒤로 숨긴 주먹을 꽉 쥐었다.

"아펭글로. 뭐라고요?"

"신경 쓰지 마십시오. 당신 혼자 꿍꿍이를 간직하고 있는 것 같아서요."

"지금 신경 쓰지 말라면서 그게 할 말입니까?"

아펭글로는 여전히 자신을 무시했다. 마치 상대를 가장 잘 파악하는 방법은 상대의 말에 절대 귀를 기울이지 않는 것이라고 믿는 사람 같았다.

"법황청에 다녀오셨다 들었습니다……. 벌써 두 번째……. 두 번째 이후로 갇혀 있는 거고……."

"혼잣말이나 할 거면 나가세요."

"당신, 법황을 신뢰하면 안 됩니다."

안스카리우스에게는 꼬박꼬박 —그렇게 들리진 않았지만— 공대하던 인간이 법황을 언급하는 목소리엔 오로지 냉랭한 증오심뿐이었다.

"어쩌라고요? 법황은 제게 신뢰를 살 만한 말을 꺼내지도 않았습니다."

"혹…… 바를라암의 친족을 살해하면 안스의 기억을 되살려 주겠다는 소리를 해도 믿으면 안 됩니다. 법황은 그저 인간입니다. 아무것도 해 줄 수 없을 겁니다."

티티라는 순간적으로 대답을 놓쳤다.

"······대체 무슨 소리를······."

"좌우간 바를라암의 친족을 살해하겠단 결심은 저도 별로 반대하진 않습니다. 하지만 대가를 치를 텐데, 어마어마한 대가에도 당신이 원하는 보답을 받긴 어려울 겁니다."

"무슨 말씀이신지, 허황된 이야기만 늘어놓으시네요."

그녀는 조금 씁쓰레한 섬찟함을 느꼈다. 아펭글로는 일관적이었다. 그는 자신이 안스를 위해 목숨을 바쳐야 한다고 확신하고 있었다. 지난번엔 그녀에게 그럴 기색이 없으니 화를 냈던 것이고, 지금 멋대로 —사실에 가깝게— 추정한 뒤에는 나름대로 살가워진 것이다.

"아펭글로, 만일 당신 말이 진실이라면, 보상도 안 따르는 위험을 제가 왜 부담하겠습니까? 그리고 위험한 일을 왜 반대하지 않는 건가요?"

"아, 저는 확률적으로 가망이 없다고 생각합니다. 하지만."

"'하지만'?"

"하지만 확률이 아예 없는 건 아닐 테죠. 그리고 법황의 조언을 받는 것이 안스의 기억을 탐문할 유일한 방법이기도 할 테고요. 그러니 그 선택지밖에 없다는 당신 결정도 지지합니다."

"아, 그러니까, 얼마 안 되는 확률에 제 목숨을 거는 건 괜찮다? 그게 유일한 방법이니까?"

"예."

티티라는 입을 꾹 다물었다. 아펭글로는 그녀처럼 오락가락하고 있었다. 희망은 있었다가, 다시 사라졌다가······. 어쨌든 그는 책임지지 않을 것이다.

문득 화가 치밀어 속삭였다.

"아펭글로, 뻔뻔합니다. 사실 여부를 떠나 저만 목숨을 걸라고요? 그렇게 안스를 아끼면서 당신은 지난 십 년 동안 뭘 했어요?"

아펭글로가 한숨을 쉬었다.

"저는 금치산자입니다. 법황은 제 귀를 잘라 두었고."

티티라는 지금까지 일부러 물어보지 않은 그의 얼굴 한구석 빈자리를 바라보았다. 험난한 바다를 겪은 흔적이라고 생각했는데, 법황의 짓이라는 고백엔 잠시 소름이 돋았다.

그는 우울한 표정으로 말을 이었다.

"귀를 자르면 바다에 나갈 수 없다는 교국 항해자들의 미신에 따른 겁니다. 아무튼 저는 나은 편입니다. 마지막으로 고문당했으니 그래도 이 나이까지 뛰어다닐 수 있는 것이지요."

"……."

"좌우간 법황에게 대적하는 사제왕들이 저를 빼냈습니다. 그때 저는 철없이 바다를 횡단해야 한다고 주장했지만, 사제왕들은 법황이 정보를 가지지 않길 바랐지, 항해엔 그다지 관심이 없더군요. 그나마 탈란타우에가 저를 옹호하여 기반을 만들어 주었습니다. 물론 그 뒤 저와 탈란타우에 사이에 무슨 일이 있었는지는 이제 잘 아실 테고요."

"……."

"글쎄, 제가 시노드 신넬에서 어떤 존재가 되었는지는 모르겠으나, 여기선 사제왕들의 자존심 덕분에 겨우 죽지 않고 살아 있는 처지입니다. 저는 접근할 수 있는 모든 책을 다 읽었습니다. '약속'에 대해 찾으려 노력했습니다. 그러나 제가 '약속'에 대해 알게 된 지식이라곤 탈란타우에의 조롱하는 입에서 튀어나온 한 마디뿐입니다. '사제왕이 교국을 배반하지 못하도록 만드는 장치' 말입니다."

티티라는 인상을 찌푸렸다가, 반박을 쥐어 짜냈다.

"'안스카리우스'와도 나름 친한 거 아니었어? 잠깐이나마 스승이 었다면서. 그 인간한테 물어보면 되잖아."

"전 사제왕 바를라암 각하를 신뢰하지 않습니다. 각하는 안스의 기억을 되살리는 걸 막으실 분입니다. 그분은 본인이 주체가 되어 기억을 찾길 바라시지, 안스가 돌아오길 바라시는 게 아닙니다."

그가 너무 정확해서 대답을 삼킬 수밖에 없었다. 아펭글로의 말이 옳았다. 안스카리우스는 첫 만남부터 지금까지 내내 안스를 '궁금해'했다. 마치 안스가 수백 년 전 비석 아래 묻힌 유골이라도 되듯이. 분명 조금쯤 애타겠지만, 동시에 남의 일처럼 발굴하려 들었다. 근본적으로 그런 태도였기에 그들이 연인이 되자 순식간에 안스를 적대하기 시작한 것이다.

결국 티티라는 아펭글로의 말에 설득되었다. 어쩌면 이미 오래전부터 알고 있었던 사실일지도 모르겠다.

"사제왕 바를라암 각하께선."

티티라는 생각에 잠겨 있다 흠칫 놀라 고개를 들었다.

아펭글로의 얼굴은 웃는 듯 일그러진 듯, 가늠하기 어려웠다.

"기억을 되살릴 방법을 이미 아실 수도 있다고⋯⋯ 저는 의심하고 있습니다. 단지 되살릴 생각이 없으신 것이겠지요."

그녀는 뒤로 한 걸음 물러났다. 숨을 들이켰다.

"안스카리우스는 저와 처음 만났을 때부터 안스에 대해 궁금해했습니다. 얼토당토않은 의심 마세요."

"바깥에서 기억을 들여다보고 싶은 것이지, 그 사람이 되고 싶은 건 아닐 겁니다. 당신도 제 말을 이해했을 텐데요."

"……."

누군가 제 가슴팍을 도려내는 것 같았다. 아프지는 않았다. 다만 부드러운 살 속에 감추어져 있던 무언가가 드러났다. 서늘한, 공포에 가까운 감각이었다.

─아니! 안스카리우스는 분명히 말했다. 법황은 고작해야 인간이므로, 제 기억을 되살리지 못할 거라고. 그렇다면 똑같이 인간인 사제왕 또한 무지할 것이다.

티티라는 순간 흔들린 자신에게 화가 나 언성을 높였다.

"궤변은 그만 늘어놓으세요."

"법황도, 사제왕도…… 모를 수도 있지만 알 수도 있는 겁니다."

"아무짝에도 쓸모없는 소릴. 피곤하네요. 이만 나가시죠."

"제 말은, 교국에서 가장 많은 정보를 독점한 인간은 법황이고, 그 뒤를 따르는 자들이 사제왕이라는 겁니다. 제게 '약속'에 대해 알려 준 이도 탈란타우에였습니다. 그렇다면 저희의 미지 너머에 무엇이 있을지 생각해 볼 수 있을 겁니다."

"아펭글로, 이만 정리할 테니, 당신은 입 닥치고 나가십시오."

아펭글로가 입을 다물었다.

티티라는 이를 드러내며 읊조렸다.

"법황이든 사제왕이든, 안스의 기억을 되살릴 방법에 대해선 모를 겁니다. 알 수도 있지만, 아마 모를 겁니다."

그는 어깨를 으쓱였다.

"극히 낮은 가능성으로 그들이 방법을 안다고 가정해 보겠습니다. 법황이 방법을 안다 해도, 그자는 제게 돌이킬 수 없는 대가를 요구할 겁니다. 또한 사제왕이 방법을 안다 해도, 안스카리우스가 수년간 제 절박한 바람을 외면해 왔다면 앞으로도 계속 그렇게 굴겠죠. 가망 없습니다. 맞습니까?"

"잘 정리하셨습니다."

"네. 그리고 마지막으로, 당신은 하는 일도 없이 입만 놀리는 비겁자 놈팡이입니다. 그레슈카 씨가 당신과 동업했다는 게 믿기지 않습니다."

"……."

"아무것도 책임지지 않고, 스스로 행동할 생각도 없고, 그저 처음 만난 시노드 신넬인이 교국에서 임무를 해내기만 바라고 있다니. 안스를 그리 애틋하게 여겼으면 당신이 먼저 움직였어야지. 아무리 팔다리가 잘린 금치산자라도 말이야."

아펭글로의 어깨가 크게 들렸다가, 천천히 가라앉았다.

"맞습니다. 저는 쓰레기입니다."

티티라는 인상을 찌푸렸다. 지금 내가 농담하는 것 같나?

그러나 그는 뒤얽힌 속을 꾹 누르는 듯했다. 몇 번이고 숨을 고르더니 마침내 입을 열었다.

"전 제 꿈에 눈이 멀어 그것을 이루기 위해서라면 수천 명이 죽어도 괜찮다고 생각했습니다."

"……."

"발전을 위한 토대라 믿었습니다. 그중 하나가 곁에서 목 졸려 죽을 때까지…… 스스로 내린 선택을 실감하지 못했습니다. 그 애가 사라진 뒤에야 깨달았다는 사실도 환멸이 납니다. 저는 약하고 이기적이고 무능합니다. 인생에 걸쳐 잘못된 선택만을 거듭해 왔습니다."

"……."

"저는 제가 바다 건너에서 해낸 일조차 믿기지 않습니다. 그때의 제가 다른 사람인 것 같습니다. 그래서."

"……."

"제 과오를 돌이켜 줄 —단 한 사람이라도 돌이켜 줄— 당신을 기다렸습니다. 오래도록 그 초상화를 보며 안스가 목숨을 건 상대에 대해 상상했습니다. 언젠가 제가 그랬듯이, 바다를 건널 대적자가 아닐까……. 당신이 제 눈앞에 나타났을 때, 동시에 탈란타우에 가 왜 죽었는지 깨달은 순간에…… 저는 울음을 터뜨릴 뻔했습니다. 실패하지 않은 사람에게 기댈 수 있었으니까요."

티티라는 그의 속사포 같은 고백에 콧김을 내뿜었다. 그는 제 앞에서 자존심을 구겨 던지기로 한 것 같았다.

자신이 감탄하던 여행가는 이 자리에 없었다. 단지 늙고 지친 인간뿐이었다.

그녀는 팔짱을 끼었다.

"아펭글로, 똑똑히 들으십시오. 전 아무 짓도 안 할 거예요."

"……."

"하지만 당신은 무언가 해야 합니다."

그는 깊이 반성하면서도 어두워지지 않았다. 오히려 형형하게 대화를 밝혔다.

"먼저 나서시면, 제 방식으로 돕겠습니다."

"그 약속을 어떻게 믿습니까?"

"저는 당신이 시노드 신넬로 돌아가도록 도울 수 있습니다."

티티라는 흠칫 놀랐다. 한 번도, 심지어 꿈에서도 떠올리지 못한 바람이 눈앞에 있었다.

그 기색을 눈치챘는지 아펭글로가 쓰게 웃었다.

"당연하지만, 시노드 신넬에도 정기적인 병참 보급이 이어지고 있습니다. 바다를 넘어가는 데에 따르는 위험도 크고, 그렇게 넘어가서도 오래 머무를 수 없다는 이유로 부를 쌓지 못하기에, 병참선 직무는 기피 직무 중의 기피 직무입니다. 결국 한직으로 내몰린 군인들이 맡게 됩니다."

"……."

"저는 십 년 전…… 극히 초기에 그들의 자문을 맡은 것을 계기로 꾸준히 연을 쌓아 왔습니다. 신민들 중 불신자가 사는 땅에 가고 싶어 하는 이는 없기에 경계가 심한 편도 아니고요. 한 명 정도는 얼마든지 끼워 넣을 수 있습니다— 물론 남장을 하셔야 합니다만."

그녀는 그가 너무 진지해서 의심할 마음도 품지 못했다. 아니— 안스를 살려 달라고 울고불고 자빠진 인간이 배를 갈라 보여 주는 대가다. 신뢰하지 않으면 어쩌자는 건가.

"물론 법황이나 사제왕에게 쫓기는 경우는 논외입니다."

아펭글로가 깜빡했다는 듯 엄중하게 경고했다.

"그 둘에게 쫓기는 상황은 만들지 마십시오. 그러면 저는 도울 수 없습니다."

티티라는 맥이 빠졌다.

자신은 어떤 선택을 하든 둘 중 하나에겐 물릴 처지였다.

잠깐 동안 안스, 안스카리우스, 법황, 복수를 잊고 희망에 부풀었던 마음이 우스웠다. 하긴, 잘못된 선택을 돌이키는 건 신의 영역이지. 인간인 자신은 영영 굴러떨어질 수밖에 없었다.

그녀는 실망하지 않은 척 조용히 대답했다.

"일단은…… 알겠습니다. 생각해 보겠습니다."

"네. 당신이 조금이라도 마음을 돌려서 기쁩니다. 부디 이 노구의 바람을 외면하지 마십시오."

협박처럼 들렸으나, 이제는 그의 말투 자체가 원래 저렇게 생겨먹었단 사실을 알았다. 아펭글로의 바람은 항상 한 가지 색으로 분명했다. 어마어마하게 쨍한 색. 언뜻 진저리가 쳐지기도 하고 두렵기도 했으나, 동시에 묘하게 설레기도 했다. 소년처럼 떠드는 말에 흔들렸다.

물론 제게는 선택지가 없지만, 마음만큼은 그랬단 이야기다. 흔들릴 수 있었다면 흔들렸을 것이다.

티티라는 고개를 끄덕였다.

그는 깊이 인사한 뒤 뒤돌아 나갔다.

티티라는 또다시 방 안에서 안스카리우스가 있는 밤, 없는 낮, 또 있는 밤, 다시 없는 낮을 보냈다. 사실 세는 게 무의미할 정도로 여러 날이었다.

여전히 그와는 대화를 나눌 생각이 없었다.

문이 열리면 일부러라도 침대에 등을 돌린 채 누워선, 상대가 어떤 표정인지도 보지 않았다. 가끔 제 이름이 불리었으나 순식간에 녹아 사라졌다. 정적뿐이었다.

안스카리우스도 고집 세게 그녀를 방치했다. 그는 그녀를 설득하지도, 설득함으로써 그의 정보를 드러내지도 않았다.

티티라는 그 사실이 못내 아쉬웠다. 저 인간이 나를 너무 잘 알아서 문제야. 아예 입을 닫아 버리면 언젠간 지쳐서 굴에서 튀어나올 거라 생각했을 테지.

그녀는 확실히 무기력에 지쳐 가고 있었지만, 벌써 굴복하고 싶지는 않았다. 굴복하기에는 반대편에 걸린 판돈이, 제 자존심이, 너무 컸다.

그날 아침에도 안스카리우스는 일찍 방을 떠났다. 하녀들이 들어와 흐트러진 곳도 없는 천과 가구들을 정돈해 주었다. 그녀는 그들의 간곡한 부탁에도 내내 이불 속에 처박힌 채 나오지 않았다.

하녀들까지 사라진 뒤에야 가까스로 숨을 내쉬며 바깥으로 다리한쪽을 내놓았다.

오늘은 어제 못 다 읽은 책을 마무리 지어야지. 따뜻한 물 속에서 봐도 좋겠다. 그렇게 바닥에 내려서는 순간, 갑자기 바깥이 소란스러워졌다.

티티라는 방어적으로 벽에 붙었다. 좀 더 물러나다가, 서랍에 턱발을 찧곤 신음을 흘렸다.

문이 열렸다.

티티라는 제 행운에 소스라치게 놀랐다.

안스카리우스의 아버지였다.

그는 옆 시종과 하녀들에게 성을 내느라 저를 바라보지 못하고 있었다. 티티라는 서랍 뒤로 급히 손을 밀어 넣어 조막만 한 약병을 소매 속에 숨겼다.

늙은 바를라암은 입구 앞에서 한참이나 다른 이들과 실랑이를 벌였다. 다투는 이유를 눈치채긴 쉬웠다. 하녀들은 안스카리우스의 명으로 출입을 통제하려 했고, 바를라암은 저 여자가 방 안에만 있으면 되지 않느냐고 고집을 피웠다.

그사이 단정한 옷을 입은 시종들이 쌩하니 제 주인을 찾으러 달려갔다. 그렇게 몇 개의 입이 빠져나가자, 바를라암은 빠르게 승기를 잡았다.

그는 귀찮다는 듯 수행인들을 밀쳐 내곤 방 안에 들어섰다.

티티라는 독이 든 병을 느끼며 그를 노려보았다.

전혀 떨리지 않았으며, 심지어 고민조차 없었다. 자신의 운명은 안스의 일기장을 본 순간부터 정해져 있던 것이나 마찬가지였다. 안스가 죽어 가며 고통스레 할퀸 자국을 어찌 외면하겠는가?

그 끔찍한 죄책감과 아픔을 고작 '사랑하는 연인'이 이길 수는 없었다.

사랑은 인생에 한두 번 찾아올 수 있는 것이다. 보는 순간 목이 마르고, 가슴이 쿵쿵 뛰고, 배 속에서 순수하고도 진득한 것이 샘솟는 듯한 감정, 감각, 기분⋯⋯. 이런 것들은 너무도 날벼락처럼 다가와, 오히려 그 영속성에 의문이 들었다. 이만큼 근본 없는 놈이 내 삶을 휘두른다면 진리라기보단 오히려 적에 가까울 것이다.

반면 목숨을 걸 수 있는 동반자는 기억나지도 않는 시절, 뿌리부터 시작한 하나였다. 티티라는 두 눈이 멀어도 안스를 찾아낼 수 있었다. 가장 사소한 기억을 물어본들 그 기억을 둘러싼 감정을 열 줄로 묘사할 수 있을 것이다. 그들은 같은 땅에서 서로에게 얽혀 자란 덩굴 나무였다. 처음부터 끝까지 한 몸이었고, 서로 기생한 탓에 떨어지면 죽었다.

교국에 도착해 잠시 동안 이런 안스를 잊고 푹신한 침대에 누웠다는 사실이 충격적이었다. 돌이켜보니 그랬다. '너무 지쳤겠지. 복수를 마쳤잖아.' 변명해 보아도 안스가 차지했던 제 속 빈 공간에서 허망하게 울려 퍼질 따름이었다.

티티라에게는 선택지가 없었다.

"—네가 아이를 뱄는지 확인해야겠다."

그녀는 귀를 의심했다.

이런 상황에서도 조롱할 수 있는 사람이란 정말 희귀할 텐데…….

티티라의 초점 없던 눈이 확 돌아왔다. 도마뱀처럼.

"각하, 저는 임신하지 않았습니다."

"나는 네 의견을 물어본 게 아니다. 내 아들이 너를 억지로 숨겨 두는 이유가 따로 있을 리 없지."

그는 저벅저벅 걸어와 서랍 위에 어떤 금속 장치를 놓았다. 얇은 피륙이 덮고 있는 막대였다. 티티라는 그 물건이 무엇인지 몰라 인상을 찌푸렸다.

"저쪽 공간에 가서 네 소변에 담가라."

……이 늙은 사제왕은 도무지 자신을 가축 이상으로 볼 수 없는 모양이었다.

"그러면 어떻게 됩니까?"

"일단 해."

그녀는 곧 죽일 사람에게 모욕감을 느끼지 않으려 했다. 고개를 푹 숙인 채 작은 막대를 들고 욕실로 향했다.

"문을 전부 닫지는 마라."

이 인간은 정말 제정신이 아니었다. '잡종'이 태어나는 것이 얼마나 싫으면 저 모양일까.

티티라는 분노로 얼굴이 화끈거리는 것을 느끼며 욕실에 들어갔다. 문은 살짝 열어 두었다.

덜걱이며 자리를 잡은 뒤, 그래, 하라는 짓을 했다. 꽤나 적나라한 소리를 들으며 속으로 욕설을 내뱉었다.

—안 돼. 저 인간을 싫어하면 안 돼.

누군가 급하게 자신을 저지했다.

아무 감정 없이, 오로지 법황의 협박 때문에 살인을 저지르는 경우라면 그녀는 스스로에게 변명할 수 있었다. 하지만 한순간이라도 저 인간이 죽었으면 좋겠다고 생각한다면, 그녀 또한 범죄에서 무고하진 못할 것이다.

티티라는 생각을 꾹 눌렀다. 깊은 한숨을 쉬곤 무엇이 달라졌는지도 모를 피륙을 바라보았다. 자리에서 일어나 욕실을 한 번 둘러보았다.

계획이 섰다.

그녀는 바깥으로 걸어 나가 막대를 들어 보였다.

"똑같습니다."

"더 가까이 와라."

티티라는 대중없이 성큼성큼 걸어 나갔다. 선대— 아니, 늙은 바를라암의 얼굴이 불쾌감으로 일그러지는 것이 보였다.

그녀는 발을 헛디딘 척 그에게 고꾸라졌다.

소변 묻은 피륙이 그의 옷자락에, 그의 손에도 닿았다. 그가 진저리를 치며 물러서는 것이 느껴졌다.

"제정신인가!"

티티라는 바닥에 웅크린 채 고개를 조아렸다.

"죄송합니다. 제가 칠칠맞지 못해서……."

"어디서 예절은커녕 걸음걸이도 제대로 배우지 못한 인간이—아, 아닐세. 근본부터 그른 것은 어쩔 수 없지. 내가 우려했던 대로 행동하는군. 내 아들이 이 꼴을 봐야 하건만."

"죄송합니다. 씻으실 수 있도록 물그릇을 채워 오겠습니다."

그는 침묵으로 허락했다.

티티라는 굽신거리며 일어서 욕실로 들어갔다. 습관인 척 등 뒤로 문을 반쯤 닫았다.

큰 수반을 물로 채운 뒤, 마침내 소매에서 독약을 꺼냈다.

자신이 탈란타우에를 죽였던 지난한 노력을 생각하면 이렇게 쉽게 한 인간에게 사형 선고를 내릴 수 있다는 사실이 조금 무서웠다.

그녀는 변명했다. 안스를 억지로 교국으로 끌고 가선 지금 꼴로 만든 인간이니 죽어 마땅하지. 애초에 내 복수 대상이었잖아.

하지만 도움이 안 되었다.

법황의 명령으로 죽이는 지금, 티티라는 이전과 달리 진짜 살인자가 되는 기분이었다. 복수의 토대를 차근차근 세워서 왜 이 사람이 죽어야 하는지 스스로를 설득하고, 살해하려 시도하고, 노력하고, 좌절하고, 마침내 성공할 때에는 그 과정이 하나의 과업처럼 느껴졌다. 그러나 지금은 그저 불량하고 근본 없는 살인 노예에 불과했다.

제 팔이 너무 무거웠다. 그 살덩이를 움직이는 것이 제 의지가 아니라, 등 뒤에 선 법황의 조종 실인 듯했다.

티티라는 눈을 질끈 감곤 물그릇에 독약을 풀었다.

바를라암의 손톱 근처에 갓 난 상처를 보았다. 먹이는 것은 어렵지만, 닳게 만드는 것은 쉬웠고, 결과에 차이는 없을 터였다.

돌이킬 수 없다는 생각으로 맑은 물을 잠깐 바라보았다. 안스카리우스의 얼굴이 스쳐 지나갔다. 아니, 안스일까?

그녀의 몸을 움직인 것은 이번에도 그녀가 아니었다. 법황이 즐거운 듯 제 등을 떠밀고 있었다. 사형 선고를 하러 가는 길일 텐데, 웃음소리가 들렸다.

티티라는 방 중앙 탁자 옆에 버티고 선 선대 바를라암에게로 걸어갔다. 한 방울도 흘리지 않은 물그릇을 조심스레 탁자에 내려놓았다.

"죄송……합니다."

바를라암은 경멸하는 표정으로 자신을 노려보더니, 곧장 양손을 물에 담갔다.

티티라는 한 걸음 물러났다.

바를라암은 격렬한 태도로 손에 묻은 오물을 닦아 냈다. 물을 덜어 옷자락을 털어 내기까지 했다.

하얗게 질려 그 광경을 바라보았다.

……그는 옆에 놓인 천에 손을 닦곤 멀쩡하게 물러났다.

"임신은 아니군."

"……."

"설혹 나를 속였다 해도, 아이는 세상 빛을 못 볼 것이다. 네 배가 불러오지 않기만을 바라라."

티티라는 제 표정이 들킬까 걱정되어 고개를 푹 숙였다.

바를라암은 몇 마디 욕설을 중얼거리더니 방을 나갔다.

그녀는 조심스레 시선을 들었다. 수반 속 물은 아직 명랑하게, 맑게 파문을 일으키고 있었다. 살인자는 멍하니 방 한가운데에 서선, 왜 모든 것이 이전과 같은지 의심했다.

한순간 복도가 소란스러워졌다.

티티라가 고개를 돌리기도 전에 문이 쾅 열렸다.

안스카리우스였다. 그는 정말 머리끝까지 화가 난 얼굴을 하고 있었다. 성큼성큼 제게 다가와 한 손을 잡았다.

그녀는 아직도 제 살인이 제대로 이행된 것인지 몰라, 혼란스러운 채 그를 거부하지 못했다.

"티."

"……."

"아버님께서 무슨 말씀을 하셨나?"

"……아, 임신했냐고 물었어…… 물어보셨어요. 이상한 막대기를 소변에 담가 보게 시키셨어요. 시노드 신넬에는 없던 물건인데, 아무튼 아이가 없다는 걸 확인하신 것 같습니다."

그의 얼굴이 굳었다.

그는 주변을 둘러보다 물보라가 점점이 튄 소반을 발견했다. 이전과 유일하게 달라진 물건이었다.

티티라는 그 순간 소스라치게 놀라 —최대한 태연하려 애쓰며— 곧장 물그릇으로 향했다. 품 안에 껴안곤 안스카리우스를 올려다보았다.

"내…… 제, 오물이 묻어 있어요."

그가 살짝 팔을 뻗자, 그녀는 줄행랑을 쳤다. 물이 이리저리 흔들렸지만 이미 늙은 바를라암이 덜어 냈기에 다행히 넘치지는 않았다.

그녀는 가까스로 욕실에 들어와 잔여물을 흘려보냈다.

하녀들이 받아 놓은 뜨끈한 물을 다른 수반으로 퍼 올려 씻어 냈다. 서너 번을 헹군 후에야 겨우겨우 범죄의 흔적을 천으로 닦아낼 수 있었다. 무언가 남지는 않았겠지.

티티라는 한숨을 쉬며 뒤를 돌아보았다.

안스카리우스가 욕실에 기대 서 있었다. 기척을 느끼지 못했기에 소스라치게 놀랐다.

"더 물어보실 것이 있으신가요?"

그는 침묵했다. 더 이상 연인이 걱정되어 내실까지 달려온 이의 모습이 아니었다. 눈이 살짝 가늘어져 있었는데, 굳이 표현하자면 '의심'이겠으나, 티티라는 외면했다.

"저희가 이렇게 말씀 나눌 시기는 아니잖아요. 바쁘신 와중에 오셨으면 그냥 가시는 게 좋을 것 같습니다."

안스카리우스는 자신을 빤히 응시했다.

"왜 그렇게 쳐다보세요?"

그는 대답하지 않은 채 떠났다.

티티라는 그가 떠난 뒤 혼란 속에서 바닥에 주저앉았다. 법황이 가짜 약을 준 걸까? 대체 왜?

법황은 입가에 닿기만 해도 즉사할 거라 했다. 그래서 이를 들으면서, 살인범이 도망갈 구석도 안 준다고 씁쓸레하게 생각했던 기억이 난다.

혹여 입에 넣은 것이 아니라 —'입가에 닿으면'이라는 표현은 '식도를 넘어가면'의 은유적 표현이었고— 상처에 닿아서 실패한 걸까? 그러면 내겐 더 이상 기회가 주어지지 않는 걸까?

수중엔 더 이상 남은 독이 없었다.

티티라는 한동안 욕실 천장을 바라보다가, 주변이 캄캄해질 때쯤에야 주섬주섬 기어 나왔다. 온몸에 힘이 빠진 채 침대 위로 올라갔다.

설마, 진짜 실패한 거야? 그래도 법황이 제게 공을 들인 걸 보면 다시 기회를 주지 않을까? 선대 바를라암이 죽을 뻔했단 건 아무도 모르잖아. 심지어 그자가 내게 먼저 찾아왔으니 책잡을 거리도 없잖아.

그녀는 멍하니 생각하다가, 문득 평소와 다른 점을 발견했다.

해가 졌는데도 안스카리우스가 오지 않았다.

티티라는 문득 섬뜩한 기분을 느꼈다. 욕실에서, 언제부터 제 등 뒤에 있었는지 모를 그의 모습을 기억했다. 물론 누가 봐도 물그릇을 닦는 인간이었겠지만, 움직임이 너무 빨랐을 수도 있다…….

티티라는 기다렸다.

그날 밤, 안스카리우스는 그녀에게 오지 않았다.

티티라는 초조하게 아침을 맞이했다. 무슨 소란이 일까 두려워 날이 밝을 때부터 정원을 살폈으나 바깥은 그저 평온할 따름이었다. 물론 바를라암 관 깊숙이 박힌 내실이니, 정말 큰일이 났어도 눈치채기는 어려웠을 테지만.

그녀는 밤새 긴장으로 잠을 설쳐 피곤한 몸을 이리저리 꺾었다. 쓸모없는 행동인 것을 알면서도 괜히 침실 문을 힘주어 당겨 보기도 했다―물론 잠겨 있었다―. 문틈 사이로 '저기', 한마디를 건네도 무시당할 따름이었다.

시간은 계속 흘렀다.

티티라는 평소 아침 식사가 들어오던 시간에도 주변이 고요하자, 드디어 무슨 일이 벌어졌다는 확신을 가지게 되었다.

독약을 입 안에 넣은 것이 아니라 약효가 늦게 든 걸까. 늙은 바를라암이 죽거나, 아니면 적어도 앓아누웠으리란 확신이 들었다.

결론을 내리니 잔뜩 조여들었던 마음이 풀렸다. 내내 걱정하던 일이 마침내 현실화되니 갑작스레 차분해졌다. 절벽에서 떨어지는 것보다, 절벽으로 다가가는 행동이 더 두려운 것과 마찬가지였다.

티티라는 욕실로 들어가 차갑게 식은 물로 몸을 씻었다. 감옥에 처박힐 수도 있으니 마지막으로 청결을 챙기는 것도 나쁘진 않을 것이다. 의관을 차려입고, 맨발에 신을 끼워 넣었다. 그리고 문을 열면 바로 보이는 의자에 다가가 털썩 앉았다.

이렇게 기다리다 보면 누군가, 언젠가는 오겠지.

그러나 어스름이 질 때까지 사람의 흔적은 없었다. 당연히 식사도 올라오지 않았기에, 배가 고파 더더욱 피곤해졌다. 설마 살인죄를 물어 그대로 굶어 죽이려는 건가? 힘이 빠져 꾸벅꾸벅 졸면서도 의심스럽게 자문해 보았다.

티티라는 어느 순간 탁자에 엎드려 잠들었다.

한참 뒤…….

그녀는 바깥 소음에 어물쩍 깨어났다. 상황을 깨닫기도 전에 문이 벌컥 열렸다. 멍하니 풀려 있던 시야가 크게 열렸다.

"……."

안스카리우스였다.

티티라는 교국의 풍습을 몰랐다. 그가 평소와 다른 옷을 입었다는 사실은 알았지만, 그게 '장례식'에 마땅한 복장인지 알 수 없었다. 그래서 겉치레를 살피기보단 그의 표정을 살폈다. 화가 났는지, 실망한 듯한지, 이도 저도 아니면 걱정하는 모양인지.

그는 무표정했다.

문을 닫곤 잠시 그 자리에 기대어 서 있었다.

"각하?"

하루 동안 물을 먹지 못해서인지 목소리가 조금 쉬어 있었다. 그녀는 기침을 몇 번 한 뒤 조금 다르게 반복했다.

"안스카르."

그러나 그뿐이었다. '끼니를 걸렀다.', '무슨 일이 있었느냐.' 이런 질문들은 지금 그와 제 사이에서 맴돌 수 없는 대화였다. 아니, 애초에 제게 가장 사소한 질문이라도 허락되었다고 생각하지 않았다.

안스카리우스는 저벅저벅 걸어와 제 앞 의자를 끌어다 앉았다.

한때 파랬던 그의 시선이 이제는 불쾌한 색으로 물들어 있었다. 그림자 탓일까. 그 빛깔은 각양각색으로 울긋불긋하여, 가끔은 주인이 원하는 색을 비추는 것은 아닌가 의심이 될 정도였다. 지금은, 노란 파충류 같았다. 바다는 온데간데없었다.

"간밤에."

그의 첫마디는 쇳소리처럼 낮았다.

"아버님께서 돌아가셨다."

그녀는 눈을 깜박였다. 동요하지 않았다.

"저녁 식사 이후 불이 꺼지지 않아 하인이 들어갔다. 일찍 침대에 누워 잠을 청하시는 줄 알았고, 이불을 덮어 드리기 위해 가까이 갔으나 숨소리가 들리지 않았다."

"……아…… 노환이셨던 걸까. 성경 가르침에 맞도록, 영생의 땅으로 떠나셨길 바랄게."

"……."

내가 저자를 속일 수 있을 거라 생각하긴 한 걸까? 모르겠다.

안스카리우스의 눈이 미묘하게 움직였다. 자신을 관찰하는 것에서, 노려보는 방향으로.

"의사를 불러와 독을 확인했으나 검출되지 않더군."

티티라는 눈을 크게 떴다.

"음독을 의심하는 거야? 감히 누가……? 음, 그분을 마지막으로 뵌 사람 중 하나가 나일 텐데……. 설마 나도 취조하려는 건가?"

"독이 검출되지 않았으니 무엇을 묻겠나."

"……."

"하지만 법황청에 아버님의 부고를 통지하자, 그들이 곧장 너를 다시 부르고자 했다면…… 몇 가지 궁금한 부분은 생길 수 있겠지."

이마가 지끈거렸다. 법황은 정말 자신이 죽든 말든 아무 상관 없는 거구나. 새삼 깨달았다.

가장 고약한 방식으로 소원을 뚝딱 이루어 주곤, 항의하면 네가 바라지 않았느냐고 천진하게 되묻는 요정 같았다. 영생을 살게 해 달라고 했더니, 몸은 늙어 가는데 죽지 못하는 몸을 만들어 놓는 것처럼. 법황은 본인 약속만 지키려는 모양이었다. 그 뒤 티티라 돔니니가 어떻게 되든 그건 제 알 바가 아니고.

"법황이 또 그래? 피곤하다……."

"질문 하나."

그는 제 말을 들을 생각이 없는 듯했다. 티티라는 말꼬리를 흐리며 바닥을 내려다보았다.

"어제 물그릇에 독약을 풀었을 텐데 너는 용케 안 닿았군. 비법이 궁금한데."

티티라는 할 말을 잃고 그를 올려다보았다. 그는 지나치게 확신하여, 문장은 더 이상 질문도 아니었다.

처음 방 안에 들어왔을 때 그는 가장 가까운 친족의 죽음에도 크게 동요하지 않은 모습이었다. 그녀는 그 평온이, 늙은 바를라암이 너무도 자연스럽게 죽어 자연의 섭리에 순응한 것일까 생각했다. 거동이 불편한 나이이므로 자는 중 심장 마비가 와도 슬퍼할 뿐 의심할 수는 없는 처지 말이다.

그러나 아니었다.

그럼에도 그는 비애에 잠겨 있지 않았다.

티티라는 냉정한 그에게 묘한 거리감을 느꼈다. 아버지의 죽음에 놀라지 않기로 작정한 사람 같았다.

"……무슨 말을 하는 건지 모르겠어."

"두 번 물어야 하나?"

"만일 그 그릇에 독이 담겨 있었다면 나도 위험했겠지. 맨손으로 만졌잖아. 그분도 단지 수반에 손을 씻으셨을 뿐이야. 그 이상도 이하도 아니라고."

"거짓말이 형편없군. 두 번째."

"……."

"법황이 너를 다시 부르는 이유가 무엇이지?"

"내가 그걸 어떻게 알아……."

그의 시선이 느리게 깜빡였다. 눈치채지 못한 사이 조금쯤 앞으로 기울어, 제게 더 가까이 다가와 있었다.

"하나부터 열까지 전부 거짓말이군."

"이건 '대화'가 아니잖아…… 아니, '대화'는커녕 '취조'도 아니라, '명령'이네. 당신이 말하는 것만 진실이 되리란 명령."

안스카리우스가 소리 없이 웃었다.

……아무리 그래도 핏줄이 죽은 날에 웃음을 보이다니.

"아버님께서 돌아가신 것은, 있을 수 있는 일이다. 죽음은 삶의 황혼기에 찾아온다. 애도할 테지만 충격적이지는 않다."

"……."

"하지만 '살해'라면 이야기가 다르지."

"……."

"그리고 그게 네 배반에서 비롯되었으니 더 큰 문제다. 그간 내 설득이 무용했다면, 앞으로 우리 사이에 신뢰란 존재할 수 없을 것이다. 지난 몇 주 같은 삶을 평생 누릴 수밖에 없겠군."

그는 짧게 침묵한 뒤 말을 이었다.

"내가 그리 법황의 말에 귀 기울이지 말라 했건만……."

"난 아니라고 했잖아."

"너는 어제 두 명을 죽이려 시도했다. 하나는 성공했겠지. 그러나 나를 죽일 수는 없을 거다."

티티라는 그가 무슨 말을 하는지 이해했다. 안스카리우스는 꽤 진실에 가까운 추측을 하고 있었다. 늙은 바를라암을 죽이면 안스의 기억을 살려 준다는 법황과의 계약. 그는 지금 바를라암은 죽었으나, 안스카리우스의 인격은 죽지 않으리라 선언하고 있었다.

그녀는 이제야 그가 왜 아버지의 죽음에도 감정을 드러내지 않는지 깨달았다. 애초에 드러낼 감정이 없었기 때문이다.

그가 숨기는 것은 친족의 죽음에 대한 슬픔이나 분노가 아니었다. 자신을 향한 배반감이었다.

슬픔과 분노는 감추기 쉽지 않다. 감정의 종류로 따지자면 불이니까. 그러나 배반감은 물이었다. 잔잔하게, 혹은 서늘할 정도로 차갑게, 턱 밑까지 차오르는 섬찟한 감정.

안스카리우스는 숨기려고 노력하지도 않았다. 슬픔과 분노는 없다. 하지만 비대하게 부푼 배반감이, 지금에서야 보였다. 그건 어떤 '상태'였다. 그의 조절 장치가 턱 하고 내려가 배반감에 멈추고, 그는 단지 그에 맞춰 행동할 뿐인 것이다. 더 이상 분출해 낼 감정은 없었다.

안스카리우스가 이마를 짓눌렀다.

"네가 어떻게……."

'아버지'는 이미 사라졌다. '너'였다.

"네가 왜 후회할 선택을 한 것인지 나로선 이해할 수가 없다……. 절대로 이전으로 돌아가지 못할 텐데, 감수한 건가. 이번 법황 접견에서 무엇을 받기로 했나. 내 기억을 살릴 방법?"

티티라는 고개를 모로 틀었다. 그는 이미 확신하고 있었다. 함부로 입을 놀려 심지에 불을 붙이고 싶지 않았다.

한순간, 안스카리우스의 차가운 손이 양 뺨에 닿았다. 그는 힘주어 그와 시선을 맞추게 했다.

"네가 법황에게서 내 기억을 되살릴 방법이 없노라 듣고 올 날이 기대되는군."

티티라의 숨이 잠깐 엇박자로 떨어졌다.

"충고를 경청하지 않고 모든 것을 망친 기분이 어떠할지."

"……."

"방 바깥으로 나올 수 없는 본인 삶을 헛되이 선택한 기분이 어떨지."

"……."

"넌 법황의 세 치 혀에 내 아버지를 살해했다. 또한 나를 살해하려 시도했다. 나는 앞으로 네 의사를 존중할 생각이 없으며, 그로써 우리 관계에 증오가 스며도 불가피하다고 생각한다."

'복수'라기보단 '처벌'이었다. 그에게는 여전히 분노가 엿보이지 않았다. 그보단 경멸 섞인 절망감에 가까웠다.

그는 거의 감정을 비치지 않았으나 티티라는 모든 관계가 바뀌었음을 깨달았다. 털가죽의 안팎이 뒤집어졌다. 흉한 핏줄들이 툭툭 드러났다. 쓰라렸다. 그를 실망시켜서 미안했고, 돌아가도 똑같은 선택을 하리란 사실에 압박감을 느꼈다. 그리고 그를 여전히 사랑해서, 모든 감정은 여전히 그를 가리키고 있어서…….

티티라는 침묵했다.

안스카리우스는 그렇게 그날, 제게 내려질 처벌을 구체적으로 속삭이고 떠났다.

티티라는 고요 속에서 홀로 생각하며, 왠지 모든 것이 하나로 통하고 있다고 생각했다. 법황의 명령도 사실 반쯤은 자해하기 위해 따른 것인데, 이제 안스카리우스 또한 제게 칼을 들었지 않나.

티티라는 차라리 기뻤다. 자신이 수시로 저지르는 잘못된 선택들에 가시 돋친 몽둥이가 들렸으면 했다. 고통받고 싶었다. 지금은 너무 행복해. 이것도 행복한 수준이야. 그러니 더 고꾸라져야 했다. 밑바닥으로 떨어져 얼굴부터 처박아야 했다.

그렇게 방 바깥으로 나가지 못한 지 보름째, 사제왕조차 막을 수 없는 약속이 찾아들었다.

법황이 직접 사람을 보낸 것이다.

안스카리우스는 법황청에서 사람이 왔다는 소식을 전한 뒤 방 한 가운데에 앉았다.

하녀들은 티티라의 손을 잡고 욕실로 데려갔다. 그녀는 도축되는 양처럼 씻겨진 뒤, 끌려 나와 칸막이 뒤로 들어갔다. 수십 개의 옷을 돌려 입다가, 마침내 수석 하녀의 마음에 든 차림으로 바깥에 내동댕이쳐졌다.

안스카리우스가 탁자에 턱을 괸 채 자신을 바라보고 있었다.

티티라는 담담하게 섰다. 그가 저를 인형처럼 부려도 별 불만은 없었다. 그녀는 그의 아버지를 죽였다. 그도, 자신도 그 사실을 알았다. 끝장이다. 이제 마지막으로 법황에게서 '다 거짓말이었는데 어쩌지?'라는 조롱만 듣고 오면 됐다—아니야, 그래도 혹시 몰라. 안스의 기억이— 입 닥쳐—.

넌더리가 났다. 생각이 두서없이 솟아올랐다. 시간을 되감는다면 아예 안스카리우스를 만나러 언덕에 오르지도 않을 텐데. 소조폴로 돌아가고 싶다. 이놈도 저놈도 다 흉하고, 이 땅에서 평생을 지내야 한다는 사실도 막막했다.

죽기는 싫은데, 살기도 싫었다.

자신이 원하는 '삶'은 교국의 작은 방에 갇혀 늙어 죽는 게 아니었다. 아니, 갇혀 있지 않더라도 마찬가지다. 이 꽉 닫힌 고대의 유적에서 영원토록 고요할 삶을 원한 적 없었다. 그러나 시노드 신넬을 영원히 상실했기에, 제게 남은 것은 이뿐이었다.

고개를 숙이곤 깊은 한숨을 쉬었다.

자신을 스쳐 지나가는 하녀들이 느껴졌다. 문이 열렸다가, 닫혔다.

안스카리우스가 일어서 가까이 왔다.

사박사박, 옷자락이 스치는 소리가 났다. 그의 열기가, 숨이 느껴졌다. 자신이 이 땅에서 가진 유일한 것. 아니, 가졌던 것. 이젠 남은 게 없었다.

그가 몸을 숙여 제 옷깃을 다듬어 주었다. 이미 하녀들이 충분히 멋스럽게 해 두었을 텐데……. 어쩌면 제게 닿기 위한 몸짓일지도 모르겠다.

티티라는 고개를 들지 않았다.

정적이 흘렀다.

그는 아직 제게 가까이 있었다.

"내가 기억을 잃은 이유를 알고 있지?"

문득 들려오는 목소리에 그녀가 눈썹을 치켜올렸다.

난데없는 순간에 무의미한 말이었다.

"아니요."

"알고 있다던데, 아펭글로는."

그제야 그녀가 시선을 들었다. 놀란 표정이 아니길 바랐지만, 도저히 감출 수가 없었다. 대체 아펭글로 이 망할 새끼는 내가 방에 갇혀 있는 사이 무슨 말을 지껄인 거야?

안스카리우스는 자신을 관찰하는 듯했다. 파도 같은 시선이 제 뺨을 쓸었다.

"네가 아펭글로에게 어떤 유대감을 가졌는지 몰라도 아쉽게 되었군. 그자는 네 비밀을 털어놓았다. 탈란타우에가 후견인을 죽인 사실을 '안스'가 알게 되었다고. 그러자 그가 정당한 사제왕이 되지 않을 것을 두려워한 '약속'이 그를 해쳤다 하더군."

티티라는 눈만 깜빡였다.

아니. 틀렸다.

안스는 자신 때문에, 자신을 죽이겠다고 협박한 탈란타우에 때문에 죽었다. 아펭글로는 안스카리우스에게 진실을 정확하게 알리지 않았다. 단지 그녀가 알고 있던 착각만 한 조각 던져 주었을 뿐이다. 대체 왜?

"병이 아니라면 '약속'이리라. 예상은 했지. 정확한 연유는 네가 함구하여 몰랐지만."

그에게서 엿보이는 것은 무관심도 아닌, 여유였다.

울컥했다. 더 이상 발뺌할 수도 없었다.

"각하께선 궁금해하지 않으셨습니다."

"궁금하지 않았으니까."

철렁 내려앉았다.

"나는 내 과거를 알고 싶었을 뿐이다. 과거가 날 지배하는 것은 불쾌하다. 병으로 기억을 잃었다는 쪽이, 깔끔하지. 끊기도 쉽고."

티티라는 그에게서 이만큼 직접적인 고백을 듣기가 너무도 싫었다. 안스의 몸으로 안스를 버리겠다고 선언하다니, 분이 치솟았다.

"그보다 중요한 게 있다."

그녀는 화를 억누르는 표정으로 안스카리우스를 노려보았다. 기억을 잃은 이유는 휘파람과 함께 날려 보내고, 그래, 얼마나 중요한 용건인지 들어나 보지.

"그렇게 기억을 잃었다면, 내 기억은 되살아날 수 없다."

찰나, 얼굴에서 핏기가 빠지는 것을 느꼈다.

통제하지 못한 사이에 숨죽인 비명이 새어 나왔다.

"'그렇게'가 아니면요? '약속'이 문제인 건가요? 혹 후견인의 죽음으로 기억이 사라진 게 아니면, 방법이 있어요······?"

희망을 틀어막고 있던 문이 터져 나왔다. 더 이상 경첩도, 문고리도, 아무것도 없었다. 티티라는 익사한 시체처럼 온몸이 뻣뻣해지는 것을 느끼며 그의 손을 붙잡았다.

"각하 기억을 되살릴 방법이······ 있다고요······?"

그의 얼굴은 어두웠다. 아니, 어쩌면 언짢은 것일지도 모르겠다.

"내 말을 곧이듣지 않는군. '그렇게 기억을 잃었다면 되살아날 수 없다.'고 했지."

"그, 그, 그 말씀은, 방법이 있기는 하다는······."

금방이라도 숨이 넘어갈 것 같았다. 열린 문에서— 아니, 무너진 벽에서 콸콸 쏟아지는 희망에 정신을 차리기 힘들었다.

"각하, 제가 무슨 짓을 해서든······ 반드시, 기억을······."

"내가 바라지 않는데."

"각하!"

"그리고, 불가능하다고 분명히 말했다. 법황 또한 같은 소식을 전할 터. 네가 품고 있는 희망이 그릇되다는 사실을 미리 내 입으로 전해 주고 싶었다."

너무 큰 희망과 절망을 동시에 맛봐서 몸이 두 갈래로 쪼개지는 것만 같았다. 그의 목소리 또한 자신을 완전히 찢어 놓으려는지 이를 갈아붙일 정도로 사나웠다. 그 일그러진 음성에서 기쁨이 엿보이는 것 같기도 했다. 처음으로 자신을 상처 입혔다는 사실에……

그는 연인일까, 적일까.

"네가 이토록 쉽게 법황에게 설득될 줄 미리 알았어야 했다. 아직 바다에 있을 때 너를 추궁하여 희망을 꺾어 두어야 했어. 그러지 않은 것이 내 과오다."

"각하…… 방법을 아시면……."

그녀는 부질없이 빌었다. 실제로 불가능하다고 해도 그 방법을 들어야 단념할 수 있을 것 같았다.

안스카리우스는 대답 없이 자신을 밀어냈다. 티티라는 두어 발자국 밀려났다가, 다시 급하게 걸음을 되감았다. 그를 붙잡으려 했다. 그러나 그는 제 방향을 돌려세웠다.

어깨에 얹힌 손이 칼날 같았다. 휑하니 빈 방문이 보였다.

"나가."

"……."

"법황에게서 진실을 듣고 와라. 우리가 같은 말을 하면, 그제야 꺾일까."

티티라의 호흡이 가빠졌다. 숨통이 애벌레 마디처럼 쪼그라들었다.

방법이 있다.

하지만 불가능하다.

티티라는 제 머리 꼭대기에 서 있는 안스카리우스 때문에 미칠 것 같았다. 눈물이 고였다. 숨을 쉬지 못해서인지, 아니면 정말 서러워서인지 알 수 없었다.

안스카리우스는 의도적으로 자신을 할퀴었다. 아니, 짐승의 발톱으로 뭉개 놓았다. 이게 제 아비를 죽인 복수라 한다면 응당 받아들여야 하겠지만, 그래도 너무 아팠다. 차라리 내 목을 졸라. 이렇게, 숨이, 막히도록…….

그는 그녀가 숨을 제대로 못 쉬는 듯하자 곧장 허리를 껴안았다. 힘주어 호흡을 터놓았다. 그녀의 발끝이 들렸다가, 서서히 가라앉았다.

티티라는 쓰러지고 싶었다.

하지만 그가 자신을 부축했다— 혹은 강제했다.

그녀는 발을 질질 끌며 방 바깥으로 나왔다. 아무도 없었다. 복도에도, 계단에도, 지상 홀에도…….

티티라는 무감각한 상태가 되어 앞으로 앞으로 걸어 나갔다. 그가 제 뒤에서 느리게 따라오는 것이 느껴졌다. 마침내 바를라암 관의 입구에 들어섰을 때, 법황의 하수인으로 보이는 자가 조금 놀라 다가왔다.

"……많이 편찮으신 듯하군요."

"그래."

"성하의 부름은 길지 않으실 겁니다, 각하. 걱정하지 마십시오. 바를라암의 귀한 사람을 내주셔서 감사합니다."

"수행인이 마차를 따를 것이다. 돌아올 땐 그편으로 돌려보내라."

"예."

그녀는 그들이 무슨 소리를 하는지 전혀 듣지 못했다. 먹먹한 귓바퀴를 넘지 못하고 뚝 분질러지는 소음이었다.

티티라는 법황의 하수인이 안내하는 몸짓을 하자, 그제야 절뚝이
며 마차에 올랐다.

무슨 정신으로 법황청에 도달했는지 모르겠다.

티티라는 법황을 만나기 전 이렇게 미칠 것처럼 흥분해 있다는
사실이 믿기지 않았다. 중요한 순간에 완전히 난도질 된 상태로 들
어가다니.

안스카리우스가 정확히 그것을 원했을지도 모른다고 생각하자
속이 베인 듯 아팠다. 자신을 상처 입히는 그를 이해했지만, 이해
하려 노력했지만, 그래도 아팠다.

그동안은 희망을 문 바깥에 가둔 뒤, 없다고, 정말 없다고 읊조
려서 어떻게든 자포자기한 채 무덤덤할 수 있었다. 그러나 이젠 안
스카리우스의 말로 고삐 풀린 희망이 제 배를 쑤셔 내고 있었다.
날카로운 뿔에 꿰어 흔들리고, 멀리 내팽개쳐졌다가, 발굽으로 걷
어차이고. 그녀는 바람에 만신창이가 되었다.

티티라는 성좌에 앉은 법황에게 가까이 다가가지도 못했다.

뒤에서 문이 닫히자마자 그대로 무릎을 꿇었다.

"성하⋯⋯."

"그래, 잘했다."

즐거워하는 기색이었다. 하지만 그런 칭찬 따위를 들으려는 것이
아니었다. 애초에 그 칭찬조차 비수처럼 느껴졌다. 안스카리우스
를 배신했다는 증표였기에.

티티라는 바닥에 엎드렸다.

"성하, 성하의 분부를 따랐으니 이제 방법을 알려 주십시오. 제

친구의 기억을 되살릴 방법을 알고 싶습니다."

"우선, 가까이 오게. 그리 멀리서 이야기하면 우리가 오해할 수 있지 않은가."

그녀는 엎드린 채 엉금엉금 기어갔다.

"그대는 멀어진 사이에 네발짐승이 된 것이야?"

"성하, 제발……."

"지난번에 왔을 때는 이리 절박하지 않았던 것 같은데, 어찌 된 연유인가?"

법황의 목소리에 장난기가 묻어났다. 티티라는 미칠 것 같은 기분으로 바닥을 움켜쥐었다.

"성하, 제게 약속하셨습니다. 저는 그 약속을 잊지 않았습니다."

"지난번에는 '내가 너에게 굴복하여 온 줄 아느냐.' 호령이 대단하였지."

"죄송합니다. 잘못했습니다. 점차 성하께서 제 벗의 기억을 돌려주실 수 있다고…… 믿게 되었습니다. 성하께서 일으킨 기적을 보았습니다. 저는 불신자지만, 성하를 숭배합니다."

침묵.

"참, 아쉽게 되었어."

"……."

"너와는 좀 더 오래 대화하고 싶었노라."

"……."

"하지만 우리는 주의 맹세 앞에 신실한 종이니, 가장 미천한 너에게도 약속을 지켜야겠지."

"성하, 감사합니다……."

법황이 높은 성좌에서 내려오는 소리가 들렸다.

"네가 늙은 바를라암을 죽여 아주 앓던 이가 빠진 듯하다. 잠자리가 칠흑 같더구나. 그래. 너는 목적에 충실한 인간이라 성공할 줄 알았다. 결국 너를 처음 본 순간부터 예비한 단어지만, 주께 고해하자면 이 방법을 알려 주는 것이 그리 기분 좋지는 않아. 믿어 다오."

법황의 말투는 조금 이상했다.

티티라는 제 앞으로 그림자가 드리워지는 것을 보곤 고개를 살짝 들었다.

"성하?"

무언가가 바닥으로 떨어졌다. 법황이 대중없이 던진—

—단검이었다.

날이 대리석 바닥과 요란하게 부딪혔다.

법황은 양손을 벌렸다.

"네 목숨을 끊거라."

티티라는 초점 잃은 눈으로 법황을 올려다보았다. 어느새 손이 단검에 닿았다. 칼날, 서늘함이 느껴졌다.

그녀는 그 순간 정신을 차렸다.

"예?"

법황이 눈을 가늘게 떴다.

"말을 듣지 못한 것이냐?"

"잘 들었습니다……. 그런데 이해하지 못했습니다. 제가 왜 자살해야 합니까?"

티티라는 말하면서 바야흐로 인상을 찌푸렸다. 갑자기 이 상황이 전부 법황의 장난처럼 느껴졌다.

"성하, 제가 분부에 따랐음에도 농을 치실 줄은 몰랐습니다. 송구하지만 지금은 말씀을 길게 잇기 힘들 정도로 몸이 좋지 않습니다. 살펴 주십시오."

그에 법황은 턱을 감싸며 고민하는 시늉을 했다.

"무엇이 거짓이라는 것이야? 벗의 기억이 돌아오려면 네가 죽어야 하노라, 분명 말했다."

티티라는 주먹을 꽉 쥐었다. 무슨 같잖은 소리를……. 자신은 바를라얌 관에서부터 벌벌 떨며 희망을 찾아왔는데 법황이 너무도 쉽게 헛소리로 답하자 울컥했다.

결국 무례하기 짝이 없는 말이 비어져 나왔다.

"제가 왜요?"

법황은 손에 쥔 홀을 휘두르며 몇 걸음 옮겼다. 그 가벼운 행동거지 하나하나가 모욕적이었다.

"성하, 저는 성하의 분부를—"

"그래. 분부를 따랐으니 알려 주는 것이지. 네 숨이 멎어야 벗의 기억이 돌아온다. 이해하지 못했느냐?"

"……."

"네 친구를 가둔 주문은 너를 죽이겠다는 말이었다. 그러니 네가 죽어야 속박이 사라지는 것이지."

티티라의 동그란 시선이 점차 작아지고, 가늘어졌다가, 완전히 감겼다. 그리고 다시 확 세상을 받아들였다. 머리에 찬물이 끼얹어진 것 같았다.

그녀는 또렷하지 못한 말투로 웅얼거렸다.

"……네?"

법황이 이마를 짚었다. 인간적이었다.

"몇 번이나 설명해야 하나. 죽기 싫단 마음이라면 차라리 이해하겠어. 네 벗은 너로써 협박당해 교국을 등졌다. 누군가 네 목숨을 인질로 잡는다면 주께 맹세코 대적하리라 결심했으리라. 사제왕은 그런 마음가짐으론 안 돼. 머리가 망가지는 것은 당연하다."

법황의 발걸음이 제 앞에 멈추었다. 티티라는 갈무리되지 않은 시선으로 위를 바라보았다. 단출한 홀이, 마치 신의 심장에서 뻗어 나온 것처럼 길어지고 길어져, 마침내 제 쇄골 한복판을 찍었다.

"그러니 그 원인이 사라져야지."

"……."

"사라진 '약속'은 불가역적이다. 판결이 내려진 재판처럼, 같은 이유로 두 번 벌할 수는 없다. 그러니 네가 단 한 번만 죽으면 된다."

"……."

"어서, 죽어 보렴."

티티라는 제 손 아래 들어 있는 단검에 흠칫 놀랐다.

손가락이 오므라들다가…… 다시 힘을 잃고 풀려났다.

"저런."

"……."

"오해하지 말거라. 우리는 네가 삶을 누리길 바란다. 교국을 몰라 어린애 같지만…… 늙은 바를라암을 죽인, 명민한 불신자. 오히려 너를 좋아하는 편에 가깝겠지."

"……."

"하지만 네가 답을 요구했지 않나."

법황의 말을 받아들이는 데에는 시간이 걸렸다. 티티라는 법황이 자신을 해치기 위해 거짓말을 하고 있다고 생각하다가, 그럴 작정이었다면 보다 편한 길이 있었으리란 사실을 깨달았다.

이곳은 법황의 땅이었으며, 그 권력은 비할 데가 없었다. 그런 인간이 하잘 것 없는 나를 죽이기 위해 이 정도로 옹졸한 수를 쓸까.

고개가 점차 기울었다. 바닥에 처박혔다. 그녀는 양손으로 단단하고 차가운 바닥을 밀어냈다. 눈이 바짝 말랐다.

"돔니니, 우리가 마냥 기다릴 수는 없노라. 독을 원한다면 독을, 목을 졸라 줄 망나니를 구한다면 망나니를 주마. 이 자리가 싫다면 방을 따로 내줄 수도 있다."

"……."

"혹 용기가 안 나면 약속했던 대로 법황청 도서관에 네 자리를 마련해 주겠다. 미천하지만 고작 그 정도 자존심이라면, 바를라암 관으로 돌려보내 줄 수도 있고."

법황의 홀이 살짝 올라와 그녀의 머리통을 쿡 찔렀다.

"어서 결정해라. 우리가 원하는 것은 그뿐이다. 시간을 낭비하지 말라."

손바닥에 땀이 찼다. 그녀는 법황 앞에서 제대로 생각하기 어려웠다.

엎드린 제 반쪽 시야에선 법황의 홀이 귀찮은 감정을 드러내듯 허공에서 흔들렸다. 진자처럼 올라갔다가, 툭 떨어졌다가, 다시 올라갔다…….

법황의 인내심은 길지 않았다.

"이디쿠스!"

등 뒤 커다란 문이 끼이익 열렸다.

"이자를 이네테 바스무에 데려가라. 진정되면 청을 들어주고."

"예, 성하."

홀이 이번에는 조금 강한 힘으로, 제 가슴팍을 밀쳤다. 평소라면 절대 그러지 않았겠지만— 티티라는 나동그라졌다.

"우리는 보답했다. 믿든, 믿지 않든 네 선택이다, 불신자."

저벅저벅 다가오는 발걸음 소리가 들렸다.

저를 설득할 땐 수십 치 혀를 쓴 법황이지만 이젠 조금도 미련이 없어 보였다. 어서 제 앞에서 사라지길 바라는, 귀찮아 하는 듯한 권력자의 태도가 배어 있었다.

제 양쪽 팔이 뒤에서 틀어잡혔다. 이 상황에선 강제라기보단 부축처럼 느껴졌다. 티티라는 짐승에 물린 새처럼 바들거리며 바닥을 짚었다. 그런 줄도 몰랐는데 이미 잔뜩 분질러져 있었다.

법황은 자신이 떠나기 전 빠른 걸음으로 홀을 나섰다. 가까스로 앞을 바라보았을 때, 성좌에는 아무도 없었다.

그녀가 정신을 차린 듯하자 양옆의 기사들이 강하게 밀어 댔다. 티티라는 반항할 새도 없이 쓸려갔다. 법황이 무슨 말을 했지……? 날 어디로 데려가는 거야……?

그녀는 흰 홀을 지나, 태양이 지나갈 수 있을 만큼 거대한 복도를 가로질렀다. 계단을 걸어 올라갔다. 법황청 깊이, 더 깊이 끌려 갔다. 점차 뚝 끊겼던 기억이 되살아나, 법황이 언급했던 '이네테 바스무'가 무엇일지 생각하기 시작했다.

차라리 처형대였으면 좋겠다. 법황은 나쁜 놈이고 나는 억울하다고 한 마디 남긴 뒤 걸어 올라가 죽으면 끝이니까. 조금도 생각하지 않고 불시로 기습당한 척 죽어 주면 되니까.

그러나 그녀가 도착한 곳은 높은 노대였다.

마지막 계단을 오른 뒤 억센 손에 풀려나자, 곧장 제 얼굴 위로 신선한 바람이 닿았다. 그제야 숨이 터졌다. 티티라는 헐떡이며 난간까지 다가갔다.

"성하께서 후의를 보인 인간만이 머무를 수 있는 장소다. 예의를 지켜라."

그녀는 발아래 펼쳐진 교읍지를 바라보느라 무지렁이들의 말을 듣지 못했다. 수십 분째 제대로 된 생각 하나를 뱉어 내지 못했던 머리통이건만, 이렇게 넘쳐나는 생을 보며 가까스로 돌아오고 있었다. 수많은 터전들, 구역별로 웅장하게 선 예배당, 법황청을 감시하듯 다닥다닥 붙은 사제왕의 관들…… 사람들이 보였다.

티티라는 난간을 손으로 쓸며 천천히 주저앉았다. 그 사이로 난 구멍에 머리를 파묻었다. 그 구멍이 입가에 딱 맞는 깔때기라도 된 양, 좁은 곳에서 공기를 빨아들이려 애썼다.

"네 숨이 멎어야 벗의 기억이 돌아온다."

호흡을 더 깊이 내쉬었다.

"네 친구를 가둔 주문은 너를 죽이겠다는 말이었다. 그러니 네가 죽어야 속박이 사라지는 것이지."

머리가 아찔했다.

법황이 거짓말을 했을 수도 있다—

하지만 그럴 이유가 없었다. 그자는 다양한 방법으로 제 인생을 똥구덩이에 처박을 수 있었다. 깔끔하게 자살을 권유한 것이, 오히려 진실 되다는 증거처럼 보였다.

그리고—

눈앞이 한순간 검게 변했다. 그 검은 사이를 햇살이 꿰뚫고 들어왔다. 어둠보다 외려 빛이 고통스러워, 누군가 제 각막을 도려낸 것만 같았다.

—그 고통을 비수처럼 뚫고 들어오는 말.

"그렇게 기억을 잃었다면, 내 기억은 되살아날 수 없다."

안스카리우스의 말.

법황을 증오하는 그가…… 법황의 말을 증명했다. 이보다 더 명징한 증거는 없었다.

안스카리우스는 본인이 우스페히 씨의 죽음 때문에 기억을 잃었다고 믿고 있었다. 탈란타우에가 우스페히 씨를 죽였다는 배반감에 기억을 잃게 된 것이라고…….

만일 안스카리우스가 법황처럼 생각한다면, 즉 본인의 기억을 잃게 만든 이유가 '사라져야만' 기억이 돌아온다고 생각한다면…… 이제야 그의 말을 이해할 수 있었다.

탈란타우에가 우스페히 씨를 살해한 것은 어떤 식으로든 돌이킬 수 없는 사건이었다. 그러니까, 신뢰하는 조언자가 후견인을 죽였다는 배신감은 이제 와선 건드릴 수조차 없는 과거의 사실이 되었다.

그러니 안스카리우스가 제 기억이 돌아오지 못한다고 선언하는 것
또한, 당연한 일이다. 과거를 바꿀 수 있는 자는 오직 신뿐이니까.

하지만 아펭글로의 말처럼 '내 죽음이 두려워' 정신이 나갔다면…….

내가 죽으면 된다. 어느 누구도 안스를 나로 협박할 수 없도록,
내가 사라지면 된다.

갑자기 눈앞의 초점이 돌아왔다. 난간으로 좁아졌던 세계가 재차
힘을 얻었다.

티티라는 바닥과 기둥을 매만지며 기어 올라왔다. 수십만이 사는
거대 도시를 내려다보았다.

자신이 죽어도 빈자리 하나 나지 않을 것 같았다.

노대에서 바라보는 교읍지의 바닥은 아주아주 멀었다. 바닥에 부
딪히고 싶은 욕망이 불쑥 솟아올랐다. 땅이 자신을 끌어당겼다. 아
플 것 같지도 않았다.

법황에게 죄가 있다면, 기억을 회복한 안스와 자신이 함께 무언
가를 해낼 수 있을 거라는 착각을 심어 준 것 정도였다. 개자식은
개자식이지. 하지만 애초에 자신이 그 설득에 넘어간 게 아니었기
에 의미가 없었다.

안스는 그녀 때문에 바다를 건넜고, 그녀 때문에 기억을 잃었다.
티티라는 오로지 이 한 문장으로 움직였다. 이제 자신은 어떻게 되
든 안스만 돌아오면 족했다.

나는 어떻게 되든, 안스만 돌아오면 돼.

티티라는 깃발처럼 나부끼는 검은 옷자락 속에서 생각했다.

뛰어내릴까.

전혀 죽고 싶지 않았다. 하지만 살 이유가 딱히 없었고, 죽을 이

유는 딱 하나 있었다.

복잡했던 머릿속이 깨끗해졌다. 눈앞에 적을 두고 칼을 뽑는 듯했다. 나와 적, 세계가 단둘로 구분되었다. 피아 식별만 잘하면 인생 단순해지는 거야. 달성하거나, 고꾸라지거나, 이기거나, 지는 거야.

티티라는 난간을 붙잡고 한쪽 다리를 올렸다.

제 가슴팍까지 올라오는 난간인지라 조금 헤맸다. 의지가 부족해서는 아니었다. 잠깐 발을 헛디디고, 미끄러지는 짧은 순간순간이 있었다.

그러나 그렇게 지체하는 사이, 뒤에서 급한 발걸음 소리가 들렸다. 티티라는 신음 한 번 내뱉지 못하고 다시 단단한 돌바닥으로 끌어내려졌다.

"불신자, 이 자리를 네 피로 능멸하지 마라."

그녀는 몸을 뒤틀었다.

"놔!"

그들은 그녀를 질질 끌어 안전한 내부까지 끌고 들어갔다. 티티라는 놓이자마자 주먹을 꽉 쥐곤 뒤돌았다.

"내 기억엔, 성하께서 내 청을 들어주라 하신 것 같은데."

가면 같은 표정을 지닌 군인이 대답했다.

"이네테 바스무는 신성불가침이다. 죽길 바라면 말해라. 여기서 죽여 줄 수 있다."

그들의 창이 위협적으로 절걱였다.

티티라는 초조한 시선으로 날을 바라보았다. 날카로운 무기에 찔리면 너무 아플 것 같았다. 아프긴 싫었다. 그냥 저기서 떨어져 죽으면 순식간이고, 괜찮을 듯한데.

"독이 필요하다면 전해 주겠다."

그들은 자살에 있어 급속도로 친절해졌다.

그러나 티티라는 어두컴컴한 곳에서 죽고 싶지 않았다. 마음 한 편에 그래도 억울하단 생각이 남아 있었는지 모르겠다.

아, 좋은 생각이 났어.

그녀는 자신을 바라보는 사나운 안광에 대답했다.

"'흰 벼락'에 데려다줘."

그들은 잠자코 길을 안내했다. 자신이 항상 들어왔던 정문이 아닌, 오히려 그 반대로, 아래로 깊숙이 파고들어 법황청을 가로질렀다.

마침내 탁 트인 공터를 발견했다. 그 자리에는 마차가 한 대 서 있었는데, 법황청의 물건임을 알아보기 힘들 정도로 검소했다.

티티라는 마차에 올랐다. 뒤이어 여러 손들이 마차 문을 닫고, 이내 앞선 마부에게 '흰 벼락'으로 갈 것을 명하는 소리가 들렸다.

출발은 조용하고도 빨랐다.

그녀는 창문 커튼을 걷지도 않은 채 양 무릎을 움켜쥐었다. 그렇게 뻣뻣하게 고정되자 바퀴 아래 작은 돌덩이에도 사지가 민감하게 툭툭 꺾였다.

'티.'

누구의 목소리인지 잘 분간이 가지 않았다.

'바보 같은 짓 좀 하지 마.'

아, 이제 알겠다.

티티라는 마차 바닥을 노려보았다.

"티, 바보 같은 짓 좀 하지 마."

티티라는 눈만 데굴데굴 굴렸다.

안스는 화가 난 듯 팔을 쭉 빼서 휘저었다.

"내려와!"

그녀가 혀를 차며 엉덩이로만 물러났다.

"여기가 항구 가까이선 제일 높은 위치라 잘 보인단 말이야."

"그러다 떨어지면 골로 간다. 차라리 시계탑에 자리를 잡으라니까?"

"아, 좀! 계속 귀찮게 이럴래?"

그러나 자신보다 긴 친구를 이길 수는 없었다. 대체 어떻게 한 건지는 모르겠지만, 갑자기 몸이 괴물처럼 쑥 뻗어 나오더니 제 다리를 잡아 질질 끌어 내렸다.

티티라는 순식간에 건물 바깥에 달린 위태로운 계단으로 떨어졌다. 정확히는, 안스의 품에 떨어졌다. '헉' 소리가 나는 순간 그의 어깨에 짐짝처럼 얹혔다.

그녀는 안스의 단단한 등 위로 주먹질을 해 댔다.

"선적 훔쳐봐야 한다니까! 시계탑이면 쭛, 멀어서 보이겠어?"

━물론 육 층에서 떨어질까 봐 너무 세게 때리지는 않았다. 그런데 저 애 힘을 보면 세게 때리든 말든 악착같이 땅으로 끌고 내려갈 기세여서, 한순간 진저리가 쳐졌다.

"꼭 볼 필요 없어. 우스페히 씨가 너한테 부탁하신 것도 아니잖아. 근처에 사람을 보내 두셨겠지."

"'아두커'가 하도 엄하게 굴어서 미리 잠입시킨 꾼이 아니면 힘들걸. 아, 놔!"

거꾸로 뒤집어진 탓에 피가 쏠려 얼굴이 시뻘게졌다. 티티라는 점차 지상이 다가오자 더 격렬하게 몸부림쳤다.

"놔, 놔— 놔라!"

"놓으면 다시 올라갈 거지? 바로 잡힌다. 헛짓거리 하지 마."

"고래 똥 같은 놈."

안스가 그녀를 내려 주었다.

티티라는 완전히 엉망이 된 둥지 머리로 씩씩거리다가, 빠르게
걸음을 옮겼다.

곧장 뒤로 따라붙는 발소리가 들렸다.

"우스페히 씨가 나한테 물어보시면 안스 너 때문에 못 했다고 할
거야."

"우스페히 씨는 부탁하신 적도 없는데? 착각도 자유다."

"……."

"이거 말고도 할 일 많으니까 들어가."

티티라는 코웃음을 쳤다.

─그리고 순식간에 뒤돌아 다시 달려가려다가, 무시무시한 반사
속도에 잡혔다. 발이 둥실 떴다.

"또 올라가게? 죽고 싶어 환장했냐?"

"……."

그녀는 곧장 맞이한 패배에 풀이 죽었다. 두 번이나 졌다. 정말
이지, 저 애를 몸으로 이기기엔 너무 많은 시간이 흘러 버렸다. 어
렸을 때 더 싸웠어야 했는데. 더 쥐어박고, 미래의 복수를 했었어
야 한단 말이지.

"티."

그녀는 그와 눈을 마주쳤다. 시선 속에 아지랑이 같은 빛이 맴돌

고 있었다.

무슨 뜻일까? 고민하는 사이 안스가 손가락으로 제 머리를 쿡 찔렀다.

"부탁인데 움직이기 전에 생각 좀 해라. 가장 빨라 보이는 길이라고 물불 안 가리고 덤비기 전에. 지난번에도 밀수꾼 추궁하다 어떻게 됐는지 기억하지?"

기분 나빴다.

"손 떼."

툭, 툭.

아니, 진짜 이게.

티티라는 그를 거칠게 뿌리쳤다.

"야, 너, 할 일 하러 가. 저 위는 안 올라갈 테니까 기분 나쁘게 계속 건드리지 말고."

오만상을 찌푸린 채 큰길 쪽으로 걷기 시작했다. 굽이굽이 단정되지 않은 골목 끝, 요란하게 지나가는 마차와 사람들이 보였다.

제 말을 무시하기로 작정했는지 뒤따르는 걸음 소리가 타박타박 큼지막했다. 숨길 생각도 없나 보다.

티티라는 빈정이 상해 숨을 들이켜곤, 냅다 달음박질을 쳤다. 날 따라잡을 수 있다고 생각하겠지만, 길이 혼잡해 놓칠걸?

허겁지겁 뛰어 모퉁이에서 방향을 꺾었다. 그러다 가장자리에 차려진 과일 좌판을 발로 걷어찰 뻔하고 욕을 들어 먹었다. 티티라는 '죄송하다고요!'와 같은 말로 상인의 분을 사곤 곧장 막대로 등을 얻어맞았다. 그녀는 양손을 벌린 자세로 상인을 도발하다가, 이내 큰 길가에 들어선 안스와 눈이 마주쳤다.

티티라는 혀를 내밀었다. 상인이 자신을 모욕한 줄 알고 자리에서 벌떡 일어났다. 그녀는 허둥거리며 다시 뛰어갔다.

다음 골목에 다다르고, 또 다다랐다. 주변이 시끄러워서 잘은 모르겠지만 이제 꺼졌겠지? 티티라는 먼지를 왕창 먹으며 웃었다.

그리고 바로 다음 순간 손목을 잡혀 골목으로 끌려 들어갔다.

"아─!"

안스가 제 입을 틀어막고 잔뜩 쌓인 상자 뒤로 끌고 갔다.

미친놈! 이건 범죄야!

"아두커 상단이야."

티티라는 그 한마디에 잠잠해졌다. 조금 꿈지럭대긴 했지만 난폭함은 순식간에 증발했다.

하지만 입을 막을 필요까진 없었잖아? 티티라는 그의 손을 홱 떼어 냈다. ─도망가지 못하도록─ 안스에게 꽉 붙잡혀선 고개만 쭉 뺐다.

위에서 낮은 욕설이 들렸다.

"망할 새끼들, 귀찮게 하네."

저놈들은 아두커 시청이랑 접붙은 관영 상단이었다. 지금 소조폴 대형 상단들과 계약상 문제가 생겨서, 우스페히와 황금 돛의 문양만 보면 죄다 데려가 말도 안 되는 죄목으로 고소하곤 했다. 물론 얼마 안 가 무죄로 풀려나긴 했지만 그 일주일이 고된 것은 어쩔 수 없었다.

"저것들이, 자기 도시도 아니면서……."

티티라는 이를 드러냈다. 안스와 싸우다가도 다른 상단 사람을 만나면 저 애 편을 드는 것처럼, 황금 돛과 싸우다가도 다른 도시

놈들을 만나면 별수 없이 같은 방향으로 칼을 들게 되었다.

"언젠가 불벼락 맞을 거야. 상도도 없어."

그녀는 아두커 놈들이 지나가는 걸 보며 한참 숨어 있었다. 상자에서 고개만 내민 채 혹시 또 없나, 잔뜩 경계했다.

문득 정신을 차리니 머리 위에선 숨소리만 들렸다.

티티라는 고개를 꺾어 안스의 턱을 올려다보았다.

"나가도 되지 않나?"

제 배를 껴안은 힘이 조금 숨 막혔다. 새삼 둘러보니 고작해야 팔 한 짝으로 자길 붙들고 있어서 자존심이 상했다. 예전엔 나랑 비슷했는데, 이젠 조금만 뻗어도 기우뚱기우뚱 흔들리는구나. 티티라는 주의를 끌기 위해 일부러 복어처럼 배를 부풀렸다.

"안스."

"……."

"야!"

안스가 고개를 숙였다.

왠지 모르게 저 애 얼굴이 붉어진 것 같았다. 아니, 붉은 게 아니라 흙빛 아냐? 죽을병 걸렸나?

"안스, 뭐 해?"

"……."

"너 이러다 니나한테 욕먹는다."

"뭐?"

그가 날카롭게 쏘아붙였다. 예민하긴.

티티라는 힘이 빠진 그 애를 툭툭 털고 나오며 장난쳤다.

"왜, 사귄다고 했잖아?"

"죽는다. 아니야."

그녀는 배를 감싸면서 킥킥거렸다. 뒤돌아 골목 안쪽으로 계속 걸어갔다.

"맨날 다 헛소문이래. 내가 장담하는데 그중 최소 셋 정도는 진짜였다."

"아니야."

"아닌데? 지난번에 제2부두 창고 뒤에서 네가 니나한테 고백했다고 소문 다 났는데?"

"아니라고."

"맞는데?"

티티라는 약 올렸다. 진짠지 아닌진 모르겠지만 안스가 부끄러워하고 있는 것만큼은 분명했다. 지금 뒤를 돌아보면 귀뿌리까지 빨개져 있을 거다.

"너 요새 배 타고 나가잖아. 가슴팍에 니나가 준 꽃을 끼고 나가서 다시 돌아올 때까지 간직했다는 이야기가—"

"개 같은 헛소리 좀 하지 마."

"아님 말고."

그녀는 입이 찢어져라 웃으며 가볍게 앙감질을 했다. 아, 너무 재밌다.

골목 끄트머리로 바다가 보이기 시작했다. 털처럼 솟은 파도 위로 해가 지고 있었다.

"네가 그렇게 쪽팔려 하니까 애들이 자꾸 나한테 와서 묻잖아. 지난번엔 이렇게 저렇게 했는데 망했다더라. 이르메냐도 루이자도 마리아도. 어쩌지? 티, 네가 캐 주라."

"뭘 캐? 지랄하지 말라고 해."

"말하는 꼬락서니 하곤."

티티라는 짠 바다를 앞두곤 뒤돌았다. 안스가 천천히 멈추었다.

"봐 봐. 내가 이러면."

그녀는 양손을 갸륵하게 가슴에 얹었다. 아니, 이건 아니고. 조금 더 올려서 쇄골 사이에 얹었다.

"'안스, 하고 싶은 말이 있어.'"

"꺼져."

그러나 말만 험악했다. 안스는 자리에 우뚝 선 채 꿈쩍도 안 했다.

"'널…… 계속 좋아해 왔어.'"

"……."

"'날 진지하게 생각해 줄 수 있겠니?'"

웃지 않으려고 엄청나게 애썼다. 콧구멍이 벌름거렸다.

"그럼 네가 이러는 거야."

티티라는 안스의 팔을 끌어당겨 제 어깨에 둘렀다. 그 애는 맥빠진 인형처럼 힘이 없었다.

"'나도…….'"

웃음을 못 참겠다. 제 콧구멍은 벌름대는 걸 넘어서 이젠 쌕쌕거리고 있었다.

"큼, 흐흡, 크흡……. 봐 봐. 얼마나, 흡, 쉬워."

"……."

"고백받는 게 쪽팔려서 맨날 인상 쓰고 다니지 말고. 연습해 봐."

티티라는 그를 뿌리친 뒤 다시 신나게 걸어갔다.

"'아, 이렇게 키스를 잘할 줄이야! 안스, 내가 널 잘못 봤어!'"

"……."

"'널 좋아해. 바다 너머로 데려가 줘!'"

"너……."

티티라는 심상찮은 기색을 느끼곤 흘끔 뒤를 돌아보았다.

안스누 진짜로 열 받은 표정이었다.

왜 저래? 농담도 못 하겠네.

티티라는 속으로 꿍얼대고는, 잽싸게 걸음을 떼었다. 경험상 여기서 잡히면 그대로 우스페히 관에 끌려가서 무엇이든 밀려온 일을 해야 했다.

그녀는 허둥지둥 달아났다.

"그렇게 느려터져서 날 잡겠냐?"

내일 세계가 멸망해도 오늘은 놀려먹겠다는 태도였다. 물론 계속 놀리기 위해선 죽을 둥 살 둥 달려야 했다. 티티라는 거의 굴렀다.

그러다 바다에 면한 작은 길로 튀어나왔다. 멈춰야 한다고 생각했다. 그러나 열심히 달리던 힘이 그녀를 배반했다.

"아!"

티티라는 그대로 바다에 굴러떨어졌다.

물론 항구 도시에 살다 보면 한두 번 있는 일도 아니었다. 떨어지는 순간 눈을 꽉 감고 몸을 웅크렸다.

풍덩−!

입수하는 무게 때문에 살짝 바다에 닿았던 발이 둥실 떴다.

티티라는 물을 걷어차며 다시 수면으로 떠올랐다.

뭐가 그렇게 웃긴지 모르겠는데 계속 웃음이 나왔다.

"하하하! 이게 뭐야!"

혼자 물을 뒤집어쓴 몰골이라 바보 같은데, 그 바보 같음이 왠지 너무 유쾌해서 웃음을 참을 수 없었다.

티티라는 물 위에 둥글 누웠다. 발로 돌길을 걷어차며 바다로 나아갔다.

"나는 이쪽으로 갈게."

안스가 그제야 입을 열었다.

"웃기는 소리 하지 마. 십 분도 못 가서 가라앉을걸."

"내기할래?"

"아니."

"좀생이."

안스는 듣지도 않는 듯 겉옷을 벗어 바닥에 내팽개쳤다.

티티라는 그다음에 닥칠 일을 깨닫고 식겁하여 다시 물 위로 엎드렸다. 열심히 손과 발로 헤엄을 쳤다. 앞으로, 앞으로.

누군가 물에 뛰어드는 소리가 들렸다. 앞으로, 앞으로.

물살을 밀치는 감각이 딱 두 번 있었다.

뒤로, 뒤로.

티티라는 짜증을 내고 싶었지만 더러운 근해 물을 먹을까 봐 아무 말도 못 했다.

안스는 물속에서라면 돌고래도 한 수 접을 인간이었다. 제 개헤엄과는 차원이 달랐다. 그녀는 순식간에 그의 겨드랑이 사이에 끼인 불쌍한 짐덩이 하나가 되었다. 발버둥 쳐 봤지만, 답도 안 나왔다.

안스는 티티라를 억지로 땅 위에 올려놓았다.

티티라가 부루퉁하게 앉아 있는 사이, 그도 순식간에 올라왔다. 물이 늪처럼 그 애를 끌어당겼으나, 안스는 소음을 가르는 한 줄기

종이었다. 그 소리가, 빛이, 끈질긴 파도를 손쉽게 갈랐다.

안스는 그녀와 똑같은 자세로 털썩 앉아 머리를 털어 냈다. 티티라는 축 늘어진 해초 몰골로 그를 빤히 쳐다보았다.

"질투 난다."

"티, 바보 같은 짓 좀 하지 마."

"알겠어요, 선생님!"

"내가 없어서 후회하진 않겠지만, 후회할 땐 내가 없을걸."

"네, 뭐라고요?"

티티라는 히죽이며 그를 툭 쳤다. 별일도 아닌데 진지해지는 버릇이 있다니까.

안스는 몸을 숙여 겉옷을 주워 올렸다. 그리고 제게 얹었다. 잔뜩 젖은 몸이 무겁고 불편했지만, 그의 짜증이 선을 넘을 것 같아 그냥 입어 줬다.

너무도 일상적이어서, 신기하기까지 했던 날.

티티라는 바다를 노려보았다. 흐릿하던 시야가 정교한 현실이 되었다. 만화경이 찰칵하며 맞물리는 순간이었다.

마차가 멈추었다.

티티라는 자리에서 일어서 제 손으로 마차 문을 열었다.

잠깐 의아한 채 주변을 둘러보았다. 눈앞에 성벽이 보였다. 몸을 틀자 법황의 하수인이 마부석에서 내려오는 모습이 보였다.

그녀는 방어적으로 몸을 숙였다.

"'흰 벼락'으로 가라고 말했을 텐데."

"들어가라."

남자는 자신을 마차 안으로 다시 떠밀었다. 그녀는 인상을 찌푸린 채 강제에 따랐다.

"뭐야? 당신이 먼저 멈췄잖아."

"네게 경고가 필요했다. 바를라암의 하수인이 따라오고 있다."

"……."

"다른 마차 한 대를 수배하여 따돌렸지만, 한계가 있지. 성하께서는 이다음을 예비하지 않으셨다. 무슨 용건이 있든 잡히기 전에 빨리 처리하는 편이 좋을 것이다."

그가 문을 쾅 닫았다.

잠시 뒤, 다시 마차가 움직이기 시작했다.

등골에 식은땀이 느껴졌다. 죽을 각오를 할 때까지도 제법 평온하던 정신이 갑작스레 바스러졌다.

'흰 벼락'에 도착하자마자 진짜 죽도록 달려야겠다. 멈추지도 않고 그냥 바다에 뛰어들어야지.

이 상황이 기이하게도 슬펐다. 그래도 눈앞에 바다, 혹은 고향을 담고선 마지막을 장식하려 했는데, 세상은 그 감성이 유치하다고 비웃으며 자신을 방해했다.

아니, '세상'은 아니지.

안스카리우스가 방해했다.

티티라는 조급해졌다. 당장 커튼을 걷고 바깥 풍경을 확인했다. 여러 번 신드라문에 방문했기에 아까와 거의 다르지 않은 배경에도 어디쯤 왔는지 알아차릴 수 있었다.

초조하게 창틀을 쥐었다. 최대한 몸을 기울여 뒤따르는 마차가 있는지 확인하려 했다. 잘 보이지는 않았지만, 그래도 고요했다.

원체 인적이 드문 곳이라 쉽게 기척을 느낄 수 있었다. 아직은 주변에 추적자가 없는 모양이었다.

마차가 좀 더 빠르게 달리길 바라 앞쪽 문을 마구 두드렸지만 돌아오는 것은 침묵뿐이었다. 결국 몸을 돌려 계속 마차 뒤를 확인할 수밖에 없었다.

다행히 아무것도…… 아무도…….

티티라는 한순간 작은 먼지구름을 발견했다.

그게 정확히 무엇인지 확인하진 않았지만, 속이 철렁 내려앉았다.

자신이 신드라문을 오갈 땐 그 넓은 땅에 언제나 그녀와 동행인 뿐이었으니까. 이곳에 자신 말고 다른 살아 있는 생물이라면—

급히 옆 창문에 붙어서 위치를 확인했다.

'흰 벼락'까지는 아직 한참 남아 있었다. 손에 힘이 들어갔다. 저 먼지구름이 제게 닿기 전엔, 벼랑에 다다르지 못할 것이다.

티티라는 주먹을 꽉 쥔 채 다시 앞쪽 창문을 두드렸다.

탕!

남자는 여전히 들은 척도 하지 않았다. 티티라는 마차 안을 둘러보았지만 제겐 아무 무기도 없다는 사실만 거듭 확인할 수 있을 뿐이었다.

그녀는 이를 악물었다. 온몸에 힘을 실어 마차 앞 유리에 돌진했다.

쾅!

유리가 끼인 틀이 덜걱였다. 티티라는 다시 한번 체중을 실었다.

쨍그랑!

유리가 박살 났다.

절벽에 가까워 거친 바람이 소용돌이처럼 빨려 들어왔다.

"야! 마차 세워!"

티티라는 피가 줄줄 나는 손을 감싸며 악을 썼다.

남자는 파편처럼 흩날린 유리에 이를 드러냈다. 손이 올라가는가 했지만, 법황의 명령을 어길 수는 없을 것이다.

마차가 서서히 느려졌다.

티티라는 마차가 완전히 멈추기도 전에 벌컥 문을 열었다. 고꾸라질 뻔하다가, 가까스로 문틀을 잡고 버텼다.

그리고 바닥으로 굴러떨어졌다. 피범벅이 된 손에 잡초가 우수수 달라붙었다.

티티라는 법황의 개가 자신을 기다리길 바라지 않았기에 반쯤 뒤돌아 허겁지겁 외쳤다. 뭉개진 잡초를 집어 던졌다.

"꺼져! 돌아오지 마!"

남자는 팔짱을 낀 채 마차 옆에 서 있었다. 고개를 젓는 듯했다. 제 말을 듣더니 잠깐의 지체도 없이 마차에 올라탔다. 문짝은 덜렁이고 유리창은 깨져선, 만신창이로 전락한 마차가 덜그럭덜그럭 방향을 돌렸다.

티티라는 더 이상 뒤를 신경 쓰지 않고 달렸다. 어디서 힘이 솟는지 모르겠다. 다리가 움직이는 것이 아니라, 제 배 속 깊은 곳의 목표 의식과 절망감이 등을 떠밀고 있는 듯했다.

한참을 뛰다 보니, 입에서 신맛이 났다.

아.

우연의 일치인지 자신이 매번 오던 낮은 절벽 방면이었다. '흰 벼락'에 비할 수도 없이 초라한 벼랑이었지만 그래도 엉망진창으로 물에 떨어지면 죽기 딱 좋을 것이다.

티티라는 발을 헛디뎌 굴렀다. 그러고도 다시 벌떡 일어서 뛰었다. 허벅지가 터질 것처럼 아팠다. 목은 칼날을 박은 것처럼 쓰라렸다. 다친 손마저 깊이 갈라진 상처로 자신을 괴롭혔다.

티티라는 문득 뒤를 돌아보았다.

이번에는 확실히 걱정에서 비롯된 착각이 아니었다.

말 한 필이었다. 숙련된 기수의 솜씨인 듯했지만, 그 속도는 제정신이 아니었다. 띄엄띄엄 순간적으로 힘이 빠지는 짐승을 보면 알 수 있었다.

티티라는 멍하니 보고 있다가 얼른 정신을 차리곤 다시금 절벽으로 뛰었다. 너무 낮은 위치에 있어서 조금이라도 높은 곳을 디디기 위해 계속 대각선으로 달렸다. 엎어지고, 기어올랐다.

그사이 뒤를 돌아보니 말이 고꾸라져 있었다. 하지만 이미 한참 가까워진 뒤였다.

티티라는 상대를 알아볼 수 있었다.

누군가 제 늑골 사이로 손을 욱여넣은 것 같았다. 그 불쾌한 이물감과, 심장을 꽉 쥐인 압박감이 그녀를 궁지에 몰았다.

티티라는 더 이상 여유를 부릴 수 없었다. 당장 눈앞에 보이는 벼랑으로 뛰어갔다. 뒤늦게야 자신이 바보 같은 선택을 했단 사실을 깨달았지만 ―'그냥 군인한테 죽여 달라고 했으면 해결됐겠지.' ― 돌이켜도 똑같은 짓을 했을 게 분명하기에, 후회는 없었다.

어차피 죽을 거라면 좋은 것을 보고 근사한 자리에서 죽고 싶었다. 바보 같은 바람이라도, 자신은 이미 법황청의 홀에 이성을 내팽개치고 온 뒤였다.

바람 소리인지, 추적자가 풀을 짓밟는 소리인지, 아니면 곧 끊길

제 숨이 남은 삶을 몰아쉬는 소리인지.

모든 소음이 불길처럼 타올랐다.

아, 인생을 혼자 책임지기 시작했을 때부터 정말 치열하게 살았거든.

그게 이렇게 마무리될 줄 몰랐네.

하지만 목적이 뚜렷한 삶이란 사실은 항상 같아. 나는 변하지 않았어.

티티라는 내내 달려왔다. 끝에 다다라서도 멈출 이유는 없었다.

눈앞에 깎아지른 듯한 절벽이 보였다. 바닥 위로 발을 굴렀다. 쟁기처럼, 제 마지막 결심을 박아 넣었다.

노랗고 붉은 햇살이 거대한 구름 사이를 뚫고 들어왔다. 그렇게 연약하여 어찌 생을 버티겠냐는 듯, 창칼처럼 쏟아져 내렸다. 신이 내린 입김이 일렁이는 파도에 푹, 푹, 구멍을 냈다. 그 둥근 빛무리 안에 구원이 예비되어 있는 것처럼 보였다.

가슴이 벅찼다.

저 끝없는 수평선 너머 내 고향이 있겠지. 이곳에서 추락하면 적어도 시체는 바닷속에 잠겨, 흘러내리고 녹아내리다, 물고기에 씹히고 먹혀서, 또다시 알갱이로 흩어져, 어쩌면 내 일부라도 시노드 신넬에 닿을 수 있을 거야.

안스, 너는 여기서 행복하게 살아. 나는 교국이라곤 한 번도 밟아 보지 못한 인간처럼 해저 동굴로 들어갈게. 그곳에서 죽을게.

"티티라!"

티티라는 좀 더 벼랑 가까이에 다가가며 몸을 홱 돌렸다.

안스카리우스가 양손을 드는 모습이 보였다.

그는 아버지가 돌아가셨던 날의 옷을 입고 있었다. 그날부터 죽은 자를 위한 애도 의식을 가진 듯했다. 어쩌면, 지금 딱 알맞은……

"가까이 가지 않겠다."

바람이 미친 듯이 불었다. 제 옷자락, 짧은 머리카락까지 모조리 긁어모아 절벽 너머로 날려 보내겠다는 듯 험악했다.

티티라는 숨을 크게 들이마셨다.

"어떻게 왔어?"

이 상황에서 그런 질문을 한다니 믿기지 않는 듯, 그의 얼굴이 일그러졌다.

순간, 그녀의 발끝에서 흙덩어리가 몇 개 떨어졌다. 소리 없이 미끄러져…… 파도 소리에 묻혔다.

안스카리우스는 급하게 대답했다.

"바를라암의 마차 편으로 너를 돌려보내도록 부탁했는데, 나오지 않더군. 법황청의 출입구는 단둘이다. 그 흔적을 쫓아 추적했다."

"아, 그렇구나."

"……"

"알겠어. 이만 가 봐."

"이리 와."

"가 보라니까."

"티티라 돔니니."

티티라는 문득 생각난 대로, 거침없이 내뱉었다.

"'티티라.' 그렇게 '티', '티' 해도, 저주에 막혀 오래도록 이름을 못 불러도, 결국 당신에게 내 이름은 '티티라'겠지. 어제 만난 사람처럼 낯설고 예의 차리는……"

그는 입을 꽉 다물었다.

하지만 다시 끈질기게 대화를 붙들었다.

"그래야 마음이 편하다면 그리 생각해. 상관없다."

"……."

"대신 한 발자국만, 돌아와라."

티티라는 눈을 깜빡였다.

"싫어."

안스카리우스의 팔이 폭풍을 맞은 배처럼 반쯤 올라갔다가, 다시 뚝 떨어졌다. 언뜻 보면 덜덜 떨리는 것처럼 느껴졌다.

"내가 잘못했다."

인상을 찌푸렸다.

"당신 아버지를 죽인 사람한테 뭘 잘못했다는 거야? 내 잘못이야. 미안해."

그의 뺨이 꿈틀 움직였다. 진실을 알게 되었기 때문은 아닐 것이다. 그보다는 이렇게 정직하게 털어놓는다는 사실이 어떤 미래를 암시했기 때문이리라.

"티티라, 한순간 법황의 말에 따랐어도 괜찮다. 아니, 바를라암관에서 영원히 밀정으로 행동해도 좋다. 네가 필요로 하는 사실을 언제나 제공하겠다."

"그럴 필요 없어."

벽과 같은 태도에 그가 점점 정직해졌다.

"법황이 무슨 말을 하던가? 네가 죽어야 내 옛 기억이 산다고 하던가?"

그녀는 잠깐 생각하듯 허공을 바라보았다. 이윽고 잘 구르지 않는 공처럼 덜거덕거리며 그에게로 시선을 향했다.

"응—"

"거짓말이다. '약속'을 돌이키기 위해선 그 계기를 지우는 수밖에 없다. 나는 탈란타우에가 후견인을 죽였다는 배신감에 기억을 잃지 않았나. 둘 다 죽었어. 돌이킬 수 없다. 불가능하다."

"다 알면서……."

그가 한 걸음 다가왔다. 티티라는 위협적으로 팔을 뿌렸다.

"멈추라고 했어!"

안스카리우스의 발이 무언가에 걸린 듯 멈추었다. 그들 사이의 거리는 이제 채 다섯 걸음도 안 되었다.

티티라는 법황청을 떠난 뒤 처음으로 분노가 치밀어 오르는 것을 느꼈다. 아까 전에는 모든 걸 깨닫고도 멍한 시체 같았다면, 이제는 진짜 감정이 치솟았다.

"내가 그렇게 안스를 보고 싶어 하는 걸 알면서도…… 나랑 똑같이 안스를 궁금해하는 체했어. 그 애를 되살릴 방법에는 관심도 없었으면서……!"

그의 입술이 달싹였다.

"……너는 내게 스스로를 죽이고 다른 사람을 채워 넣으라 요구하는 거다."

"알겠어! 알겠어! 당신이 그럴 수 없는 건 잘 알겠다고! 하지만 적어도 나를 사랑하진 말았어야지! 내가 밑바닥의 밑바닥 마음으론 '안스'에게 접근했다는 사실을 알면서, 그렇게 내 경계심을 풀었다면…… 그 뿌리부터 배신하면서 애정을 요구하진 말았어야지!"

"……."

"안스 때문에 속 태우는 걸 보면서, 아— 나는 당신이 역병에 걸려 기억을 잃었단 말을 진짜로 믿는 줄 알았네."

"믿었다."

"아니야. 그런 건 '관심과 의지가 없었다.'고 하는 거야. 아펭글로가 교활하게 털어놓은 진실을 듣기 전에도, 아마 짐작하고 있었겠지. '역병? 우스꽝스럽군. 무언가 다른 게 있군.' 특히 당신이 어떤 과거를 지녔는지 안 뒤론 '약속'을 떠올리지 않을 수 없었을 텐데……. 아니다, 아니다! 관심이 없는 게 아니라, 의도적으로 외면한 거야!"

티티라는 점차 눈앞이 밝아지는 것을 느꼈다. 긴장이 한 번에 풀리는 감각처럼 짜릿했다.

선언했다.

"알고도 무시했어!"

몸이 부르르 떨리며 눈가에 눈물이 고였다.

"내가 안스를 그렇게 그리워하는 걸 알고도, 이전에도 앞으로도, 영원히! 사제왕일 것처럼……! 도저히 바꿀 수 없는 현실인 척, 나를, 나를, 속이고, 함정에, 빠뜨렸어……!"

안스카리우스의 얼굴이 웃는 듯 우는 듯 뒤틀렸다.

"아니. 너는 함정에 빠지지 않았다."

"……."

"함정에 빠졌다면, 지금 당장 내 품에 안겨야지."

티티라는 이를 드러냈다.

"난 당신한테 감정으론 거짓말한 적 없어! 난 당신을 사랑해. 지금 이 순간에도 죽이고 싶진 않을 정도로! 이게 얼마나 대단한 일인 줄 알아?"

순간 제게 붙어 있던 심지 같은 용기가 닳아 빠졌다. 목소리에 힘이 뚝 떨어졌다. 마음이 약해졌다.

"그래서, 지금도…… 나는, 미안한 마음이야. 미안해. 어쩔 수 없는 선택이었어."

티티라는 다시 몸을 곧추세웠다.

"당신은 나랑 같이 죽는 거야."

그의 눈이 가늘어졌다.

아니, 한 걸음 다가왔다.

티티라는 악을 썼다.

"멈추라고 했지! 진짜 떨어질 거야!"

"같이 죽자면서, 왜 멈추라고 하지?"

그의 말은 또렷했다. 제자리에 멈추었으나, 이제는 네 걸음 거리였다. 그의 미묘한 얼굴 표정까지 한 손에 잡힐 듯 가까웠다.

티티라는 그가 자신을 살리기 위해 속임수를 쓰는 것인지, 아니면 정말 죽음을 각오했는지 모르겠다고 생각했다.

결국 더 이상 물러설 수 없어 진실을 벗겨 냈다.

"안스는 우스페히 씨 때문에 죽은 게 아냐."

"……."

"나 때문에 죽었어. 그때 탈란타우에는 나를 죽이겠다고 협박했어. 그러면 안스에게서 내 기억만 증발해서, 시노드 신녤을 지배하는 데 걸림돌이 사라질 줄 알고……. 그런데 나는 그 애의 전부였어……. 그래서, 그래서……."

그의 입이 벌어졌다. 그러나 어떤 말을 꺼내기 위해 열린 것은 아니었다.

안스카리우스는 드디어 상황을 이해한 듯 보였다.

"······법황은 내 살인에 흔쾌히 보답했어. 나보고 자살하라고 하더군. 그러면 안스의 기억이 돌아올 거라고."

티티라는 어느새 덜덜 떨리는 손을 들었다. 어딜 가리키는지도 모르면서 삿대질을 했다.

"그러니까 거기 서 있어. 난 떨어질게. 그럼 같이 죽는 거야. 알겠지?"

그는 설득되지 않았다.

"티티라 돔니니, 날 사랑하면 죽지 말아야지. 나를 죽여도 너는 죽지 말아야지."

"안스카르."

"'안스' 때문에 자살하면서 연인을 달랠 수 있을 거라 생각했나? 이해가 가지 않아."

티티라는 여전히 떨리는 목소리로 말했다.

"내 과거를 가지고 싶다고 했잖아······. 그건 줄 수 없어. 하지만 이제 내 미래를, 내 죽음을 가지는 거야. 당신, 혼자서, 독점할 수 있어. 안스는 돌아와 봤자 내가 여기 있었는지도 모르겠지. 법황이 알아서 처리할 테니까······. 그러니 이 자리는 나와 당신만 아는 거야."

"지금까지처럼 같이 살아 있어도—"

"지금까지, 나를! 못 본 거야?"

눈물이 묻어났다.

"살다 보면 좋은 날과 나쁜 날이 있지. 나도 그사이 기억이 사라질 거라고 생각했어! 난 진짜로 내가 안스를 떠올리지 않는다고 믿었다고! 복수를 끝내고 교국에 오면서, 배 위에서, 바를라암 관에서, 당신과 같은 침대에서!"

숨을 들이켠 뒤, 단말마처럼 외쳤다.

"아니었어!"

뺨 위로 차가운 눈물이 후드득 떨어졌다.

"난 그 애를 맨날 생각했어. 기억은 시간이 지나면 잊힌다고 하는데, 그 개 같은 거짓말! 시간만으론 아무짝에도 소용이 없어. 이겨 내야 해. 매일같이 싸워서 이겨 내야 해!"

"……."

"아주 가끔, 안스를 정말로 잊었다고 생각할 때, 그 애가 나오는 꿈을 꿔……! 한밤중에도, 대낮에도……. 잠깐의 꿈이 날 완전히 그날로 돌려보내……. 그리고 난 내가 얼마나 잘하고 있었는지 생각하며 미친 듯이 화를 내……."

티티라는 한 손으로 얼굴을 짚었다. 눈물을 비벼 껐다.

"난……. 안 돼……. 그 애는 나 때문에 죽었어. 난 당신이 이 아득한 심정을 이해할 수 있을지 모르겠다. 내 삶은 안스를 빼놓곤 도저히, 완성될 수 없어. 그 애가 나 때문에 죽느니, 내가 그 애 때문에 죽는 게 나아……."

"나는 누가 널 해치면 죽일 거야. 넌 정말 똑똑하고 빛이 나. 그걸 누가 고꾸라뜨리면 그게 아주 잠깐이라도 난 죽일 거야. 네가 그렇게 생각 안 해도 상관없어. 진짜야. 정말이야."

안스. 너는 그냥, 잊고 살아.

"깨어날 때마다 네가 어디 있는지를 생각해. 네가 행복하게 잘 살고 있다는 확신이 들어야만 일어날 수 있어. 그러고도 네가 더 만족스럽고 기쁘고 즐거운 삶을 누렸으면 좋겠어."

나처럼 뻥 뚫린 구멍으로 모든 게 빠져나가도록 두지 말고.

"나를 네게 심고 싶어. 차라리 내 성취가 너의 일부가 될 수 있도록. 난 아무것도 아니지만 네 일부가 되면 조금이라도 괜찮은 삶일 테니까."

고집 피우지 마. 어차피 넌 다시는 시노드 신넬로 돌아가지 못할 테니, 잊어.

"너는 죽어도 날 좋아하지 않겠지."

아, 안스. 미안해. 생판 남을 사랑해 버렸지 뭐야. 그런데 네 얼굴이 아니었으면, 사랑하지도 못했을 거야. 나는 이게 도통 무슨 감정인지 모르겠어.

티티라는 기억 속 자신의 답을 외워 보았다.

너마저, 가장 완벽한 형태의 애정마저 나는 견딜 수가 없어.

그러니 네가 끝끝내 나를 사랑한다면 나는 나처럼 할게.

널 받아들이고 죽여 줄게.

마지막에는 안아 줄게.

티티라는 고개를 들어 안스카리우스를 바라보았다.

"어쩌면 정말 나다운 건지도 모르겠다······. 내 별명 기억나?"

"······."

"난 당신을 받아들였지. 그 순간부터 오늘이 기다리고 있었을지도. 내 애정은 파멸이야. 제대로 되는 게 하나도 없어."

자조적인 웃음이 났다.

"사랑해. 당신은 안스와 같으면서도 달라. 당신도 날 향한 감정······ 어디서부터가 과거에 대한 집착이고, 어디서부터가 애정인지 구분 못 할걸? 나도 마찬가지야. 당신은 안스지만 안스가 아냐."

안스카리우스가 감정을 이기지 못한 듯 다가왔다.

세 걸음.

티티라는 왼발을 들었다. 말을 잇지도 않았다. 더 다가오면 그대로 떠날 거라는 무언의 협박이었다. 아니, 협박도 아니지. 그녀는 정말 그럴 생각이었다.

"당신은 사람이 참 단단해. 어떤 일에도 후회하지 않는 것 같지. 그런데 당신 잘못도 아닌 기억의 구멍 때문에 죽기 직전이야. 잠에서 깨어났더니 들판 한가운데 잠옷 바람으로 서 있는 것 같은, 그런 애처로운 느낌이 있어. 난 그런 당신을 진심으로 아껴······."

목이 메었다.

"왜 그날 소조폴 언덕으로 갔을까. 어떻게 용서했을까. 나는 결국 당신에게 무너질 수밖에 없었나······."

더듬었다.

"어디서 그런 이야기를 들었거든······. 나를 망가뜨리는 건 적이 아니라, 사랑하는 상대래. 그러니 너무 마음 바치지 마. 아니······ 너무 마음 바치지 말걸."

티티라는 마른 눈물에 헐떡이며 반복했다.

"너무 마음 바치지 말걸."

그의 울긋불긋한 눈. 불이 타들어 가는 것 같았다. 그 불이 애정인지, 분노인지, 안타까움인지, 답답함인지 알 수 없었다. 단 한 가지 확실한 것은 자신이 완전히 안스카리우스를 바라보고 있다는 사실이었다.

티티라는 안스를 생각하지 않았다.

"마지막으로 입 맞추고 싶은데, 그러면 내가 죽지 못하도록 막겠지?"

아쉬운 손끝이 떨렸다.

"자살하기 무서운 건지…… 아니면 이렇게 헤어지는 게 싫은 건지……."

허공에 뜬 왼발이 흔들렸다.

"난 계속 기다릴 거야."

옛날, 안스에게 건넸던 그 말.

그러나 달랐다.

"연인을."

친구가 아니었다.

'네게 파도를 돌려주고 갯더미가 되면
일렁이는 파도에 네 웃음이 들리면
겨울 속에 익사해도 미풍 같은 죽음.'

끝났다.

티티라는 몸을 돌렸다.

그와 동시에 마지막 남은 대지를 밀쳐 냈다.

어쩌면, 다가오는 발걸음과 휘날리는 옷자락 소리를 들은 것 같다.

그러나 이미 몸이 쏟아져 내린 뒤였다.

그녀는 영원을 느꼈다.

안스카리우스는 찰나, 어떤 생각도 하지 못했다.

그러나 절벽 위 티티라에게 한 걸음씩 다가가면서…… 수없이 생각했다.

하나는 당연히 그녀를 살리고 싶다는 마음이었으며, 다른 하나는…….

그는 그녀의 바람이 이루어지지 않길 바랐다. 어차피 죽음이 평등하게 닥친다면 제 몸을 다른 이가 차지하도록 허락할 필요가 있을까.

자신은 티티라가 안스를 사랑하여 자살하는 데 조연이 될 수 없었다.

아버지의 죽음, 티티라의 배신부터 이어져 온 을씨년스러운 마음이, 어쩌면 그녀를 살리고자 하는 마음보다 더 농도 짙고 끔찍하고 질긴 미움이…….

그를 움직였다.

티티라가 사라지는 순간, 그도 걸음을 뗐다.

안스카리우스는 그녀와 같은 자리에서 마지막을 밀쳐 냈다.

티티라는 짧고도 긴 시간을 견뎠다. 악기가 연주될 때, 가장 꼭대기에서 바들거리며 사람을 조마조마하게 만드는 시간. 딱 그만큼에 가까운 영겁을 기다렸다.

바람이 뺨을 세차게 때렸다.

언제까지 떨어지는 걸까.

고개를 돌리자 바닷새가 그 자리에 멈추어 있었다. 깜짝 놀랐다. 마법이야?

그녀는 손을 뻗어 흰 날개를 만지려 했다.

그러자 순식간에 허공이 그녀를 움켜쥐었다. 무시무시한 기세로 움푹 꺼졌다. 심장이 철렁 내려앉았다.

충격에 숨을 들이켜는 찰나, 억센 물보라가 자신을 두들겼다. 온몸이 부서질 것 같았다.

한순간 정신을 잃었다.

깜박.

깜.

박.

눈을 떴을 때는 이미 온몸이 물속에 잠겨 있었다.

한참 바닷물을 먹은 듯 배가 아프고 토할 것 같았다. 다만 메스꺼움마저도 사치일 정도로 숨이 막혀서, 당장 이 자리에서 터져 죽고 싶었다.

티티라는 발버둥을 쳤다. 그러지 않고는 도저히 견딜 수 없었다.

떨어지는 순간의 충격이나, 운 좋게 자리한 암석에 머리가 깨져 죽을 줄 알았는데, 실은 가장 고통스러운 죽음이 자신을 기다리고 있었던 것이다. 어떤 곳에도 발이 닿지 않았다. 그녀는 냉정을 잃고 버둥거리다가 물을 더 먹었다.

수없이 해냈던 수영을 모조리 잊고 발버둥 쳤다.

제게 닥치는 해류가 모든 힘을 집어삼켰다.

머리에 피가 쏠렸다.

소리 없는 비명이 울렸다.

아, 이렇게 죽나. 이런 생각 따윈 조금도 할 수 없었다. 그저 살고 싶었다. 아니면, 딱 숨이 멎고 싶었다. 이 미칠 듯한 유예를 견디다간 고통에 미쳐 버릴 것만 같았다. 폐부가 불어 터지는 듯한 감각이…… 더 이상 숨이…….

숨을 쉴 수가…….

안스카리우스의 잘못은 지나치게 단호히 결심했다는 것에 있었다.

그는 너무도 확고한 의지로 자살하려던 나머지, 역설적으로 가장 안전한 방법을 택하고 말았다. 강한 힘으로 땅끝을 밀어낸 뒤 거꾸로, 길게, 단단하게 떨어졌다. 당연한 결과로 그는 꽤나 무사히 입수했다.

생각보다 절벽이 낮아 한순간 당황했던 것도 같다. 물론 저 멀리 내내 까마득히 높은 '흰 벼락'이 보였기에 제 초조감이 상황을 최후로 밀어붙인 것은 어쩔 수 없는 일이었으나—

그는 자신이 티티라를 뭍으로 끌고 나갈 수 있겠다고 생각했다. 그러니까 물에 떨어지고도, 그 정도로 제정신이었다. 온몸이 말에 걷어차인 듯 고통스러웠지만 벼랑 끝에 몰린 정신이 그따위를 신경 쓸 리 없었다.

그러나 안스카리우스는 바닷속에서 눈을 뜰 수 없었다.

가까스로 몸을 수면 위로 끌고 나오는 것이 전부였다. 잔뜩 어질러진 시선을 들고 티티라가 어느 위치로 떨어졌을지 가늠했다.

잠겼다가, 세상으로 나왔다가.

숨이 막혔다가, 생명줄을 찾아 헐떡이다가.

코앞에 바닷새들이 모여 시끄럽게 비명을 지르고 있었다.

그는 어떤 생각을 할 겨를도 없이 다시 물속으로 들어갔다. 제 수영 실력이 기초를 넘지 못한다는 사실을 알고도, 멀쩡한 몸과, 비이성적인 애정이 판단력을 마비시켰다.

그렇게 판단력이 마비되자, 물속에서도 악착같이 눈을 뜰 수 있었다. 짧은 시간 동안 흐릿한 주변을 삼키고, 다시 꽉 감은 뒤 고통을 삭이고, 다시 뜨고, 헤매고…….

한순간, 뿌연 물 사이로 어두컴컴한 그림자를 발견했다.

그는 부지불식간에 그것을 향해 갔다. 헤엄이 아니라 온전히 힘으로 밀어내는 쇠 심줄이었다. 억지로 자연을 헤쳤다. 움켜쥐었다. 제대로 눈을 뜨지도 못하면서 더듬었다.

인간이었다. 살이었다. 눈코입이 달렸고, 뻣뻣한 목덜미, 그에 이어진 옷자락이 있었다. 그리고 짧은, 턱 밑을 감싼 머리칼…….

티티라.

안스카리우스는 온 힘으로 티티라를 끌어안았다. 그녀의 몸은 이미 죽은 사람처럼 뻣뻣했다. 그러면 조금이라도 끌어내기가 쉬워야 할 텐데, 아니었다.

파도치는 바다에서— 아니, 수 미터 아래 해류가 방향 감각을 흩뜨리는 어두컴컴한 해저에서 사람 하나를 살리는 것은, 그에게는 달성할 수 없는 임무처럼 보였다.

하지만…….

어떤 사람에게는 가능한 일이기도 했다.

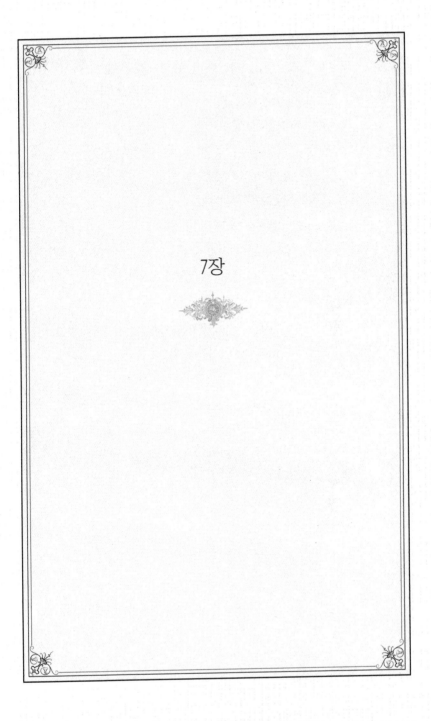

7장

7장

'그'는 생각했다.

'뭐야, 이거?'

그는 아무렇지 않게 눈을 떴다가 바닷속이라는 것을 직감하고 다시 꽉 감았다. 쓰라렸다. 안전한 눈꺼풀 아래에서 눈알을 이리저리 굴린 뒤, 다시 한번 떴다.

그런데 여전히 미치게 아팠다.

그는 도무지 이해할 수가 없었다. 내가 바닷속에서 눈을 못 떴던 적이 없는데, 세상이 뒤집어졌나.

그나저나 대체 내가 왜 물속에서 숨을 참고 있는 건지, 그것도 이해할 수가 없었다. 마지막 기억이 무엇인지도 모르겠다…… 나, 진짜 미친 거 아니야?

그는 인상을 찡그렸다가, 그제야 제 품에 사람이 안겨 있다는 사실을 깨달았다. 누구인지 생각하기도 전에 이 '사람'이 '시체'가 되기 일보 직전이라는 걸 먼저 알아차렸다. 어쩌면 이미 죽었을지도 모른다.

소스라치게 놀라 바깥을 찾았다. 물론 당황할수록 구조는 늦어지기 마련이니— 당황하지는 않았다. 그는 아주 짧은 시간 동안 물속에 둥둥 뜬 채 해류를 느꼈다. 눈을 뜰 순 없어도 십수 년 동안 몸에 익숙해진 감각과 지식은 그를 배신하지 않았다.

그는 한순간 정확하게 방향을 잡았다. 자신을 우악스럽게 반대로 밀어대는 해류에도 반항하지 않았다. 아니, 애초에 그걸 의도했다. 아까 살짝 발이 바닥에 닿은 느낌을 보면 절벽 근처, 해저 동굴을 낀 근해 같은데. 어쨌든 땅이 제 근처에 있으니 찾아가는 건 식은 죽 먹기였다.

그는 몇 발장구의 헤엄과, 몇 개의 해류를 탄 뒤 마침내 돌벽을 붙잡았다. '푸학' 숨을 뱉으며 수면 위로 몸을 빼냈다.

"크…… 흐에춰! 여긴 대체……."

물론 혼자 떠들 시간이 없었다. 그는 아치 기둥 아래로 애써 구조한 사람을 내팽개쳤다.

그리고 그도 가뿐히 위로 올라왔다.

—고개를 돌리는 순간, 자신이 미친 줄 알았다.

티티라였다.

"야……!"

제 품에 있을 때부터 이미 시체일지도 모른다고 생각했을 정도였다. 햇살 위로 올라오자 더더욱 죽은 사람처럼 찼다. 그는 완전히 겁을 집어먹었다.

곧장 티티라의 가슴에 귀를 댔다.

무시무시한 침묵.

심장 소리가 들리지 않았다.

순식간에 자신이 물에 빠져 죽은 듯 호흡이 가빠졌다.

그는 정신 나간 사람처럼 허둥거렸다. 티티라 옆에 무릎을 꿇고 앉아선 곧장 양팔을 뻗었다. 흉골을 짚고, 그 반 뼘 아래로 손깍지를 꼈다. 뒤꿈치를 얹었다.

온 힘을 다해 눌렀다.

"하나, 둘, 셋……."

눈치채지도 못한 사이 눈물이 비어져 나왔다.

대체 무슨 일인지 모르겠다. 지독한 꿈인가 싶었다.

"스물여섯, 스물일곱……. 제발……."

그는 새하얗게 질려선 티티라의 머리를 젖혔다. 작은 코를 꽉 쥔 뒤 숨을 불어넣었다. 그 애 가슴팍에 얹혀 있던 제 무릎이 위로 들릴 정도로 깊게.

그는 두 번 억지로 호흡을 불어넣은 뒤, 다시 가슴을 압박했다. 숫자는 다시 셌다. 정신이 나갈 것 같은 와중에 그렇게 숫자를 세는 것만이 제 이성을 붙잡았다. 압박하고, 불어넣고, 다시 압박하고…….

"……열여덟, 열아홉, 스물……."

얼마나 긴 시간 동안 미쳐 갔는지 모르겠다.

찰나, 티티라의 팔이 부르르 떨렸다.

그는 기절할 것 같은 기분으로 그 애의 입가에 귀를 가져다 댔다. 젠장, 젠장, 모르겠다. 다시 가슴팍에 귀를 댔다. 여전히 알 수 없었다. 세상이 망해 버렸으면 좋겠다. 다 갈기갈기 찢겨 죽었으면. 모든 인간들이 죄다 급소부터 머리까지 꼬챙이에 꿰여 고통스럽게 멸망했으면 좋겠다. 폭력적인 충동이 그를 집어삼켰다.

"……."

그 순간, 숨결을 느꼈다.

그는 눈을 희번덕 뜨며 다시 심장에 귀를 가져다 댔다.

"……."

쿵.

쿵.

눈가에서 눈물이 주르륵 흘렀다. 고여 있던 고통도 아니었다. 매 순간 새롭게 가슴이 저몄다.

"티!"

저 애가 왜 여기에 있는지는 몰랐다. 아니, 여기가 어딘지도 모르겠다.

그런데 그따위 것, 하나도 중요하지 않았다. 눈앞에서 죽어 가던 티를 겨우 살려 냈다는 안도감만이 그의 숨을 붙였다. 정말이다. 저 애가 죽으면 자신은 바로 바다에 빠져 자살할 작정이었다.

그는 급하게 티티라를 옆으로 눕혀 주었다.

곧장 그녀의 입에서 물이 흘러나왔다.

그는 티티라의 등을 쓸며 몸을 좀 더 숙이도록 했다. 거친 기침이 쏟아졌다.

"커헉, 컥! 커흐윽……."

티티라는 억억거리며 속을 게워 냈다. 바닷물은 물론이고 음식에, 신물에, 정말 아무것도 올라오지 않을 정도로 몸이 쥐어짜였다.

그 와중 시선이 흘끗 돌아와 자신을 노려보는 듯했다. 아니, 진짜로 '노려보았다'가, 말없이 다시 흰 돌바닥으로 돌아갔다. 아무것도 나오지 않는 구역질만 계속되었다.

그는 조금 섭섭했다.

그래도 나를 보면 무슨 말이라도 할 줄 알았는데. 고맙단 말은 안 해도, 이름이라도 불러 줄 수 있지 않나…….

뭐, 사실 아무래도 상관없었다.

티가 살아서 자신을 보고 있기만 하면 되었다.

그는 그녀의 등을 쓸어 주며 드디어 생각이라는 것을 하기 시작했다. 방금 전까진 솔직히 인간도 아니었다. 그저 죽을 것 같은 사람이 있으니 끌고 올라왔고, 그 사람이 티인 걸 보고 눈이 뒤집어져선 살렸다. 눈, 코, 귀에 그 상황밖에 들어오지 않았다.

이제 티가 본인 팔로 땅을 짚고 있으니 그래도 조금 생각할 여유가 났다. 아직도 뚝뚝 흐르는 눈물을 닦으면서 '대체 무슨 일이 있었지.' 되돌아보았다.

음……. 우선 교국에 왔다. 그래. 탈란타우에를 따라 교국에 왔다. 그리고 이상한 아버지 놈팡이에게 끌려가선 아펭글로를 스승으로 두고 배웠다.

그는 계단을 오르듯 하나하나 기억을 계산해 냈다.

지도를 배웠고, 군사를 배웠고, 또 무슨 무슨 책들을 배웠고…….

그리고…….

그는 소스라치게 놀라 티티라에게서 떨어졌다.

티티라는 저를 지탱하던 힘이 사라지자 움푹 꺼졌다. 이내 인상을 찌푸린 채 그를 바라보았다.

"그래……. 잘해 봐……. 이제 가두든가……."

"……."

"내가 자살 못 하게 막는 게…… 당신 평생 임무가 될 거야…….
그러다 당신도 곪아 쓰러질 테지……. 그러게, 내가 당신이랑 같이
죽는다고 할 때…… 받아들이지……."

"……."

"내가 당신을 사랑해서…… 유일하게 줄 수 있는 선물이었는
데……. 당신이 거절한 거야……."

그는 마침내 더듬거렸다.

"티, 무슨 소리야?"

"'티'라고 부르지 마악!"

티티라는 크게 소리를 지르다가 버거운지 다시 엎드렸다. 쌕쌕
숨을 몰아쉬었다.

옆을 휙 돌아보는 그 애의 불같은 눈이 애증을 담고 있었다.

"그러고 보니…… 수영을 못한다는 개, 지랄 같은 소리……."

"……."

"내가, 나도, 저기 빠지고 길을 못 찾을 정도였는데……. 내 시체
를 끌고 나왔단 말이지……? 당신, 나한테 진실을 얘기한 게……
있기는 해?"

"무슨 소리야……. 나 수영 잘하잖아."

맥 빠진 목소리가 흘러나왔다.

내가 꿈을 꾸고 있는 건가. 눈앞에 있는 사람이 티티라가 맞는지도
모르겠다. 얼굴만 같은 다른 사람인가— 아니야. 말투가 똑같은데.

"입 다물어……. 아, 그냥……. 죽여, 제발……."

"티."

"날 그렇게 부르지 말라고 했잖아!"

티티라는 거칠게 외치곤 다시 쓰러졌다. 흰 돌 위로 후드득 물기가 떨어졌다. 이미 햇살이 그녀를 말렸기에, 바닷물은 아니었다.

"입 닥쳐! 나한테 한 마디도 걸지 마……. 안 죽일 거면…… 그냥 데려가서 가둬……!"

그는 제 처지를 되돌아보았다.

자신은 사제왕 위를 물려받은 뒤 탈란타우에게 공격받았다. 어린 시절 모든 기억이 사라질 것을 각오했다. 너무 두려웠다. 아직도 마지막으로 올려다보았던 네모난 창밖이 기억났다.

한순간 눈앞이 캄캄해졌다.

그는 급하게 제 윗옷 단추를 벗기 시작했다.

"안스카르, 미친, 정신 나갔지……."

물에 잔뜩 젖은 옷을 바닥에 내던졌다. 어깨를 틀었다. 제게 남아 있을 흉을 확인하려 했다. 모든 것이 가짜 같아서, 상처를 확인해야만 자신이 미치지 않았다는 사실을 증명받을 수 있을 것 같았다.

[소조폴 1001 26 X]

그는 힘이 빠져 돌벽에 스르륵 기댔다.

시선이 멍하니 허공을 바라보다가, 어떠한 수확도 거두지 못한 채 다시 티티라에게로 돌아갔다.

"너…… 왜 여기 있냐?"

"무슨, 콜록! 소리야?"

티티라는 반대편 벽에 기댄 채 거칠게 숨을 몰아쉬고 있었다. 힘들어 보였지만 아까처럼 죽을 듯해 보이진 않았다. 그는 그녀가 제대로 된 대답을 할 수 있는 상태라고 생각했기에, 거듭 물었다.

"여기 교국이잖아. 왜 여기 있냐고."

"정신 나갔어? 당신이랑 같이 왔잖아."

"……지금 몇 년이야?"

그녀의 눈이 의심으로 가늘어졌다.

"시노드 신넬 313년."

"……."

"……당신 또 기억 잃은 거야? 진짜 미친놈이야. 누가 저런 나사 빠진 인간을 병구완해."

그는 양손으로 얼굴을 짚었다.

"흉이…… 오래전 것 같아……. 다 아물었네."

"그 상처?"

"……."

"당연하지. 십 년 전 상처가 벗겨져 있으면 그게 더 문제지."

"'십 년'……?"

이해할 수 없었다.

"난 303년에 교국에 도착했는데……. 한 해도 지내기 전에 협박당했고……. 탈란타우에 때문에 기억을 잃었다고 생각했는데, 어떻게 된 거지……?"

갑자기 티티라가 얼어붙었다. 똑같은 자세인데도 알아볼 수 있었다. 그들 사이엔 그만큼 함께한 세월이 있었으니까.

"방금…… 뭐……?"

그는 혼란스러운 표정으로 그녀를 바라보았다.

"티, 지금이 313년이라고?"

"……."

"난 한 해 전, 교국에 도착했어. 말도 안 돼. 또, 또…… 기억이 안 난다고? 이 미친 생선 대가리 같은 병은 주기적으로 닥치냐? 아직도 어렸을 때…… 표류하기 전 기억은 없단 말이야. 진짜 미쳐 버리겠네."

"……."

"정말 313년이라고? 너는 여기까지 어떻게 온 거야? 아, 아니다. 결국 내가 시노드 신넬로 넘어간 거지? 그때 날 총독으로 보내 준다고 했거든. 소조폴에…… 삼 년? 육 년? 구 년째? 언젠지는 모르겠지만…… 26구 언덕에서 만났지? 그래서 따라온 거야? 그런데 넌 나한테 왜 화났는데?"

횡설수설했다. 하지만 여전히 물어볼 내용이 너무 많았다. 대체 왜 둘 다 물에 빠져 있었는지, 왜 내 얼굴을 보자마자 이를 갈아붙이며 차라리 죽이라고 했는지…….

그는 두려워졌다.

"혹시 내가, 너한테 무슨 짓이라도 했어? 너…… 나한테서 도망친 거야?"

티티라는 벽 사이로 스며 들어갈 것처럼 바짝 붙어 있었다. 그녀의 얼굴이 백지장처럼 하얗게 질렸다. 축축 늘어진 검은 머리칼에 —아, 여전히 머리는 짧다. 누가 잘라 줬을까. 그러고 보니 나이가 좀 든 것 같기도 하다.— 창백한 얼굴이 꼭 유령을 본 듯했다.

그녀의 입이 벌어졌다.

들리지 않을 정도로 작게 속삭였다.

"……안스?"

안스는 얼굴을 찡그렸다. 내 이름을 부르는 게 뭐가 저렇게 두려울 일이지?

"너 아직도 물 먹었냐?"

투덜거리자마자 티티라가 앞으로 고꾸라졌다. 말도 안 되지만 무성의한 말이 그녀를 상처 입혔을까 겁이 났다. 재빨리 몸을 숙여 그녀에게로 가까이 다가갔다.

티티라 앞에 한쪽 무릎을 꿇자, 이내 악착같은 힘이 제 허벅지를 짚었다. 의아해하는 사이, 그녀가 양팔로 자신을 껴안았다.

"안스!"

그는 얼떨떨하게 그녀를 받아 주었다.

"왜 이래?"

티티라는 갑작스레 억억거리며 울기 시작했다.

"안스……. 어윽, 으윽……. 헉, 흐윽……."

잠깐 소리가 사그라져 진정이 되었나 싶었지만— 아니, 아니었다. 티티라는 부들부들 떨고 있었다. 고개를 떼니 숨이 넘어갈 것처럼 경련하는 입가가 보였다.

안스는 문득 티의 오랜 상처를 생각하고 사색이 되었다.

"너 아직도 그 숨 막히는 병이 있는 거야?"

"아…… 흐…….."

그는 두리번거리며 어떻게든 티티라의 숨을 돌려주려 했다. 그러나 이 돌밭에 유리병 따위가 있을 리 없었다. 어쩔 수 없이 티티라에게로 몸을 돌린 뒤, 제 입을 가리켰다. 따라 하도록 천천히 움직였다.

"들이마셔."

"……."

"내쉬고."

"……."

"하나, 둘—"

자신을 뚫어져라 바라보던 티티라가 급히 몸을 숙였다. 날개가 큰 새처럼, 그러니까…….

티티라는 안스에게 입을 맞추었다.

안스는 놀라 발작하듯 그녀를 밀쳐 냈다.

"뭐, 야? 뭐 하는 거야?"

그녀는 눈물범벅이 된 얼굴로 멍하니 자신을 바라보았다.

"아……."

티티라가 주춤 물러났다. 그러나 키스를 실수했다는 느낌은 아니었다. 그보단 안타까움 같은 것이 엿보였다.

안스는 당황한 와중에도 저 멀리까지 상상했다. 진짜로 십 년이 지났으면…… 그사이에 내 마음을 받아 줬을 수도 있는 건가……? 불안하게 떨리는 티의 시선을 보자니 문득 확신이 들었다. 검고 선명하여 언제나 흑과 백만 존재하는 눈이, 지금은 갈피를 못 잡은 채 흔들리고 있었다.

안스는 티티라를 이 세상 누구보다 잘 아는 사람이었다.

그것이 그에게 용기를 심어 주었다.

그는 바닥에 손을 짚었다. 몸을 기울였다.

방금 물에서 빠져나온 마당에 난 진짜 미친 새끼야.

하지만 두 해 가까이 못 본 티티라에게, 도저히 정신을 차릴 수 없었다. 말라붙은 사람처럼 비를 받아들였다.

그는 그녀에게 입 맞추었다.

티티라가 떨리는 숨을 내뱉는 것이 느껴졌다.

거부가 아니었다. 오히려 강단 있는 팔이 의지를 담고 제 목을 감싸 왔다. 티티라가 헐떡이며 입을 벌렸다. 그는 애정, 놀라움, 감격을 담아 흥분했다.

얘 방금 죽다 살았잖아. 말 그대로 심장이 멈췄다 다시 뛰었다고— 마음속 목소리를 한 대 갈겨서 쓰러뜨렸다.

티티라의 뺨과 등을 감쌌다. 도망가지 못하도록 가두었다. 손가락이 젖은 옷자락 위를 긁었다. 저 애의 속마음만 달걀처럼 꺼내어 간직하고 싶었다.

티티라의 목덜미가 꿈틀거렸다. 고개를 떼고 숨을 몰아쉬었다. 안스는 아랑곳하지 않은 채 다시 밀어붙였다. 꽉 붙잡고, 잡아먹을 듯이 키스했다.

그녀는 품 안에서 다시 한번 꿈지럭댔다. 이번에는 진짜로, 양손으로 자신을 밀어냈다.

"하…… 안스…… 아냐."

안스는 인상을 찌푸렸다.

"뭐가 아냐?"

"이건 잊어. 내가 좀 착각했어. 그보다 할 얘기가 많아—"

"뭘 잊어? 네가 먼저 키스했잖아."

"……"

"우리 무슨 관계야? 십 년…… 젠장, 십 년이라고……. 시간이 그렇게 길었으니 우리 관계도 바뀐 거야?"

그는 제 목소리에서 뚝뚝 묻어나는 희망을 느꼈다.

티티라는 난처한 표정을 지었다.

'난처'하다고…….

안스는 순식간에 꺾였다.

그는 한숨을 쉬었다. 패배감을 받아들이는 건 익숙하고도 쉬운 일이었다.

물기가 바짝 마른 손으로 얼굴을 짚었다. 몸을 일으켰다. 터벅터벅 걸어가 던져 둔 윗옷을 들어 올렸다. 축축하고 불쾌했다. 제 기분처럼.

"여긴 어디야? 그거나 말해. 네가 어딜 다쳤을지 모르니 사람들 있는 곳으로 가야 해."

"……저 절벽 위로 올라가면 그 뒤 길은 알아. 교읍지로 돌아갈 수 있어. 넌 아직 사제왕 바를라암이니 일단 바를라암 관으로 가자. 아펭글로도 불러야겠어."

안스는 혼란스러워하며 그녀를 바라보았다.

"아펭글로……? 어디까지 아는 건지……. 아무튼, 치료받고 얘기하자. 제일 안쪽 옷만 빼고 다 벗어. 너 끌고 올라오느라 죽는 줄 알았네."

그녀는 말없이 겉옷부터 꾸밈까지 전부 내던졌다. 안스는 이제야 저 복장이 교국의 최상급 차림이라는 것을 알고 더욱 의심스러운 표정이 되었다. 사제왕 위를 갓 물려받은 ─아, 십 년 전이라고 했지.─ 자신도 얼마 입어 보지 않은 교국식 정복…….

그는 상념을 지우고 그녀가 벗어 든 옷과 제 옷을 꼬아 묶었다. 항해자의 매듭으로 절대 끊어지지 않도록 두 번이고 세 번이고 겹

쳐 주었다.

"얼마 안 갈 거니까, 이거 잡아. 그쪽이 둘 다 편해."

티티라는 고개를 끄덕였다. 그녀가 수영을 아예 못하는 것은 아니지만, 이처럼 절벽에 면해 험한 바다에선 그다지 믿음직스럽지 않았다.

안스는 먼저 바다로 뛰어들었다. 한 손에 급조한 밧줄을 말아쥐고, 둥둥 뜬 채 티티라에게 손짓했다. 그녀 또한 빠르게 따라 입수한 뒤, 짧은 줄을 손에 맸다.

안스는 곧장 바닷속으로 들어갔다. 눈을 뜨면 여전히 짜증스러울 정도로 따가워서 십 년이 지났단 말이 진짜인 것도 같았다. 어서 사람이 있는 곳으로 돌아가 제 얼굴을 확인해야겠다. 티는 어른이 되어 더 깊어졌는데, 나만 엉망으로 늙었으면 어떡하지?

그렇게 고민하는 사이 너무도 편하게, 자연스럽게 백사장에 다다랐다.

그는 뒤따르는 티를 확인했다. 다행히 멀쩡해 보였다. 곧장 밧줄을 풀고, 야트막한 동굴을 찾은 뒤 해가 드는 자리에 옷을 말렸다.

"반 시간만 말리자. 추워. 너 얼어 죽겠다."

"그래……."

"여긴 어딘데 사람이 하나도 없어?"

"'신드라문'이래. 선지자가 죽은 곳."

"아, 알아. 교읍지에 가깝군."

"……."

어색한 침묵이 흘렀다.

티티라를 훔쳐보았다. 그 애는 조용히 바닥만 내려다보고 있었다.

방금 전 자신을 반가워하거나— 아니, 심지어, 화를 냈던 사람처럼 보이지 않았다. 그녀는 매우 조심스레 감정을 절제하고 있었다.

그는 조용히 물었다.

"왜 날 '안스카르'라고 불렀어? 그건 내 본명도 아닌데."

"……."

"아…… 아버지가 날 그렇게 부르시긴 했지. 너 내 아버질 만난 거냐?"

"……."

"뭐라도 말해 봐."

티티라가 눈을 질끈 감았다.

"안스, 돌아가서 얘기하자. 아펭글로도 끼워서……. 너한테 '그 일'이 벌어졌을 때 그 사람이 곁에 있었다니까."

감긴 눈꺼풀이 떨어질 때, 왠지 저 애가 울지는 않을까 걱정이 되었다. 눈물이 없다시피 한 애였는데 이 절벽 아래에선 이상하게도 계속 울상이었다.

"그리고…… 미안해. 이걸 너무 늦게 말하네. 미안해. 미안해. 일기를 봤어. 내 헛소리를 귀 기울여 듣고 교국까지 왔다면서……. 미안해."

티티라는 한 손으로 얼굴을 가렸다.

"그리고 나 때문에, 날 죽인다는 협박에 기억을 잃게 되어서, 그것도 미안해……."

안스는 머리를 벅벅 긁었다. 물이 후드득 떨어졌다. 엉망인 상황에서 심지어 이상하기까지 한 사과였다. 이번엔 자신이 난처했다.

"네 잘못 아닌데."

목소리가 멋쩍었다.

아니, 진짜로.

자기가 너무 사랑해서 망가진 걸, 저 애가 왜 책임져야 한단 말인가?

"……신경 쓰지 마. 뭐가 됐든 지금 다시 돌아온 거잖아. 탈란타우에 방 안에서 진짜 죽는 줄 알았는데 안 죽었네. 너도 곁에 있고. 지금은 이 이상 좋을 수 없을 것 같다……. 그러고 보니 탈란타우에 그 개새끼는 어떻게 됐대?"

"……내가 죽였어."

안스는 충격받은 얼굴로 자리를 고쳐 앉았다.

"사실 자세한 사정은 몰랐어. 그런데 그놈이 자기 입으로 널 속여서 교국으로 데려갔다고 말하잖아. 게다가 내 개인적인 원한도 있어서 그냥 죽였어."

"……."

티티라의 손가락 사이로 검은 눈이 빛났다. 그는 그 신호를 알았다. 도망칠 구석이 없을 때, 자포자기한 얼굴로 제게 고백하던 표정.

조금 불안해졌다. 그러나 표현하기 전에, 그녀가 먼저 토해 냈다.

"그리고 네 아버지도 내가 죽였어."

"……."

"법황이 선대 바를라암을 죽이는 대가로 네 기억을 돌려준다고 했거든. 아, 아직 말 못 했구나. 넌 지난 십 년간 나와의 기억을 잃어버렸어. 난 당연히 네가 돌아오길 너무너무 바랐지. 어차피 바를라암도 소조폴 학살에 일조한 인간일 뿐이고. 그래서 법황을 위해 죽였어."

"……."

"그랬더니 법황이 진짜로 나한테 널 되살릴 방법을 알려 주더라
고. 내 '자살.' 그래, 자살하래. 네가 나 때문에 기억을 잃은 거니깐
협박할 대상이 사라지면 된다더라. 내가 왜 물속에 있었게? 절벽에
서 죽으려고 떨어졌거든."

티티라는 말을 마친 뒤 후련한 건지 우울한 건지 모를 표정으로
눈을 감았다.

안스는 한꺼번에 너무 많은 정보를 들어 머리가 아팠다. 티가 탈
란타우에와 제 아버지를 죽였다고? 거기엔 진심으로 감탄사가 나
왔다. 대단했다. 박수 쳐 주고 싶었다. 역시 티야.

그런데 내가 정말로 기억을 잃었다니. 물론 아펭글로가 경고했지
만, 멀쩡히 돌아오자 그 마법 같은 일이 도저히 믿기지 않았다. 뚝
끊긴 천처럼, 한순간 네모난 창 아래에서 우울했다가, 다음 순간
바닷속으로 떨어진 것이다.

마법을 세지 않더라도 벌써 몇 번째 지랄인지 모르겠네. 답답한
속에서 화만 났다. 지금 내가 지난 십 년을 기억하지 못하는 게 바
로 그 때문일까? 반으로 쪼개진 나무 모형처럼 내게 있는 게 상대
방에겐 없고, 상대방에게 있는 게 내겐 없는 걸까?

그리고…… '자살'?

안스는 자리에서 벌떡 일어서 서성였다.

음산한 목소리로 중얼거렸다.

"'자살'?"

"……."

"나 때문에 자살했다고?"

"결국 살았잖아. 그만하자."

"나 때문에 자살했다고?"

"……."

티티라는 고집 센 말투에 이길 수 없다는 듯 머리를 흔들었다.

"싸우자고 솔직하게 얘기한 거 아니야."

"나 때문에 자살?"

"똑같은 말만 할 거면 듣기 싫어. 그만해."

"죽으려고 저 절벽에서 떨어졌어?"

"……."

"너, 내가 어떻게 될 줄 알고……."

그녀가 눈을 치켜떴다.

"기억이 돌아왔지. 너도 말했잖아. 내 심장이 멈췄다가— 죽었다가 살아난 거라고. 확실해. 내가 한순간 죽어서 네 기억이 돌아온 거야."

안스는 헛웃음을 터뜨렸다.

"그런 생각을 했다는 것조차 기가 막힌다. 널 못 살렸으면 나도 자살했을걸. 네 죽음은 완전 개죽음이 됐을 거야. 절대 용서 안 했어."

티티라가 눈을 동그랗게 떴다.

"고맙다는 말을 굉장히 희한하게 하네."

"누가 너한테 부탁하기라도 했냐?"

그녀가 벌떡 일어섰다. 뒤늦게야 그 눈에 노기가 찼다.

"네가 부탁했지!"

"뭐?"

"네가 팔뚝에 새겼어! 'X'라고 했잖아!"

"……."

"내가, 그걸 보고…… 어, 얼마나……."

"……."

"내가 얼마나……. 죽을 것 같았는지……. 내 삶이 얼마나 지옥
이었는지, 네가 알아……? 내 죽음으로 네가 돌아온다면…… 싸게
먹히는 장사 아니냐고……. 자살하라는 말조차 감미로웠어, 널 위
해선……."

배 속이 웅성거렸다. 무언가 울컥 올라올 것만 같았다.

티티라는 다시 울기 시작했다. 저 애답지 않게…….

코끝이 시큰해졌다.

한 걸음, 두 걸음 걸어갔다. 잔뜩 연약해진 티티라에게 가까이
다가갔다. 마지막 발을 내디딜 때, 그도 울었다.

안스는 헐떡였다. 티티라는 그보다 더 컸다. 동굴 속을 꽉 채울
정도로 꺽꺽 요란하게 울음을 터뜨렸다.

그는 그녀를 안지 않았다. 단지 몸을 숙여 이마를 맞대었다.

상대의 경련이 느껴졌다.

그 애를 끌고 털썩 주저앉았다. 무릎이 부딪히는 충격에 상대를
놓칠 뻔했지만, 이번엔 티티라가 더 악바리같이 붙었다. 제 어깨를
바스러뜨릴 듯 쥐었다.

그들은 함께 울었다. 덜덜 떨면서, 유치하게, 설명하기 어렵지만
슬프고 답답한 감정에 눈물을 보이는 어린애들처럼.

그들은 말라비틀어질 때까지 울어 댔다. 사실 자신은 슬플 이유
가 없었는데, 티티라가 곧 죽을 사람처럼 울자 도저히 눈물이 멈추
지 않았다.

안스는 숨을 몰아쉬며 진정하려다가도, 티가 다시 저를 때리며 삶이 넘어갈 듯 울면 또 한 번 서러워졌다. 저 애가 저렇게 슬퍼하지 않았으면 좋겠다. 다 제 잘못이었고, 미안했다.

티티라는 탈진할 때까지 울음을 터뜨렸다. 그가 아무리 달래려 등을 쓸어내리고, 자신이 여기 있다고 이야기해도 쓸모없었다.

마침내 온몸에 힘이 빠진 티가 제게 기댔다.

안스는 높이 떠 있는 해를 확인한 뒤, 옷가지를 주워 돌아왔다. 아직 축축했지만 아까만큼은 아니었다. 티티라에게 덮어 준 뒤 곧장 등을 내밀었다.

"올라가자. 업혀."

"……혼자 걸을 수 있어……."

"헛소리하지 말고 업혀."

티티라는 두 번 거절하지 않았다. 제 위로 툭 하고 엎드렸다.

안스는 큰 힘 들이지 않은 채 그녀를 업고 바깥으로 나왔다.

햇살, 맨발이 백사장을 밟는 느낌, 이 오금 저리는 자연. 그는 정말로 살아 있었다.

이제야 모든 것이 이해되었다. 나는 탈란타우에게 살해당했지만, 티티라가 악바리같이 날뛰어 부활시켰다. 저 애가 나를 살린 거야.

그사이 사라진 십 년이 그를 허탈하게 했지만, 당장은 그리 서럽지 않았다. 티티라가 곁에 있고 나는 살아 있으며 더 이상 우리에게 위협될 것도 없는데, 더 이상 무엇을 바라겠는가.

티티라가 자살하여 자신을 살릴 수만 있다면 싼값이라고 생각했던 것처럼, 저 애와 다시 만나 안정적으로 살 수만 있다면 십 년은 정말 싼값이었다.

증오하는 탈란타우에도, 어딘가 걸쩍지근한 아버지도 죽었다면, 교국에서 계속 사제왕을 하는 것도 나쁘진 않을 것 같았다.

아, 하지만 티는…… 여기서 상단 일을 하지는 못하겠지……. 모든 걸 토해 낼 듯 울던 모습을 보면, 오로지 나 때문에 시노드 신녤에서 이룬 성취를 버리고 온 모양인데…… 이제 내가 저 애 인생을 돌려줘야 하지 않을까. 생각이 두서없이 치고 올라왔다.

그는 골똘히 생각하며 언덕을 돌아 낮은 벼랑 위로 올라왔다. 티티라의 고개가 제 움직임에 따라 툭툭 움직이는 것이, 아무래도 긴장을 풀고 잠든 듯하여 다행이었다.

새삼 이 가벼운 몸으로 적들을 모조리 무찌르고 자신을 되찾았다는 사실이 놀라웠다. 친구여서 뿌듯했고, 감격적이었고, 좀 지나치게 사랑스러웠다. 제게 탈란타우에의 밤은 바로 어제 일처럼 느껴졌는데, 그 고통을 상기하면 더더욱 투쟁 끝에 나타난 티가 벅찼다.

그럼에도, 십 년 동안 저 애가 겪었을 고통에는 눈앞이 캄캄해졌다. 자신도 물론 힘들었지만, 한 걸음 물러나서 보면 겨우 하루 이틀 절박했던 감정뿐 아닐까. 티를 다시 보지 못하고 죽는 것에 대한 두려움……. 고작 며칠.

하지만 티는 적어도 수년 동안 제 소식을 몰랐을 테고, 재회하고도 기억 없는 친구를 마주해야 했을 것이다. 그리고 자신을 되살려 보겠다고 절벽에서 뛰어내렸지.

생각할수록 제 같잖은 고통과 비교할 수가 없었다.

티에게 어떻게 보답해야 할지 알 수 없어 기쁘면서도 절망적이었다. 그는 이전에도 그랬지만, 앞으로는 더욱더 티 없이는 살아남지 못할 게 분명했다. 저 애를 남은 삶 내내 지켜야 할 미래가 두려웠고, 티가 제게 가진 신뢰와 유대감도 소름 끼쳤다. 소름 끼치게 좋으면서, 정말 소름이 끼쳤다. 무시무시하게 사랑하는 것을 마주치면 회피하고 싶은 심정, 알까.

수치스럽다. 그런데 가슴이 터져 나갈 것 같다. 앞으로 달려가 꽉 껴안고 싶으면서도, 뒤로 도망가 컴컴한 골방에 숨고 싶었다. 제 등 뒤에 업힌 것은 작은 사람이자 신이었다. 자신은 신에게 감사했지만, 동시에 그 까마득한 차이를 보며 미물로 전락하여 죽고 싶었다.

안스의 걸음이 살짝 멈추었다. 거친 숨을 몰아쉬었다. 몸이 힘들어서는 아니었다.

고개를 들었다. 이런 벼랑에서 티가 뛰어내렸다니, 시야가 아찔했다. 자신이 정신을 차리고 저 애를 구해 나오지 않았으면 저 아래 험악한 해류에 휘말려 꼼짝없이 죽었을 거다.

안스는 기적에 감사하며 다시 걷기 시작했다. 태양을 보며 방향을 가늠했다. 좀 오래 걸리겠지만, 이제 그들에겐 평생이 있었다.

그는 묵묵히 교읍지 방면으로 향했다. 언젠가는 인가가 나오겠지. 말이든 마차든, 바를라암의 이름으로 구할 수 있을 것이다. 자신이야 저 아래 백사장에서 며칠을 구르든 상관없었지만, 티의 건강이 걱정되었다. 어서 의사에게 보여야겠다.

그러다…… 한순간 환청을 들은 듯했다.

짐승의 투레질 소리가 들렸다. 어, 아펭글로가 여긴 쥐새끼 한 마리도 안 산다고 했었는데. 그는 의아한 채 고개를 돌렸다.

말이었다.

아펭글로를 향한 비웃음보단 우선 반가운 마음이 너무 컸다. 심지어 안장에는 바를라암의 표식이 붙어 있었는데 이 행운에는 차마 말도 나오지 않았다.

안스는 어떻게 길들여진 말을 불러야 할까 고민했지만, 놀랍게도 말이 제 앞에 우뚝 섰다.

이만큼 멋진 바를라암 안장에, 내 앞에 멈추는 말이라니. 그럼, 내 건가? 지금은 사라진 '내'가 여기까지 말을 타고 티를 쫓아온 걸까?

문득 이상한 의문이 들었다.

그래. 쫓아온 거겠지. 그리고 바다로 떨어졌어. 내가 정신이 들었을 때 물속에서 티를 껴안고 있던 걸 보면 말이야.

사라진 '나'와 티는 무슨 관계였기에, '내'가 목숨을 건 거지?

그는 말의 콧잔등을 쓸고, 티티라를 잠깐 깨운 뒤, 안장 위로 올려 주고, 저가 올라타는 순간까지 같은 생각을 하고 있었다.

'내'가 왜 목숨을 걸었지?

티티라는 안스가 너무 태연하게 사제왕인 척을 해서 조금 놀랐다. 새삼 저 애가 자신과 헤어지고 한 해 넘도록 교국인들과 부대꼈다는 사실을 절감할 정도였다.

바를라암 관까지 가는 동안 아무도 이상한 점을 몰랐다. 안스카리우스와 친밀한 사람이 없었기에, 아무래도, 더더욱.

……안스카리우스.

사람은 정말 변덕스러운 쓰레기다.

이제 안스가 돌아오니 그 이름이 비수처럼 자신을 찔렀다.

안스가 다시 사라지길 바라는 건 아니었다……. 절대! 절대로 그건 아니었다. 하지만 안스카르가 있었으면, 하고 바라는 마음이 한편에 존재했다. 어두컴컴한 방 안 작은 불처럼, 결국 새어 나와 속을 꽉 채우고 마는 생각.

안스카리우스는 절벽 위에서 뛰어내렸다. 자신을 살리겠다는 마음가짐이었는지, 아니면 안스가 돌아올 몸은 없다는 자기 파괴적인 생각이었는지는 몰라도, 그가 제 의지로 뛰어들었다는 사실만큼은 분명했다.

그렇게 떨어져선 자신을 찾았고, 어떻게든 살리려는 순간에 제 숨이 멎은 것이다.

그리고, 그리고…….

자신이 죽은 순간 안스가 돌아왔다.

그러면 안스카리우스는 어디로 간 걸까?

안스는 바로 어제 탈란타우에에게 당한 것처럼 이야기했다. 그렇다면 그 사람도, 바다에 빠진 순간 사라졌다가, 언젠가…… 아니, 다시는 돌아오지 못하는 걸까.

그녀는 한숨을 쉬며 상념을 지우려 노력했다.

그만하자. 이제 안스가 곁에 있었다.

자신은 그 애가 돌아왔단 사실을 깨닫고 정신을 잃을 뻔했다. 정말 한순간 앞이 보이지 않았다. 시야가 아찔하고 머리는 핑 돌아서, 눈물이 차오르며 몸이 고꾸라졌다. 누군가 제 위에 석고를 부어 단단하게 굳힌 것만 같았다.

가장 처음 와닿은 감정은 기쁨이 아니라 서러움, 개자식, 죽여버릴 거야, 눈물, 우울, 억울함…….

그러나 마침내 반가운 마음에 환희가 스며들었다. 아니, 환희는 한순간의 감정이지 않나. 그보다 그녀는— 행복했다. 바늘이 뚫고 들어갈 틈도 없이 행복했다.

티티라는 제 앞의 허리를 꽉 껴안으며 생각했다.

죽어도 놓을 생각이 없었다. 내가 이 망할 놈 몸을 분지르고 말지, 다시 도망가게 둘까. 아주 숨통을 끊어 버릴 것이다. 이번엔 내 손으로.

안스가 손을 툭툭 건드렸다. 흠칫 놀라 고개를 드니 바를라암 관이었다.

티티라는 다시금 저 애가 낯설게 느껴졌다. 이곳에서 안스가 누렸을 삶을 상상하기 어려웠다.

혼자 내려갈 수 있는데도 안스가 억지로 붙잡았다. 둥실 떠서, 바닥에 내려졌다. 안스는 급히 나온 수행인에게 '티티라 돔니니'를 치료하라고, 실수로 물에 빠졌다고 설명했다.

"예. 당장 의원을 수배하고 내실에 모시겠습니다."

안스가 자신을 돌아보았다.

그가 무슨 단어 때문에 돌아봤는지 알았다. 티티라는 설명하기 어려워 입을 다물었다.

그는 잠깐 응시하다가, 다시 칼카스에게로 돌아갔다.

"아펭글로도 부르고."

"예."

티티라는 안스에게 가까이 걸어가 손짓했다. 그가 몸을 숙이자, 칼카스가 눈살을 찌푸리며 몇 걸음 물러났다.

"아펭글로는 내가 있는 곳으로 불러. 같이 이야기해야 할 게 많아."

"알겠어. 그런데 '내실'……?"

"나중에."

안스의 눈이 가늘어졌다.

그러나 지체하지 않고 건물 안으로 들어갔다.

그는 정말로 건물을 잘 알고 있었다……. 기억이 돌아왔으니 어떻게 적응하지, 생각했던 자신이 바보 같을 정도였다. 낯설었고…… 그들이 갈라진 이후 다른 인생을 살았다는 사실이 매 순간 새로웠다.

자신은 칼카스를, 안스는 제 뒤를 졸졸 따라왔다. 칼카스가 잠시 난처한 기색을 보였지만 제 주인에게 무어라 할 자신은 없는 모양이었다.

그들은 칼카스를 떨쳐 낸 뒤 내실에 들어왔다.

오늘 아침…… 안스카리우스가 빼 두었던 의자가 보였다…….

티티라는 주춤했다.

안스가 뒤에서 문을 밀어 닫더니, 정중앙에 있는 의자를 이상하게 여긴 듯 제자리에 놓았다. 그러곤 의자 등받이를 단단히 짚은 모습으로 입을 열었다.

"너, 왜 내실에 머무는 거야?"

죄지은 게 없는데 한순간 입이 떨어지지 않았다.

아니, '죄'가 아니라고? 안스에겐 입맞춤마저 거부했으면서, 다른 사람과는 행복하게 뒹굴었는데. 그걸 알리는 게 과연 좋은 일일까?

"……탈란타우에의 죽음을 증언하러 교국에 왔는데…… 증언을 마치곤 마땅히 머물 곳이 없어서, 명목이 필요했어."

안스는 어깨를 으쓱이곤 이해하는 듯했다.

"그쪽이 안전하긴 했겠다. 그럼 그 전의 '나'도 진실을 알고 있었나 보군……. 탈란타우에 살해부터 시노드 신넬에서의 과거까지. 네가 다 고백한 거지? 용케 살려 뒀군."

"……."

"야, 빨리 누워. 어디 다쳤을지도 모르는데."

그는 툴툴대며 자신을 밀쳤다. 티티라는 앞으로 훅 떠밀렸다가, 더 듬더듬 걸어 침대에 주저앉았다. 그가 짜증을 내며 이불을 걷고, 자신을 눕히고, 또 단단히 천으로 감싸 주는 일련의 과정 속에서— 계속 안스카리우스 생각을 했다. 그리고 그런 자신에게 깜짝 놀랐다.

이불 속에서 눈만 깜빡이며 안스를 바라보았다.

그는 안스카리우스를 닮아 있었다.

안스가 방 안에서 서성이는 사이 —티티라는 그가 물건을 좀 그만 건드렸으면 좋겠다고 생각했다.— 의사가 방문했다.

의사는 제 이곳저곳을 살핀 뒤, 지금 이상은 없지만 꾸준히 살펴야 한다고, 열두 시간 뒤에 다시 방문하겠노라 말했다.

티티라는 죽었다 살아났다는 사실을 믿지 못하는 상태로 멍하니 앉아 있었다.

그리고 곧장 아펭글로가 들이닥쳤다.

그는 긴장한 표정으로 들어왔다가—

"아펭글로, 더 늙었네."

—안스의 태연한 인사에 우뚝 섰다. 주름진 입이 천천히 벌어졌다.

'나도 저랬을까?' 생각하는 사이 우스꽝스러울 정도로 새된 목소리가 떨어졌다.

"안스?"

"안녕하세요. 저는 여전히 어제 본 사람 같기는 하지만, 당신은 좀 오랜만이겠지—"

안스는 말을 마칠 수 없었다. 아펭글로가 성큼 다가와 그를 끌어 안았기 때문이다. 그는 제게 토해 냈던 진심과 달리 아무 고백도 하지 않았다. 단지 안스를 단단히, 꽤나 오래 껴안고 물러났다.

"각하, 드디어 돌아오셨군요."

그의 만면에 웃음이 가득했다. 아펭글로의 태생적으로 우울한 낯에서 저런 표정을 엿본 것은 처음이었다. 그 순수한 기쁨이 그녀를 떨떠름하게 했다.

"네. 아펭글로, 어째 사정을 잘 아시는 듯한데."

아펭글로가 자신을 흘끗 바라보았다.

오늘 아침이었다면, 대체 안스카리우스에게 무슨 말을 했냐며 아펭글로의 머리를 다 뜯어 놓았겠지만 이젠 아니었다. 그가 가짜로 고백한 이유를 깨달았기 때문이다.

아펭글로가 생각하길, 티티라 돔니니는 법황의 협박에 못 이겨 선대 바를라암을 죽였다. 그러니 이제 법황청에서 진실을 들을 것이다. 만일 안스카리우스가 '약속'을 돌이킬 방법, 즉 본인 기억을 되살릴 방법에 대해 조금이라도 안다면, 그 전에 무언가 행동에 나설 터. 그처럼 그가 이유를 착각하게 두면, 티티라 돔니니가 법황의 방법과 비교하여 진실을 검증할 수 있다.

말 한마디 하지 않고 여럿을 조종한 능력이 언짢을 정도로 대단했다. 티티라는 그가 아니었다면, 그로써 안스카리우스가 움직이지 않았다면, 법황의 말을 그리 철석같이 믿지는 않았을 것이다. 어떤 면에선 자신과 안스의 은인이라고 볼 수도 있었다.

그러나 감사할 생각은 추호도 없었다. 기분이 안 좋았다.

"돔니니, 그쪽은 어떻게 된 겁니까?"

"……."

"어떻게 안스의 기억을 되살린 거지요? 법황이 무어라 말했습니까? 혹 사제왕 바를라암 각하께서, 어떤 진실을 알려 주셨습니까?"

"제가 자살했습니다."

그녀는 자신의 목소리가 이 정도로 퉁명스러울 줄은 몰랐다.

"……당신이 죽어야 안스의 기억이 살아난다고 했습니까?"

"그렇습니다. 탈란타우에가 저를 죽이겠다고 협박해서 안스 기억이 사라진 거잖습니까. 그러니 제가 죽으면 해결될 문제였던 겁니다. 물에 빠져서 제 심장이 멈췄는데, 아무래도 그때 안스가 돌아온 것 같습니다."

"아……."

티티라는 입을 꾹 다물었다. 이 이상 아는 것도 없었고, 안다 해도 설명해 주고 싶지 않았다.

그러나 아펭글로는 멈출 줄 몰랐다.

"하나만 확인합시다. 각하, 후견인에 대한 기억은 확실합니까? 그건 돌아왔어요?"

티티라는 안스를 홱 돌아보았다. 구태여 캐묻지 않았으나 당연히 우스페히 씨에 대한 기억도 되살아났을 것이다.

그러나 안스는 더듬었다.

"네? 정확히 어떤 기억을 말씀하시는 겁니까?"

"야, 너 무슨 소리야? 우스페히 씨—"

"당연히 알지……. 그런데 그 사람이 왜, 여기서……?"

티티라는 충격에 입을 다물었다.

'그 사람'?

저 자식, 우스페히 씨에 대한 기억이 없어…….

정말 그러기 싫었지만 아펭글로를 바라보았다. 당신은 뭘 아는 것 같은데 무슨 말이라도 지껄여 보세요.

그는 기대에 부응했다.

"……믿었던 탈란타우에, 즉 동료 사제왕이자 교국의 동반자가 후견인을 죽였다는 사실을 기억해 내면 충실한 사제왕이 되기 어려울 겁니다. 만일 안스, 사제왕으로서의 바른 생활을 막는 요소가 모조리 소거되어야 당신 기억이 되살아나는 거라면, 그 기억은 복구할 수 없습니다. 탈란타우에는 이미 죽어 사과할 수 없고, 유령이 사과한 대도 어릴 적 당신을 키워 준 후견인은 이미 교국에 살해당한 뒤니까요."

그의 말은 길었지만 단순했다.

안스는 신뢰하던 교국이 본인을 찾기 위해 우스페히 씨를 죽였단 사실을 안다면, 절대로 교국에 충성하지 않을 것이다. 그렇기에 '약속'은 그 기억을 돌려주지 않으리라.

자신이 교읍지 입구에서부터 내내 느꼈던 이질감이…… 바로 이것이었다. 너무도 교국에 익숙하고 거부감이 없는 인간. 소조폴의 수천 명은 이 악물고 묵과한다 쳐도, 우스페히 씨, 우스페히 씨를 죽인 주범을 용서했다고.

아니었다. 그는 기억하지 못했다.

안스는 혼란스러운 듯 침묵했다.

아펭글로는 멈추지 않고 추론했다.

"더 나아가…… 그렇다면 이상하지요. 만일 탈란타우에가 돔니니 당신을 죽이겠다고 한 협박이 문제였으면 탈란타우에가 죽는 즉시 안스의 기억이 돌아왔어야 하는 거 아닙니까? 더 이상 안스를 부리기 위해 돔니니를 죽이겠다고 할 사람이 없어진 건데요."

"……."

"여기서 유추하자면…… 누군가 진실을 아는 사람이 여전히 안스를 협박하기 위해 돔니니 당신을 죽일 마음을 품고 있었다는 건데."

아펭글로는 말끝에서 헛웃음을 터뜨렸다.

"이 딱정벌레에 사지를 뜯길 송장 놈…… 법황이군."

"네?"

"뭐라고요?"

티티라는 안스와 동시에 반문했다.

아펭글로는 양손을 들며 설명했다.

"법황이 돔니니 당신에게 자살하라고 한 걸 보면 진실을 알고 있던 것 아닙니까? 그자가 어떻게 안스와— 각하와 당신이 죽고 못 사는 친우란 걸 알아차렸는지는 모르겠지만…… 법황이니 방법이 있었겠지요."

티티라는 그 '진실'을 알았다. 그녀의 어깨가 크게 들썩였다.

탈란타우에가 법황에게 정보를 건넸다. 혹은, 건네준 셈이나 다름없었다.

"그는 거래를 바랐네. 시노드 신넬 대리인이 '티티라 돔니니'를 죽인다면 우리가 그간 그토록 원하던 남부 인지세를 백 년 임대해 주겠노라 했지."

"그 이름이 무엇을 뜻할는지……. 오래도록 생각했으나 종내엔 포기할 수밖에, 도리 없었네."

"한데, 아주 오랜 시간 뒤 대양을 넘어온 문서에서 네 이름을 찾았노라. 명명백백해지더구나."

"왜 이해하지 못하지? 너는 어린 시절 바를라암과 친밀했으리라. 그러니 탈란타우에가 널 죽이려 들자 바를라암의 기억이 사라진 것이야."

법황 또한 자신을 죽인 뒤 안스를 부릴 결심을 했던 것이다.

그자가 모든 걸 알고도 제게 자살을 종용한 것일지는, 알 수 없었다. 그저 본인이 선한 인간이 되면 될 것을, 타인의 목숨으로 노예 삼겠다는 생각을 하지 않으면 될 것을, 애꿎은 저만 죽여 없애는 편을 선택한 것일지, 알 수 없었다.

하지만 합리적인 의심은 상인의 원동력이다.

티티라는 이를 악물며 자리에서 일어났다.

"익사할, 개자식……."

안스가 성큼 다가와 자신을 다시 눕혔다.

"누워 있어."

"죽여 버릴 거야."

"티."

"넌 화도 안 나? 법황이, 내가 죽어야만 네가 안정적으로 사제왕위를 수행할 수 있다고 생각했기 때문에 네 기억이 계속 안 돌아왔던 거잖아. 신의 똥구멍 같은 본인도 그 사실을 잘 알았나 봐? 그래서 나를 '자살시키면' 모든 문제가 풀릴 거라고 생각했네. 야! 그

래서 나보고 자살하라고 한 거라고! 시노드 신넬을 겪은 너는 돌아
오고, 나는 죽고. 와!"

법황의 말이 머릿속에서 빙글빙글 맴돌았다.

"어떤 자이기에 앞으로 달려 나가는 탈란타우에와, 뒤로 끌어당
기는 바를라암이 모두 아꼈을까. 어쩌면 우리와 해묵은 갈등 없이
시대를 지탱할 수 있지 않았을까."

"그래⋯⋯. 우리는 시노드 신넬 출신이라는 고백을 듣고도 바를
라암을 인가했네. 그자가 기억을 잃은 뒤가 아니란 말일세."

"우리는 그 시절, 참으로 기대가 많았지⋯⋯."

분노로 손끝이 홧홧했다.

"너만, 너만 챙기고⋯⋯. 나는 죽여 없애고⋯⋯."

자신이 안스를 위해 죽을 마음이 든 건, 기억이 돌아온 안스가
자유롭게, 행복하게 살 수 있으리라 생각했기 때문이다. 법황이 교
묘하게 조종하는 실에 꿰이길 바란 것이 아니라.

법황은 핏줄에 새겨진 원한을 몰라 순진한 안스를 어떻게든 사제
왕으로 만들고 싶었던 거다.

그러기 위해선 귀한 사제왕에게 쓸데없는 영향을 미치는 내가 사
라졌어야 하는 거고.

그녀는 숨을 몰아쉬며 주먹을 꽉 쥐었다. 안스에게 힘으로 눌려
바보 같은 침대 속 분노가 되었지만, 그 진심만큼은 누구에게도 지
지 않았다.

안스를 노려보았다.

"넌 반쪽이야."

"……."

"우스페히 씨를 기억하지 못하면 우린 같은 인생을 산 게 아냐."

자신을 누르던 손에 힘이 풀렸다.

티티라는 그가 상처받았다는 사실을 알고도 멈추지 않았다.

"나는 내 친구를 원해."

"……."

"완전한, 친구. 우스페히 씨를 기억하지 못해서, 지금 이대로도 나쁘지 않다고 생각하는 사제왕은 안 돼. 이제야 물어보는데, 너 솔직히 이야기해 봐. 여기서 너는 사제왕 위를 충실히 수행하고, 나는 네 곁에 붙어 잘 살면 되지 않겠느냐고 생각한 적 있어?"

"……."

그가 제 말에 상처 입었다면, 티티라는 침묵에 상처 입었다.

눈시울이 뜨거워졌다.

"안스, 어떻게 그래……. 물론, 네 잘못이 아닌 걸 알아……. 하지만, 하지만…… 우스페히 씨는, 어떻게 해……. 우릴 키운 우스페히 씨는 널 지키려 스스로 목숨을 끊으셨다고……. 블리조 씨도, 투크 바하 씨도, 우리가 알던 모든 이들이……. 그런데 너는, 사제왕이어도 좋다고……."

차마 말을 이을 수 없었다. 눈가로 차가운 눈물이 주르륵 흘렀다. 정말이지, 연약한 바보 멍텅구리가 된 것 같아서 열 받았다.

"돔니니, 진정하십시오. 당신도 알듯 각하의 잘못은 아니지 않습니까."

티티라는 아펭글로에게 고개를 돌렸다. 이제 분노보다는 답답함을 담아 눈을 꽉 감았다 떴다.

"내가 자살하는 데 성공했으면, 법황은 어떻게든 안스 네 주변을 설득해 냈을 거야. '선대 바를라암을 죽인 미친년이었다. 사제왕 바를라암께선 한동안 유혹에 넘어가 어리석었으나, 다행인지 불행인지 기억이 사라지셨다. 그리고 그 육시할 범죄자는 법황청에서 처벌했다. 기록에 남기지 않을 테니 사제왕께서 혼란스럽지 않도록 입단속하라.'"

그녀는 말할수록 흥분했다.

"너의 옛 기억을 단속하는 데 한 번 성공했다면, 두 번은 못 하겠냐고. 그때는 선대 바를라암의 명령이었고 지금은 법황령이라도 상관없어. 합리적이잖아. 칼카스인지 뭔지 다들 정신 빠진 사제왕을 보조하는 데 도움이 될 거라고 생각했겠지."

티티라는 침대에 엎드렸다. 베개에 주먹질을 했다. 미친 듯이 때렸다. 눈물이 배어났다.

안스카리우스를 잃었다면 적어도 안스의 세상은 완벽해야 했다. 그런데 전부 법황의 손바닥 안이라니.

그때, 누군가 제 손목을 쥐었다.

티티라는 안스일 거라고 생각하고 시선을 돌렸다.

그러나 안스는 저 멀리, 테이블에 기대어 골똘히 생각하고 있는 기색이었다. 자신을 멈춘 이는 아펭글로였다.

"돔니니, 과합니다."

"……."

"비록 각하의 기억이 당신이 바라는 그대로 온전한 것은 아니지만, 그래도 '안스'입니다. 당신도 마음속에선 이미 알고 있어요. 또

한 법황의 계략은 성공하지도 못했습니다. 앞으로도 영원히 성공하지 못할 테고요. 그런데 왜 이렇게 분노하는 겁니까?"

"……."

"혹시, 다른 이유는 아닙니까?"

숨이 멈추었다. 그녀는 그가 암시하는 바를 알았다.

'안스카리우스를 잃어서 화가 났느냐.'고.

티티라는 아펭글로가 안스에게 진실을 털어놓을까 두려워 입을 다물었다. 정말로, 겁이 났다.

그리고 그렇게 수그러드는 순간, 아펭글로가 지금 상황을 완전히 이해했다는 사실을 깨달았다. 실수였을까. 아니. 어차피 그는 자신이 어떤 반응을 보이든 짐작했을 것이다. 그레슈카, 이 제멋대로 미친 인간을 어떻게 달랬던 거예요.

아펭글로가 한숨을 쉬었다.

"물론 사람을 체스 말처럼 부리는 법황은 혐오스럽습니다. 이해합니다. 저보다 법황을 더 증오하는 인간은 없으니까요."

티티라는 지지 않았다.

"아뇨. 아펭글로, 당신을 벌한 법황은 전대죠. 물론 그놈이 그놈이지만, 그래도 심정적으론 다를 겁니다. 그리고 당신은 법황을 증오하는 것보다 안스를 더 아끼잖아."

그는 허를 찔린 듯 침묵했다. 당신이 고문을 받은 건 미안하지만, 어쩔 거야. 나한텐 우리가 더 소중해.

"그럼 당신은 '안스'를 아끼는 것보다 법황을 증오합니까?"

이번에는 그녀가 입을 다물 차례였다.

그의 말은 모호하게나마 제 오갈 데 없는 분노를 되돌아보게 하고 있었다. '너는 안스를 버릴 수 없지만 안스카리우스를 그리워하니, 일이 이렇게 된 분풀이를 누구에게라도 하고 싶은 것 아니냐. 그런데 그 앙갚음이 안스가 무탈히 잘 사는 것보다 중요한가?'

티티라는 이불을 머리끝까지 끌어당겼다.

갑자기 어마어마한 피로가 몰려왔다. 바다에 뛰어들었을 때부터 지금까지, 긴장하고 흥분했던 여파가 한꺼번에 닥치는 것 같았다.

생각할 시간이…… 아니, 그저 시간이 필요했다.

"둘이서 알아서 얘기해요. 전 피곤해서 좀 쉴게요."

이불 속에서 웅웅거렸다.

안스는 의자를 질질 끌어 침대 곁에 놓았다. 털썩 앉아선 잠든 티티라를 내려다보았다. 천을 살짝 걷어 숨 쉬기 편하도록 해 주었다. 잠시 지켜보다가 흘러내린 머리카락을 귀 뒤로 넘겼다.

저택에 들어왔을 때부터 대리석에 비친 제 얼굴로 느꼈지만, 확실히 십 년이 지났다. 홀로 십 년을 지낸 티티라는 좀 더 사리에 밝아졌고, 좀 더 비관적인 사람이 되었다.

"아펭글로."

방 한구석에서 부스럭거리는 소리가 났다. 예의 바르게 침묵을 지키던 아펭글로의 기척이었다.

"저는 티가 바라는 대로 하고 싶습니다."

"……"

"후견인에 대한 기억을 되찾을 겁니다. 판단은 그 뒤의 제가 내리겠지요."

"방법을 모릅니다. 지금 각하 기억도 돕니다가 목숨 걸고 되찾아왔단 사실을 아시지 않습니까."

"그래서 지금에 만족하라고요? 티는 내가 '반쪽'이라고 하네요."

"항상 저 사람 입맛에 맞추어 살 수는 없잖습니까. 후견인의 기억이 없어서 허전합니까? 아니시지요? 각하의 삶은 아직 여기에 있습니다. 각하께서 그렇게 아끼시던 돔니도 곁에 있고요. 사제왕 위를 영위하셔도 괜찮습니다."

그의 말은 제 마음속에서 갓 튀어나온 것 같아서 언짢았다.

솔직히 안스 역시 지금이 좋았다. 이 거대한 나라의 손꼽히는 권력자라면 평생토록 부를 누릴 수 있을 것이다. 티티라는 죽을 때까지 험한 일을 하지 않아도 되었다. 교국을 돌아다니고, 좀 더 배우고, 편하게 살 수 있는데.

다만.

"티가 나를 혐오할 수도 있습니다. 같이 자란 사람들을 다 죽인 교국의 사제왕이라고……."

신선한 고민은 아니었다. 제 가장 큰 악몽으로, 일기에도 수없이 썼었다. 소조폴을 학살한 나라에 복무하는 친구를 과연 티가 용서할까. 그때마다 자신은, 교국을 좀 더 배우고 시노드 신넬에 도움이 되도록 움직인 뒤 티에게 화해를 청하려 했었다.

그러나 이젠…… 자신도 모르는 사이 이미 시노드 신넬에 다녀왔기에 스스로를 변명할 수 없었다. 남은 것은 유치한 자신감과 이기심뿐.

"각하."

"……."

"티는 각하를 미워하지 않을 겁니다."

"전 사제왕입니다. 한동안 티는 저를 만난 기쁨에 모든 악감정을 참을 수 있겠죠. 하지만 시간이 지날수록 반가운 마음은 흐려지기 마련입니다. 티가 소조폴의 기억을 간직한다면 저를 미워할 수밖에 없습니다."

"아닙니다."

아펭글로는 묘하게 확신에 차 있었다.

안스는 인상을 찌푸린 채 살짝 뒤를 돌아보았다.

"무슨 뜻이에요?"

"티티라 돔니가 이 땅으로 오면서 옛 '각하'와 신뢰를 쌓지 않았으리라 생각합니까?"

"……물론 그 둘이 작당을 했으니 티티라가 내실에 있는 거겠죠. 그래도."

"돔니는 그자와 두 해를 알았습니다. 소조폴에서 만나 이즈버르까지 동행했고, 사제왕의 비호를 받는 상단 주가 되었습니다. 물론 대부분 협박으로 이루어졌겠지만, 각하의 얼굴을 한 사제왕에게 그녀가 얼마나 취약했을지는 능히 짐작할 수 있으시겠지요. 그렇게 두 해입니다."

예상보다 긴 것 같기도 했고, 짧은 것 같기도 했다. 안스는 티티라가 자신 아닌 자신과 어떤 대화를 했을지 상상하기 어려웠다. 난, 티티라가 아닌 티티라를 만났다면 정말 미쳤을 것 같은데, 이건 저 애를 너무 사랑한 까닭이기에 비교할 수 없었다.

"아펭글로, 그래도 그는 티티라와의 추억이 없는 사람이니까 정상참작이 됐을 겁니다. 반면 저는 그저 은혜도 모르는 망나니예요."

"각하께선 후견인이 그렇게 죽은 줄 몰랐잖습니까. 그리고 지금은 기억도 희미하고요. 누군가 각하의 머리에 장난을 친 탓이고, 상황이 각하를 떠민 탓이니 자해하지 마십시오."

"당신은 너무 제 입맛에 맞는 이야기만 해요. 그래서 당신 이야기를 듣다 보면 오히려 제 욕망이 얼마나 부끄러운지 더 깨닫게 됩니다. 그러니 그만하세요."

아펭글로는 잠시 침묵했다.

그러나 질겼다.

"아무리 사제왕이라도 법황을 정면으로 들이받는 건 불가능합니다. '그' 탈란타우에마저, 시노드 신넬로 활로를 뚫었지, 법황을 직접 공격하지는 못했습니다. 법황은 교국 제도의 중추이며, 신민의 정신적 지주입니다. 신성불가침이에요."

"……."

"현실적으로 생각하십시오. 저는 돔니니도 현실을 깨닫게 될 거라고 생각합니다. 각하께서 설득하지 않아도, 시간이 지나면 절로 그렇게 될 겁니다. 싸우지 마세요. 그녀가 이해할 때까지 기다리세요."

"……."

"지난 몇 주간 돔니니가 고되었을 텐데, 오늘 일까지 닥치니 정말 많이 피로할 겁니다. 잘 살펴 주시고, 법황청에서 고개를 들이밀면 걷어차서 내쫓으십시오. 돔니니가 유산했다고—"

"뭐라고요?"

아펭글로는 어깨를 으쓱였다.

"법황의 명령을 무시할 수 있는 사유는 사제왕의 핏줄, 가문과 관련된 일뿐이니까요."

"……."

"내실에 들었으니 다들 상상하는 바가 있을 것 아닙니까. 돔니니를 보호하려면, 응하십시오. 저는 각하께서 다시 미치는 게 정말로 두렵기 때문에 각하만큼이나 돔니니가 안전하길 바랍니다."

"알겠습니다."

"……."

"그런데 하나."

"예."

"아펭글로, 절 조종하려 들지 마세요. 순전한 호의로 그러시는 건 압니다. 그간 티를 도와주신 것도 고맙습니다. 하지만 제 판단까지 미리 내리려 하진 마십시오."

"죄송합니다."

그는 빠르게 사과했다.

안스는 앙금 없이 다시 티티라를 내려다보았다.

네가 나를 잃고 밑바닥까지 다녀왔듯이, 나도 너를 잃으면 지옥에 떨어질 자신이 있어.

그러니 내 행동은 오로지 네 평안한 삶을 기준으로 결정되겠지.

안스는 몸을 숙여 그녀의 이마에 입 맞추었다.

자리에서 일어섰다.

"아펭글로, 그러면 제가 지난 십 년 동안 무엇을 했는지 정리해 보죠. 병자 취급받지 않으려면 시간깨나 필요하겠네요."

아펭글로는 빙그레 웃으며 책상이 준비된 옆방을 가리켰다.

긴 밤이 될 것 같았다.

티티라는 두런두런 이야기를 나누는 소리에 깼다가, 다시 졸았다.

그리고 다시 깨어났다.

이번엔 비척비척 일어섰다. 눈을 비비며 소리가 들리는 옆방으로 건너갔다.

뭉개진 시야에는 안스와 아펭글로가 고개를 맞댄 채 업무를 보고 있었다. 자신은 알지도 못하는 단어들이 오갔다. 어느 땅에 대한 이야기 같은데.

"티, 새벽이야. 좀 더 자."

티티라는 비틀거리며 걸어갔다. 아직 반쯤 수면에 잠겨 있었다. 뭘 저렇게 열심히 일하는지. 가끔 자신과 잠자리를 보내고 혼자 옆방으로 떠나던 안스카리우스가 떠올랐다.

그녀는 안스 옆으로 다가갔다.

몸을 숙여 뺨에 입 맞추었다.

안스가 왠지 멈칫하는 것이 느껴졌다. 티티라는 별생각 없이 까끌까끌한 그의 뺨을 더듬어 입가에도 살짝 키스했다.

"좀 쉬어……. 기다릴게……."

그녀는 하품을 하며 다시 등을 돌렸다.

이리저리 방향을 바꾸며 겨우 다시 침실에 돌아갔다. 침대 속으로 구겨졌다. 안스카리우스가 누울 자리를 비워 둔 채, 한쪽에 늘어져라 사지를 뻗었다.

그리고 다시 잠들었다.

한참 뒤, 다시 깨어났다.

티티라는 '방금 전' 자신이 저지른 일에 소름이 돋아 벌떡 상체를 일으켰다.

그러나 방 안은 어두컴컴했다. 더 이상 옆방에도 인기척이 없었다. 혹시 몰라 급히 사방을 뒤졌지만, 안스도 아펭글로도 어디론가 사라진 뒤였다.

문을 열어도 휑한 복도 너머에서 대기하던 하녀가 고개를 들 뿐이었다. 티티라는 손으로 괜찮다는 표시를 한 뒤 다시 침실로 돌아왔다.

입가를 손으로 매만졌다. 초조했다.

설마, 별일 아니라고 생각했겠지?

다음 날, 제 방의 방문자는 의사뿐이었다. 의사가 떠난 뒤 하녀들에게 '각하'를 만나고 싶다고 말했지만, 지금은 업무로 바쁘시다는 말만 전해 들었다.

새삼 깨달았다. 아무도 안스카리우스가 사라지고 안스가 돌아왔다는 사실을 눈치채지 못한 듯했다. 볼품없게도…… 갑자기 이 순간 한없이 슬퍼졌다.

아무리 잘 꾸며 내는 안스라지만, 그럼에도 안스와 안스카리우스는 다른 사람이었다. 조금만 주의를 기울이면 차이를 눈치챌 수 있을 것이다. 물론 같은 몸 안에 두 개의 정신이 깃들었다고 상상하긴 힘들겠지. 그래도 안스카리우스와 친밀했던 사람이 아무도 없었던 걸까.

티티라는 안스를 찾을 의욕을 잃은 채 다시 방 안으로 들어왔다. 어제 그가 치우지 않고 나간 자료들을 들추어 보았다. 북부 요르타시 이야기가 있는 것으로 보아, 지난 열 해간 본인이 무엇을 했는지 숙지하려는 모양이었다.

안스가 지나치게 태연하여 거리감이 느껴졌다. 너무 냉정한 거 아닌가. 무엇이 그리 급하기에 벌써부터 안스카리우스를 완벽히 대체하기 위해 발버둥 치는 걸까.

어제 빚었던 갈등을 떠올렸다. 어쩌면 법황에게 대적하기 위해 최대한 빨리 스스로를 완성하려는 것일지도. 중얼거렸다.

그녀는 침대 천장을 보며 하루를 다 보냈다. 법황에 대한 분노는 잘 갈무리하여, 때에 맞추어 꺼낼 수 있도록 보관했다. 돌이켜 보면 아펭글로의 말이 맞았다. 당장은 법황을 공격해 봤자 우리만 위태롭게 만들 뿐이었다. 그렇다면 안스와 제 방향은 같았다. 언젠가를 위해 준비하는 것.

티티라는 그 생각에 빠져 있다가, 저녁 늦게 안스의 얼굴을 보자마자 같은 이야기를 꺼냈다.

"당장 법황에게 가진 말자."

안스는 혼자 들어와 문을 닫았다. 고개를 든 그의 얼굴은 살짝 찡그린 채였다.

"애초에 가지 않을 생각이었어."

티티라는 고개를 끄덕이며 다행이라고 중얼거렸다. 그리고 좀 더 대화를 이으려—

"티, 너 어제, 나한테 왜 키스했어?"

그녀는 입을 다물었다.

안스는 저벅저벅 다가왔다.

"아무리 생각해도 너, 이상하다. 신드라문에서 나한테 달려든 것도 그렇고, 그때 했던 말들도 그렇고. 그리고 어제도."

"……"

"내실엔 왜 들어와 있었어? 귀빈실도 많은데."

저 애가 다 알고 물어보는 것인지 모르겠다. 하지만 죽어도 제 입으로 털어놓진 않을 생각이었다. 안스는 이미 본인 일만으로도 머리가 터져 나가기 직전일 텐데, 이 포탄까지 던져 넣기 싫었다.

"뭘 물어보는 거야? 똑바로 말해."

안스는 제 옆으로 의자를 끌어와 앉았다. 그사이 흐르는 침묵이 티티라를 초조하게 했다.

"이전의 나와 무슨 관계였냐고 묻는 거야."

지난번과 똑같은 질문이어도 무게가 달랐다.

"내가 곰곰이 생각해 봤는데…… 기억을 잃었는데 팔뚝에 이런 상처가 있으면 몇 년 동안 추적하여 의미를 찾을 법하거든. 그러다 마침내 널 만났겠지. 그런데 친구라는 인식도 없는 상황에서 두 해를 같이 보냈으면, 둘은 뭐가 된 거야?"

차라리 고백하라고 외치지 그래.

물론 티티라는 여전히 말할 생각이 없었다.

"'공생'이라고 해야 하나."

"무슨 소리야, 그게."

"그자는 나를 통해 본인 과거를 알고 싶어 했고, 나는…… 그자가 필요했어. 네가 어딘가에 있을 거라고 생각했으니까."

"과거를 알아내는 건 며칠이면 끝난다. 이 년은 길어."

"그럼 내가 널 떠나보내야겠어?"

"네 심정은 이해해. 하지만 이전의 '내'가 이해가 안 된다. 널 왜 아꼈을까."

"……."

"그래. 귀동냥을 좀 했는데, '오늘도' 내실에 가시느냐 묻더라고.

넌지시 떠보니 내가 너랑 진짜 자는 사이였나 봐."

티티라는 급하게 말을 끊었다.

"그 말을 믿어?"

안스는 자신을 빤히 바라보았다.

"그런 저열한 방식으로라도 날 보호하지 않으면 법황이나 선대 바를라암이 해칠까 봐 신경 써 준 거야."

"그럼, 그자가 '신경'은 왜 썼는데?"

"이야기가 계속 돌잖아. 나는 그 사람의 기억 보관함 역할이었어. 너라면 쉽게 버릴 수 있을 것 같아?"

"……."

"이해했지?"

"티, 키스는 왜 했어? 습관 같아."

안스는 언제나 날카로운 녀석이었고, 그건 그의 인생이 뿌리째 뽑혔다 돌아온 뒤에도 마찬가지였다. 그녀는 오랜 경험으로 진실을 완전히 부정하다간 바닥까지 뜯겨 나간다는 사실을 알고 있었다.

"……키스는, 보는 눈이 많아 믿음을 주기 위한 거였어. 바깥에서 데면데면한 채로 사제왕의 연인이라느니 이런 이야기는 할 수 없잖아."

"너, 내가 꼭 물어봐야 해?"

"너야말로 이미 단정 짓고 말하는데 참고 들어 줘야 하는 거야?"

"잤어?"

턱이 부르르 떨렸다.

"넌 지금 이게 장난이야?"

"티, 장난처럼 들려? 아니야."

그녀도 알았다. 장난이 아니었다.

안스는 무표정했다.

"말해 봐, 티."

점차 저 애가 다 알면서 제 대답만 기다리고 있다는 느낌이 들었다. 절벽에서의 키스, 애증을 담은 악, 수행인들의 태도, 어젯밤…….

"안 잤어."

티티라는 거짓말을 했다.

안스는 그녀를 빤히 바라보았다.

"……."

"……."

그녀는 눈싸움하듯 피하지 않았다. 다만 제 모든 행동이 저 애에게 읽힐 것 같아 암담했다. 무슨 말을 하든, 어떻게 움직이든 막다른 길로 몰릴 듯했다.

"……우선 예전의 나인 척할 거야."

티티라는 철렁 내려앉았다.

안스는 나직한 목소리로 주제를 돌렸다.

"아펭글로는 내 수석 보좌관으로 올렸어. 십 년 동안 이를 갈았더라고. 함께 공부하고 있는데, 한 달이면 겉핥기는 되겠어. 가끔 놓치는 게 있겠지만 아버지가 돌아가셔서 혼란스러운 아들 노릇만 해도 충분할 것 같다. 그리고."

"……."

"내가 매일 밤 내실에 왔대. 그래서 그렇게 하려고."

티티라는 이불을 꽉 쥐었다.

그 위로 그의 눈이 닿았다. 잠깐 주저하는가 싶더니, 거친 손이 뻗어 왔다.

그녀는 반사적으로 대답했다.

"옆방에 침대 있어. 좀 작지만. 내가 거기로 가서 잘게."

안스의 시선을 해석하기 힘들었다. 단단한 입이 열리기까지의 아주 짧은 시간이, 제게는 천 년처럼 느껴졌다.

"티, 난 소파에서 잘 거야."

안스카리우스도 항상 제 발치에서 잤다.

티티라는 이불을 젖히고 상체를 일으켰다.

"아냐. 내가 다른 방으로 갈게."

"어제 옆자리를 비워 두던데."

"……."

"나는 같은 방에 머무는 것도 안 된다."

말이 뚝뚝 끊어졌다. 자신을 너무 잘 아는 상대와 대화하는 것은 정말 벌거벗겨지는 기분이었다. 티티라는 무엇을 꾸며 내든 어린 시절의 친구에게 꼬리를 잡히리라는 것을 또 한 번 깨달았다.

"……좁은 곳에서 잠들기 힘들 것 같아서 배려해 준 건데, 불만도 많아."

"……."

"마음대로 해. 난 너 대신 소파에서 잘 생각은 없으니까."

안스는 대답 없이 몸을 틀어 소파로 다가갔다. 털썩 눕는다.

"……위치가 이상하네."

"뭐?"

"왜 정면에 침대가 보이는 거야? 내 방, 가족들 방, 손님 방……

어떤 곳도 안 이런데."

"왜 이렇게 예민해? 이젠 여기 물병이 왜 세 개 있는지도 물어볼 거야?"

"……."

그의 기세가 처음으로 잠잠해졌다.

들어올 때부터 바짝 긴장되어 있던 그의 표정이 누그러졌다. 언뜻 자괴감과 실망이 묻어나는 것 같았다. 하나는 그녀를 향해, 하나는 스스로를 향해.

"……너무 피곤하다."

밤 속에서 어두운 눈이 감겼다.

"그래도 티, 네가 있어서 다행이야."

티티라는 엉거주춤 침대에 앉은 채 안스를 바라보았다. 잠들기에 편한 옷도 아닌 것 같은데…….

자신은 물론 죽었다 살아났지만, 저 애도 고생한 건 마찬가지였다. 벼랑에서 떨어진 사람을 구명한 데다, 바득바득 저를 업고 한 시간이고 두 시간이고 걸었지. 그 뒤, 잘 타지도 못하는 말을 몰고 교읍지까지 왔어. 그렇게 피곤한 와중 밤을 새우며 노력했고.

티티라는 고작 하루 동안 안스가 얼마나 치열했을지 깨달았다.

결국 죄책감을 이기지 못한 채 자리에서 일어섰다. 성큼 걸어가 옷장을 열어젖혔다. 안스카리우스의 옷이 남아 있어, 주섬주섬 챙기곤 소파를 바라보았다.

그는 꼿꼿이 등을 돌린 꼴로 제가 내는 소음을 무시하고 있었다.

그녀는 한숨과 함께 소파 옆으로 다가갔다.

"일어나."

"……."

"불편할 텐데 갈아입어."

"……."

"내 말대로 안 하면 계속 여기 있을 거야."

그가 곧장 상체를 일으켰다. 어두운 등불 너머 짜증스러운 얼굴이 자신을 바라보았다.

티티라는 옷가지를 건네주곤, 뒤돌아 쭈그려 앉았다.

"내가 여기서 자는 꼴 보고 싶지 않으면, 빨리."

협박은 효과적이었다. 그는 말없이 재빨리 외출복을 내팽개쳤다. 바스락바스락 옷자락이 부딪히는 소리가 났다. 티티라는 제 옆으로 툭툭 떨어지는 옷가지를 보곤, 다 갈아입었나 싶었을 때 몸을 틀었다.

그는 아직 상의를 걸치고 있었다.

그러나 제 시선이 그의 맨살에 머무르지는 않았다. 대신, 항상 흠칫 놀라던 자리…….

티티라는 문신이 뭉개진 상처로 손을 뻗었다.

"안스, 너……."

안스가 돌아보았다. 어느새 천 사이로 흥이 사라졌는데, 도움이 되지 않았다. 오히려 아물지 않은 상처에 억지로 붕대를 붙인 것 같아 철렁 내려앉았다.

"그러고 보니 안스카르는 문신을 불로 지진 기억이 없다고 했어……."

안스는 상대가 무슨 소리를 하나 퉁명스러운 태도로 있다가, 점차 느슨해졌다. 잔뜩 세웠던 벽이 깎여 내려갔다.

"네가…… 문신을 불에 태운 거야?"

티티라는 옷가지를 헤쳐 오그라든 화상을 짚었다.

"아, 응……."

그는 왠지 내키지 않는 듯 말끝을 흐렸다.

티티라는 제발 울지 말라고 스스로에게 속삭였다.

그러나 그다음 문장엔 울음기가 섞여 나왔다.

"아팠어? 처음 봤을 때부터 묻고 싶었어……. 얼마나 아팠어? 어깨 상처도……. 대체 왜 이렇게 만신창이야……."

"……."

"다 네가 괴로웠던 거잖아……. 잘 살겠다고 가서 몸이 이게 뭐야……."

안스카리우스의 몸 위로 상처를 발견한 순간부터 내내 응어리져 있던 원망이 새어 나왔다. 바다의 신처럼 매끈한 피부로 헤엄치던 소년이었는데.

"귀는, 귀는 왜 이래……. 누가 이딴 식으로 다치고 다니랬냐고……."

"……."

"안스카르는 아무것도 모르던데, 그러면 다 네가 아팠던 걸 텐데……. 너 혼자, 혼자서, 얼마나 아팠어……."

티티라는 울음을 꾹 참다가, 결국 고개를 숙였다. 기우뚱거리다 그의 등에 이마를 기댔다.

"개자식, 이딴 등신 같은 짓이나 하고 다니고……."

그녀는 자포자기한 채 울었다. 그의 반쯤 벗겨진 옷자락 위로 끅 끅거리며 눈물을 닦아 냈다.

안스가 자신을 바라보았다. 그러나 제게 와닿은 것은 다정한 위로의 온기가 아니었다. 지독히 뜨거워서, 사람이라기보단 잔뜩 달 군 쇳덩이에 가까운 입김. 머리맡에 닿았다.

"미안해."

티티라는 손을 뻗어 그를 껴안았다. 딸꾹질도 못 멈추는 우스운 몰골로 그의 맨어깨에 코를 비볐다.

"내가 얼마나 걱정했는데……."

그녀는 흐릿한 시야를 닦아 냈다. 더 이상 한심해지기 싫어서 눈에 주먹질을 하다시피 했다. 그 난폭함에 놀랐는지, 한순간 양 손목이 틀어잡혔다.

안스가 코앞에 있었다.

"조심해."

그 짧은 말도, 주의 깊었다.

그녀는 교국 한복판에서 다시 친구를 찾아냈다. 친구가 교국 문화나 권력에 익숙해졌다는 사실 따위는 아무렇지도 않았다. 그게 그의 본질을 바꾸지는 않았으니까. 진실은 저 손마디 너머에 있는 안스의 진지하고도 조심스러운 눈이었다. 변했어도, 여전한 친구. 영혼에 박힌 조가비, 친절함, 애정.

이제 자신을 바라보는 어두운 시선은 반쯤 감겨 있었다. 초점을 잃은 듯, 그러나 잔뜩 집중하는 표정이었다. 그러니까, 넋이 나간 표정과 날카롭게 예리한 감정이 함께했다. 그처럼 말도 안 되는 모순이 하나의 표정에 있었다. 한곳에 너무 집중하던 중 자기 파괴로 부서진 거울을 보는 것 같았다.

티티라는 왠지 심장이 뛰어 고개를 뒤로 젖혔다.

그 순간, 그의 숨결이 물러난 만큼 따라왔다.

닿지 않았음에도 포위되었다.

안스는 제 앞에서 숨을 쉬었다. 정말로, 그는 살아남기 위해 숨을 쉬었을 뿐이다. 그 외엔 어떤 목소리도, 움직임도 없었다.

그런데 갑자기 목덜미부터 열기가 치솟았다. 선선한 날씨에도 땀이 났다. 긴장이 제 얼굴 위로 번져 얼룩을 만드는가 싶더니, 순식간에 등줄기를 타고 내려가 배 속을 짜릿하게 건드렸다.

티티라는 화들짝 놀라 그를 밀쳐 냈다.

설마, 안스카리우스라고 생각해서겠지. 속으로 읊조리면서도 입맛이 썼다. 이 기묘한 떨림은 아무래도 '그런' 종류였으니까.

자신은 절대로 안스에게 긴장하지 않았다. 그래. 착각한 거다. 방금 전까지 안스카리우스와 잤느니 안 잤느니, 우리 관계를 정의하라느니 실랑이를 벌였으므로 신경이 쏠리는 것은 어쩔 수 없는 일이었다.

그가 순순히 물러나자 한밤중 바람이 훅 끼쳤다. 냉정이 돌아오며 이내 제 생각에 확신을 가지게 되었다. 잠깐 이상한 감각이 미쳤을 뿐, 그들은 온전히 친구로서 걱정을 나누고 있었다.

"안스, 옆방에서 자면 안 돼?"

"……네가 내 눈앞에 없는 게 싫어."

어디서 용기가 났는지 모르겠다— 아니, 사실 알았다. 서로 마주 보며 옛 친구를 찾아냈으니까. 제 삶에 추억이 한바탕 해일처럼 몰려왔으니까.

"그러면 침대에 올라와."

"……."

"괜찮아. 엄청 넓어."

그가 미간을 좁힌 채 의심하는 소리를 냈다. 단어로 표현하긴 어려웠지만, 저 자식은 어이없거나 상대를 비꼴 때 저런 콧방귀 같은 소음을 내곤 했다.

그녀는 그들이 공유하는 옛 버릇에 더더욱 긴장을 풀곤 그를 끌어당겼다. 옷을 볼품없이 비뚜름하게 입은 남자가 휘청였다. 제 온 체중을 실어 끌어당겼다. 마침내 침대에 누웠다. 털썩.

안스는 여전히 주저하듯 침대가에 서 있었다.

티티라는 빠르게 굴러 가장자리까지 갔다. 이불 속에서 눈만 빼꼼 내민 뒤 침대 반대편을 가리켰다.

"저기."

안스는 잠깐 자신을 바라보다가 결국 자리에 누웠다.

티티라는 발치의 쿠션을 줄줄이 끌고 왔다. 그리고 그들 사이에 기나긴 줄을 만들었다. 그 경계선 너머에서 눈을 부리부리하게 뜨며 경고했다.

"선 넘지 마."

안스는 고개를 절레절레 젓더니 반대편으로 몸을 돌렸다.

왠지 열일곱짜리로 돌아간 것 같아서 웃음이 났다. 울다가 웃다가, 네가 아니면 누구와 이럴 수 있겠어.

티티라는 그의 등을 바라보며 잠들었다.

다음 날 깨어났을 때 안스는 없었다.

같은 침대에서 자던 시절, 안스카리우스는 어떻게든 자신을 귀찮게 깨우고 사라졌는데……. 사소한 것 하나하나 비교하는 제 얼굴을 한 대 치고 싶었다.

그녀는 흰 벼락에서 돌아온 이후 내내 우울과 기쁨의 징검다리 위에 있었다. 안스를 볼 때마다 배꼽부터 행복감이 차올랐지만, 동시에 그 생각의 끝이 두려워 허겁지겁 다른 일에 몰두하려 했던 것이다.

티티라는 꾸역꾸역 아침을 들곤 복잡한 마음으로 책을 뒤졌다. 마음에 드는 책 한 권을 품에 껴안고선 정원으로 산책을 나갔다. 고요한 주변, 흔들리는 의자에 누워 독서를 시작했다. 툭 떨어진 팔로 가끔 꽃을 쓰다듬었다.

그제야 잔뜩 꼬여 있던 고민이 서서히 풀렸다. 아무래도 상관없어. 지금에 집중해. 네 눈앞에 있는 글씨에…….

그녀가 빠져 있던 교국 소설에서 눈을 뗀 것은 하녀들이 '각하께서 오셨다.'고 수선을 피울 때였다.

티티라는 아랑곳하지 않곤 뒹굴뒹굴 누운 채 버렸다. 하녀들은 뜨악한 눈길이었지만, 그 뒤로 안스가 정원에서 나갈 것을 명령하는 소리가 들렸다. 물론 그가 그러거나 말거나 그녀는 주인공이 처형당하는지에 잔뜩 열중했다.

"티."

티티라는 흘끔 시선만 돌려 책 너머의 역광을 바라보았다.

"각하, 바쁘신 와중에 방문해 주셔서 정말 감사합니다. 기쁘고요."

그의 얼굴이 조금 일그러졌다. 티티라는 영문 모른 채 몸을 벌떡 일으켰다. 왜 빈정이 상한 거야?

"각하?"

"왜 그렇게 불러?"

아니, 이 자식이 진짜…….

티티라는 그의 등 너머로 턱짓했다. 아무리 사람들이 떠났대도 탁 트인 정원에서 숨어 듣는 귀가 없겠냐고.

그는 문득 깨달은 듯 입을 다물었다.

그녀는 콧방귀를 뀌며 다시 한번 예의 바르게 말했다.

"혹시 제가 중요한 업무를 방해한 것은 아닌가 걱정이 됩니다."

"……괜찮아."

"아직 늦은 밤도 아닌데 왜 방문하셨는지 여쭐 수 있을까요?"

"저녁을 같이 먹고 싶어."

티티라는 얼굴을 찡그린 뒤 소리 없이 말했다.

'저녁을 같이 먹고 싶다, 말투도 이렇게 해야지!'

엄격한 얼굴을 흉내 내는 노력까지 보였지만, 그는 얼기설기 기운 표정이나 짓더니 곧장 제게 손을 내밀었다. '식사 하러 가자.' 말하지 않아도 들렸다.

그녀는 결국 그를 따라갔다. 식당에는 이미 따뜻한 음식이 차려져 있었다. 습관처럼 중앙에 안스카리우스의 자리를 두고, 모서리 옆자리에 털썩 앉았다. 하인들의 촘촘히 박힌 시선을 침묵만으로 버틸 수 없었기에 말을 걸었다.

"오늘 아침에 안 계셔서 섭섭했습니다."

전채 요리를 들던 안스가 무슨 미친 소리냐는 듯 자신을 바라보았다. 제발 말 좀 맞춰 봐라.

"……."

"인사를 드리고 싶었는데요."

"일이 바빠서."

아, 잘하네.

내심 중얼거리고 조금 울적해졌다.

"바쁘시더라도, 인사를 해 주시면 좋겠어요. 제가 바라요."

말하면서 속이 우그러들었다. 제 목소리에 귀 기울이자 마치 안스카리우스에게 말하고 있는 것 같았다. 인사는 하고 가지. 개자식.

"그래."

안스가 딱딱거리니, 더더욱 안스카리우스처럼 보였다.

"오늘 낮에는 각하께서 추천해 주신 「호리스의 바랜 소고小考」를 읽었습니다."

"……."

"오래도록 읽힌 소설이라더니, 정말 그럴 만한 것 같습니다. 작가가 밝혀지지 않았단 점도 뭔가 짜릿해요. 일부러 이름을 숨긴 걸까요? 소설 내용뿐만 아니라 그 바깥에서도 생각할 여지가 많네요. 왜 숨겼을까. 영웅 서사시처럼 써 놓곤 마지막엔 왜 죽였을까……."

"글쎄. 구전되는 이야기를 기록했단 설도 유력한데."

"그러면 처음 시작한 곳에서 끝나지 않았을 것 같은데요. 모든 복선이 촘촘하게 결말을 가리키고 있지도 않을 거고요."

"여러 사람이 머리를 맞대었기에 정교할 수 있는 것이지. 「소고」에는 다양한 해석이 있고, 몇 가지는 불경하기에 감히 공개할 수 없는 종류다. 그런 작품이란 시대 정신에 가깝지 않나."

티티라는 자신이 안스카리우스와 대화를 나누고 있다고 상상했다.

"각하께서 제게 책을 주시며 물어보셨죠. 생각해 보면 시노드 신넬인에게 듣는 「소고」 감상은 정말 드물 겁니다. 제가 어떤 정체성을 가지고 있는지 모르겠지만, 오히려 전 직접 말씀을 나눠 본 신민들보다 책에 더 공감할 수 있었던 것 같습니다. 아시겠지만 저 같은 인간이 실제 살을 부대끼는 인간보다 책 속 인물에 이입하기는 쉽지 않습니다. 그래서 그 차이가 뭘까, 계속 생각해 보고 있습니다."

"……."

"어째서 각하께서 제게 이 책을 건네셨을까요."

고집 피우지 말고 당신이 떠나기 전에 한번 읽어 볼걸.

"제게 무엇이 그렇게 궁금하셨을까. 다른 대륙 출신이 서로 이해하기 위해—"

그가 갑자기 식기를 내려두었다. 소리가 조금 커서, 티티라는 미간을 좁혔다.

"대화는 나중에 나누지."

"……."

안스는 자신을 바라보지도 않고 있었다. 잔뜩 찡그린 시선으로 넓은 그릇에 담긴 생선을 노려보았다.

티티라는 사소한 잡담으로 공백을 채우려 든 것이 대체 왜 그의 신경을 건드렸는지 모르겠다고 생각했다. 물론 안스가 안스카리우스를 경계한다는 사실은 눈치챘지만, 방금 나눈 이야기는 그냥 책에 관한 것 아닌가? 돌연 안색을 붉히고 화를 낼 이유가 어디 있느냔 말이야?

……그러나 하인들 앞에서 불만을 표할 수는 없었기에 남은 시간 동안 고분고분하게 침묵을 지켰다. 반짝이는 식기를 바라보며 안스를 이해하려 애썼다.

사실, 눈에서 꺼풀이 벗겨지자, 조금쯤 냉정해지자 이해하기 쉬워지긴 했다.

'대화하면서 안스카리우스를 떠올리긴 했지.'

그 문장 하나에 이런저런 반발심이 사그라졌다. 맥이 빠졌고, 그마저도 허락하지 않는 안스에게 양심 없이 화가 났다가, 그런 스스

로에게 다시 경악했다. '너 지금 안스한테 안스카리우스 역할을 하라고 한 거야?'

티티라는 제 속의 양심 없는 망나니를 꽁꽁 묶어 두었다. 한순간도 아니고 저녁 시간 내내 그런 생각을 했다는 게 아찔했다. 사랑하는 친구가 돌아왔는데, 등 뒤로 계속 누군가를 그리워하다가 마침내 친구마저 온전히 반기지 못하게 되다니…….

그들은 저녁을 마치고 함께 내실로 향했다.

그녀는 방에 들어서자마자 괜히 욕실로 피하려 했다. 방금 대화에 대해 이야기하기 싫었다.

"티."

그녀는 말로 덜미가 잡혀 제자리에 섰다. 몸을 살짝 돌렸다.

안스는 침대에 걸터앉은 채 마른세수를 하고 있었다.

"그냥 얘기해."

"뭐?"

"잠자리는 문제가 아니었네."

"무슨 뜬구름 잡는 소리야?"

티티라는 발뺌했다.

"티, 난……."

그는 얼굴을 가린 채 한참 동안이나 정적을 지켰다.

티티라는 실내화 속에서 발가락만 꼼지락거렸다.

"네가 다른 사람을 좋아하지 못할 거라 생각했나 봐."

흠칫 놀랐다.

나는 책 이야기를 했을 뿐인데…….

"그래서 육 년이고, 구 년이고 기다린다는 말을…… 네 마음이 내게로 오기까지 기다리는 시간이라고 믿었던 것 같다. 어차피 네겐 나밖에 없을 테니까. 나는 네 나머지 절반이니까. 세상이 뒤집어져도 그 사실을 바꿀 순 없으니까."

"안스, 너는 내 절반 맞아."

"알아."

티티라는 다시 길을 잃었다. 우리가 서로의 절반이라면, 대체 뭐가 문제인 거야?

"그게 단지 다른 색의 애정이라는 사실을 깨달으면…… 결국 너는 내게 오겠지. 나밖에 없겠지. 삶의 반쪽이든, 친구든, 가족이든, 연인이든 전부 나겠지. 그렇게 믿었어."

그녀는 주먹을 꽉 쥐었다. 진실 되게 고백했다.

"전부 너였어."

"아니야."

"모두, 너야."

"아니야."

"내가 너라고 말하잖아. 믿기 싫은 거야?"

"왜 내게서 다른 사람을 봐?"

"그런 적 없어……."

"티, 거짓말로 시간 낭비하지 말자. 난 널 십 년 동안 알았다. 게다가 모든 게 어제 일처럼 생생하니 제발 바보 취급하지 마."

티티라는 할 말을 잃었다. 하지만 엄청나게 억울하기도 했다. 그렇게 갈등하다가…… 전혀 상관없지만 무엇보다 중요한 말을 읊조렸다.

"난 널 위해 죽었어. 이걸로 부족해?"

안스의 손이 조금 내려왔다. 그림자 진 방 속, 그의 시선 또한 어두컴컴했다.

"부족해."

그의 목소리는 일견 음산하기까지 했다. 그 자리에서 몇 계단 더 떨어지면 아래는 완전히 텅 빈 공간일 것만 같았다.

티티라는 안스를 지상에 붙잡아 두고 싶었기에, 결국 가장 조야한 속을 털어놓기로 했다.

"……안스."

"……."

"난 안스카르를 위해 죽진 않았을 거야."

안스카리우스와 안스를 비교하는 것은 제 감정에 비참하고 부끄러운 일이었다. 또한 안스에게 고백하기에도, 다른 하나를 인정하는 것 같아 미안했다. 하지만 방법이 없었다.

티티라는 그에게 여러 걸음 다가가 한쪽 무릎을 꿇고 앉았다.

"하지만 너를 위해선 두 번이고 세 번이고— 아니, 수십 번 내 배를 가른대도 받아들일 수 있어. 너를 위해선 내 무엇도 아깝지 않아……."

"……."

그녀는 한숨과 함께 눈을 감았다.

그렇게 격렬했던 어린 시절 이별이 안스에게는 고작해야 두 해도 안 되었을 것이다. 헤어지던 날의 진득한 애정이 조금도 닳지 않은 채 제 눈앞에 서 있었다.

손을 뻗어 그의 뺨을 만졌다.

"안스."

"……."

"나는…… 안스카르를 처음 본 날 죽이려 했어. 네 얼굴을 한 다른 사람을 용서할 수가 없었어. 하지만 증오는 집착이고, 집착은 기묘하게도 나를 붙잡았어. 어쩌면 그걸 집념이라고 부를 수도 있겠고, 애증이나— 아니, 애정이라고 할 수도 있겠지……. 빈 소리나는 바닥을 두드릴 때마다 감정이 훅 꺼져서 정신을 못 차리겠더라고."

"……."

"하지만 분명한 건, 그자가 '네'가 아니었다면 난 시작조차 할 수 없었을 거란 사실이야. 나는 그에게서 언제나 너를 보고 있었어. 소조폴에서 불타 흩어진 모든 재에 걸고, 맹세해."

티티라는 무릎을 세워 그의 얼굴로 몸을 기울였다. 콧등이 부딪혔다. 입김이…… 마침내 입술이 스쳤다.

그녀는 부드럽게, 신처럼 입 맞추었다.

아주 잠깐 얼굴을 떼어 냈다.

"같은 얼굴을 하고 헷갈리지 말라는 건 너무해."

시선이 마주쳤다. 언제 배어났는지 모르는 눈물이 뺨을 때렸다. 고작해야 한 줄기. 서서히 흘러내려 제 애정에 서렸던 김을 걷어 냈다.

"질투하지 마. 결국 너였어."

그래. 결국 시작은 너였어. 끝은 네가 아니었지만.

티티라는 그 속마음을 숨기려 들지 않았다. 단지 그가 이해하길 바랐다. 자신은 그저 한 사람분의 옹졸한 마음을 가진 바보 멍청이라고. 아쉬울 수는 있지만 네 앞에 있는 나를 바라보라고. 그럼에도, 그래도, 소조폴 앞에서 헤어질 때의 무구한 나는 아니니 희망이 있지 않겠느냐고.

안스는 자신을 빤히 바라보았다. 물기에 차갑게 식어 가는 뺨이 느껴졌으며…….

그가 제 눈가에 입 맞추었다. 숨은 점점 내려가, 제 입술이 솟는 자리에서 멈추었다.

티티라는 단단한 어깨를 감싼 손에 힘을 주었다.

안스는 순식간에 자신을 껴안아 올렸다. 그녀는 균형을 잃고 그를 붙잡았다가, 곧장 침대로 떨어졌다. 겨우 냉정을 차리는 찰나, 그가 입 맞추어 왔다.

혓바닥이 여린 안쪽 살을 눌렀다. 시험하듯 얕게 누르고, 핥았다. 간지러워 발끝이 빳빳하게 섰다. 맥박이 조급해졌다. 쿵. 쿵. 제 위에 있는 애정의 무게에 온몸이 짓눌려 팔딱대는 듯했다.

숨 가빴지만 그를 밀쳐 내지는 않았다. 안스의 자신감은 해초 덩어리보다 못해서, 자신이 조금만 밀쳐 내도 멀리멀리 떠내려갈 게 분명했으니까. 제 위로 그림자가 덮쳐도, 대중없이 무게가 실려 와도…… 그녀는 작게 바르작거리기만 했다.

한순간, 그의 허벅지가 제 다리 사이를 벌리고 들어왔다. 그녀는 반사적으로 움츠렸다가— 그가 고개를 들자 다시 힘을 풀었다.

그러나 안스는 그 잠깐의 거절을 눈치챈 모양이었다. 천천히 상체를 일으켰다. 벌어진 입술로 멍하니 자신을 바라보다간, 이내 쿵하고 옆자리로 떨어졌다. 얼마나 거칠었는지 그의 무게에 온 침대가 흔들릴 정도였다.

그들은 잠시 쌕쌕거리며 천장을 바라보았다.

창문에서 선선한 바람이 들어와 젖은 몸을 식혔다.

사실, 티티라는 놀라고 있었다. 왜 뿌리칠 마음이 들긴커녕 그다음을 기대한 거지? 소조폴에서의 우리라면 소름이 돋아 견디지 못했을 텐데…… 마지막 여행길에서 부딪혔던 키스마저, 자신은 죽을 것 같았는데…….

상대를 분리하는 것이 완전히 불가능해진 걸까? 난 영원히 두 사람 사이에서 헤매며 살아야 하나?

티티라는 혼란스러운 얼굴로 고개를 돌렸다. 안스는 시체처럼 누워 있었다.

그러면 안 되는데 갑자기 웃음이 났다.

"안스."

"……."

"솔직하게 말해도 돼?"

"안 돼."

언뜻 퉁명스러운 목소리가 들렸다.

"티, 너는 진짜 인간이 덜됐어."

"너무하네."

"말해 봐."

"안스, 난 너랑 자고 싶어."

"……."

"마음에 없는 소리는 아냐. 마음이 없긴 무슨, 난 항상 진심이었지. 매번 네가 내 절반이라고 말하고 다녔잖아. 개자식, 나는 널 위해 죽는다고. 각오도 아니고, 그냥 죽었고, 앞으로도 죽는다고. 단지 살이 닿는 게 우리끼리 무슨 멋쩍은 짓인지 싶었을 뿐이지. 그런데 이젠 그 벽이 온데간데없어. 이상하지, 시간 탓인가, 아니면……."

"……."

"그런데 온전히 '너'만 볼 수 있을 거란 자신이 없어. 당연히 안스, 너랑 자고 싶어서 자는 거지만…… 내 감정을 모르겠다. 결국 너지만—"

"내가 아닐 수 있다고. 알겠으니까 그만 말해."

그는 자신을 돌아보지 않은 채— 아니, 눈 한 번 깜빡이지 않은 채 천장을 노려보았다. 구불구불한 선 사이 기하학적 문양에 시선이 고정되어 있었다.

조심스러운 고백이었다. 그녀는 더 이상 그를 상처 입히던 열일곱이 아니었다. '너는 너무 좋지만 절대 가까이 오지 마.' 따위로 어영부영 지껄이던 어린 시절은 이미 지나갔다. 이제는 제 감정을 정확하게 표현해야만 기다림이 허락된다는 사실을 알았다.

안스는 한참 동안이나 침묵했다.

그리고 마침내.

"죽여 버리고 싶다."

티티라는 전혀 나아지지 않은 상황에 이마를 짚었다.

"그 새끼는 주인 없는 몸을 턴 거야."

"……."

"기억도, 과거도, 저 좋을 대로 이용해서 너를 연인 삼았지."

틀린 말은 아니었다. 긴 한숨이 나왔다.

"내가 너한테 널 사랑한다고 직접, 다시 말해야 했는데……. 그 답변에 절망하든 기뻐하든, 적어도 그건 우리 것이었단 말이야. 내 권리지만, 동시에 네 권리이기도 하다고."

그의 한 마디, 한 마디가 지나친 사실이라 제 속을 후벼팠다. 괴롭지는 않았다. 그저 입맛이 썼다. 자신은 안스카리우스가 사라지길 바란다고 말할 수 없었다. 그러나 그럼에도 안스를 사랑했다.

사랑이란 단어는 어린 날 지독히 어려웠으나 모든 것을 겪은 지금에 와선 오히려 쉬웠다.

그녀는 수많은 감정을 책장처럼 넘기며 스스로 안스에게 품은 마음이 애정이라는 사실을 알아차렸다. 경험이 쌓일수록 안스와 자신 사이에 가득 찬 감정이 유일무이하다는 것만 분명해졌다. 사과 밖에 모를 때에는 '동그랗고 빨간 것'이라고 표현하겠지만, 과일을 배운 뒤론 '사과'라 칭할 수밖에 없는 것과 같았다.

티티라는 안스를 사랑했다.

그리고 티티라는 안스카리우스를 사랑했다.

그녀는 기묘한 맛이 나는 두 문장을 입 안에서 굴려 보았다.

나는—

"그 새끼는 너랑 자고 내가 얼마나 우스웠을까."

씨근거리는 문장이 자신을 때리자, 불쾌감이 치솟았다.

"야, 넌 무슨 말을 그런 식으로……."

"죽을 때까지 너만 생각하는 인간이 있는데, 너한텐 그 불쌍한 낯짝보다 자기가 먼저라는 거지. 얼마나 웃음이 났겠냐고."

그녀는 침묵했다.

한순간은 안스카리우스 곁에서 편히 쉬고 싶은 마음이 있었기에, '안스보다 먼저'였다는 구절에 반박할 수 없었다. 안스카리우스도 저를 가지니 뭐니 헛소리를 했기에, 그가 안스를 보며 우월감에 젖지 않았다고 확신하기 어려웠다.

"네가 날 그렇게 쉽게 버리는 모습을 보고—"

"야! 보자 보자 하니까, 버리긴 뭘 버려? 한 번도 버린 적 없어!"

"난 항상 네 주변에서 개자식들을 내쫓았는데. 자무엘, 게오르게, 발렌틴, 아센…… 아니, 아니다, 그러니까 예상했어야겠지. 자리를 비운 사이에 당할 거라고……"

티티라는 이제 기가 막혀 아무 말도 못 했다. 안스가 입에 담은 이름은 어린 시절에 익숙했던 친구들의 것이었다. 적당히 친하거나 얼굴을 아는 사이였다가 어느 순간 급격히 멀어진……. 그녀가 살인을 저질렀다는 소문, '사마귀'라는 별명과 괄괄한 성격 탓에 소년들의 접근이 뚝 끊긴 줄 알았는데, 저 자식은 십 년이 지난 지금 다 저가 '내쫓'았다고 하는 것이다.

"어이가 없네. 차라리 내가 다른 사람을 좋아하길 바란다던 말은 뭐였어? 똑똑히 기억하는데? 타인을 좋아해서 애정을 배우면 너와도 그럴 수 있지 않을까……. 분명 그렇게 말했는데?"

"진심이겠냐? 절박해서 한 헛소리지. 난 항상 네가 날 좋아해 주길 바랐어."

그는 여전히, 단 한 번도 자신을 돌아보지 않은 채로 중얼거렸다.

"티, 난 네 애정을 도둑질당했어."

그녀는 입술을 깨물었다가, 대답했다.

"안스, 넌 도둑질당한 거 없어. 나는 너를 사랑해."

"그 인간도 좋아하잖아."

"그래도 널 위해 죽을 거야. 네가 군이 비교하길 바라도 난 똑같이 말할 수밖에 없어. 그럼에도, 그래도, 결국 너라고."

티티라는 몸을 숙여 그의 곁으로 기어갔다. 가까이에서도 저를 보지 않는 얼굴을 탓하듯 가볍게 쓸었다.

“안스, 그 사람도 너를 질투했다고 하면 네 마음이 풀릴까.”

“……”

“안스카르는 내게 있어 언제나 네가 먼저라는 사실에 불쾌해했지. 내가 본인에게서 널 볼 때마다 얼굴이 굳었어.”

“……”

“그 사람이 네 것을 훔쳐 갔다면, 적어도 본인만큼은 사실을 알고 있었던 거겠지. 훔친 재산으로 이득을 취했다고……. 하지만 그게 그 사람 잘못은 아니잖아. 안스카르는 그냥 나를 사랑했을 뿐이야. 네가 자무엘, 게오르게, 발렌틴, 아셴을 쫓아냈듯이, 그도 어떤 식으로든 내 대답을 듣고 싶었던 거라고.”

그는 눈을 감았다. 대꾸하지 않으려는 심산일까.

티티라는 그의 어깨를 짚었다.

“……나는 그 애들을 쫓아낸 널 이해하듯, 그를 이해해. 사랑해서 저지르는 멍청한 행동들을 이제 알아.”

“……”

“안스, 내가 싫어?”

그의 시선이 가늘게 뜨였다. 오랜만에 제게로 돌아왔다.

티티라는 대답을 기다리며 몸을 빳빳이 세웠다. 살짝 긴장된 순간—

안스가 고개를 절레절레 저었다.

그녀는 헛웃음을 터뜨렸다. 쌀쌀맞아서 귀여웠다. 안스카리우스와 똑같은 몸인데도 몸짓 하나하나가 달라 입을 다물고 있어도 누군지 알 수 있었다.

티티라는 몸을 수그려 그의 가슴팍에 귀를 댔다. 이내 길게 엎드렸다.

"유치하게 멀쩡한 사환들을 쫓아낸 너도 너다……. 진짜 몰랐어."

"……오해하지 마."

그가 마침내 입을 열었다. 그녀는 무슨 오해일지 궁금했다.

"너랑 싸우려는 애들은 다 들여보냈어."

"……."

"너 좋다는 남자애들만 쫓아냈어."

"자랑이다."

"그리고 내가 난리 친다고 소문나는 바람에 못 막은 애들도 많아. 그런데 그렇게 샛길로 받은 고백도, 너 지금 하나도 기억 못 하지?"

"……."

그가 다른 손으로 얼굴을 쓸었다. 한 팔은 제게 눌려 꼼짝도 못했기에 왠지 어설픈 자세였다.

"티, 네가 나만 좋아했으면 좋겠어. 네 인생에 중요한 사람이라곤 나뿐이었으면 좋겠다고."

"너뿐이야."

"미안. 네가 무슨 말을 하든 부족해. 난 질투할 상대도 죽어 사라졌으니까. 무덤으로 사라진 연적이 최악이라는데, 내가 그 꼴이 될 줄 몰랐군."

태도는 처음보다 수그러들었지만, 질투는 오히려 그의 가장 깊은 자리에 단단히 심긴 모양이었다. 티티라는 이 이상 그를 달랠 방법을 몰라 한숨을 쉬었다. 나무에 둥지를 튼 새처럼 그의 품으로 파고들기나 했다.

"안스, 건강하지 않아. 그만 생각해."

"파고들다 죽어도 내 일이야. 그 새끼가 소조폴 기억으로 널 꼬드겼다고 생각하면 너무 화가 난다."

"음…… 한순간은 그랬을 수 있지만…… 안스카르는 너랑 다른 사람이야. 훨씬 조용하고, 위태로워."

"듣기 싫어."

티티라는 골이 나서 중얼거렸다.

"그라면 안 이랬을걸? 안스카르에게 안스보다 널 더 사랑한다고 했으면 눈물 나게 좋아했을 거야. 난 그 앞에선 한 번도 비교한 적 없거든. 너보다 못해서, 영원히 널 그리워하며 살 게 뻔해서. 그런 말을 입 밖으로 내면 내가 잃은 빈자리가 죽도록 고통스러울 것 같아서."

"……물론 나도 네가 날 더 사랑한다고 해서 좋아."

"말은 안 그런데? 계속 화내고."

"넌 책임질 필요 없어."

"그래? 그럼 떠난다."

"……내 감정을 책임질 필요 없다는 거야. 나는 책임져야 해."

티티라는 뻔뻔한 말투에 웃음을 머금었다.

"널 어떻게 책임져야 할지……."

그의 손이 제 어깨, 허리, 온몸을 더듬어 쥐었다.

"내 곁에 있어. 날 사랑해 줘."

순간적으로 얼굴이 달아올랐다. 스무 살짜리라 낯이 두꺼운가 싶었지만, 생각해 보면 안스카리우스도 이보다 덜하진 않았다.

어쩌면, 자신도 덜하진 않았다.

티티라는 아주아주 작은 목소리로 중얼거렸다.

"……너도 다시 떠나면 죽을 줄 알아."

안스는 대답 없이 그녀를 꽉 껴안았다.

아침에 깨어났을 때, 등줄기로 따끈한 살이 느껴졌다. 가슴팍에 머리를 박고서야 안스의 손이라는 것을 깨달았다. 크고 거친 손이 맨살을 더듬고 있었는데, 누군가가 떠오르기도, 떠오르지 않기도 했다.

하품과 함께 다시 품에 파고들려 했다— 그런데 갑자기 그가 자신을 밀어냈다.

"뭐……."

티티라는 잘 뜨이지도 않는 눈으로 중얼거렸다.

그러나 그가 후다닥 뒤로 굴러가자 기어이 눈이 뜨였다.

"뭐야?"

"……."

"아, 왜?"

그는 경황이 없는 사람처럼 말을 주저하다가 욕실로 도망갔다.

티티라는 잠에서 덜 깬 채 이불 속으로 말려 들어갔다. 하지만 이미 한 번 든 정신이 쉽사리 사그라지지 않아 투덜대며 침대 바깥으로 나올 수밖에 없었다.

"나 들어간다."

중얼거리며 대뜸 욕실로 걸어 들어갔다.

안스는 흠뻑 젖은 얼굴을 한 채 황당하다는 시선으로 자신을 바라보았다.

"씻으려고?"

"왜 도망간 거야?"

"늦어서 그래."

"어디에?"

"아펭글로가 아침 먹기 전에 온다고 했어."

"널 겨우 만났는데 맨날 이럴 걸 생각하면 슬프네."

"……."

그의 눈이 가늘어졌다. 뚝뚝 흐르는 물소리만 요란하다가, 그가 제게 성큼 다가왔다.

티티라는 입이 찢어져라 하품을 하던 중 돌연 그에게 번쩍 안겨 올랐다.

"안스?"

"여기서 할까?"

"뭐, 뭘?"

"첫날밤에 했던 것처럼, 내실로 아펭글로를 데려올게."

"……애초에 왜 나가서 공부하는 거야? 멍청아."

"네가 자꾸 나한테서 다른 사람을 보잖아. 한번 눈치채니까 너무 싫더라."

"……지금은?"

"여전히 그런데, 떨어져 있으면 날 더 잊겠구나 싶어서."

티티라는 그가 질투를 끌어안고 절대 놓아주지 않기로 결심했다는 사실을 깨달았다. 답답해서 몸을 이리저리 틀어 빠져나오려 했다. 그러나 자신을 껴안은 힘은 더 강해지기만 했다.

"알겠어, 알겠으니까, 공부는 여기서 해."

그는 제 어깨에 고개를 묻은 채 가만히 서 있었다. 티티라는 그의 등을 거칠게 때리다가…… 조금 시간이 지나자 왠지 그럴 분위기가 아닌 듯하여 숨을 죽였다.

안스는 아무 말도 안 했다. 하지만 그녀는 그가 침묵할 때 무슨 생각을 하고 있는지 알 수 있었다. 아니, 내가 짐작한 것도 아니지. 본인이 똑똑히 말했는걸. 안스카리우스를 죽일 생각일 거다. 죽이고 싶은데 죽일 수 없는 탓에 화가 났을 테고.

티티라는 자신이 마른 들판에 불을 지르고 있단 사실을 알고도 입을 열었다. 시시때때로 이런 화를 받아 줄 수는 없었다.

"안스카리우스 말이야……. 나에 대한 생각은 하지 말고…… 그냥 네가 어렸을 때, 바다 바위에서 황금 돛으로 끌려왔던 기억을 더듬어 봐. 그간의 삶이 뚝 사라지는 경험이 얼마나 혼란스러운지 너도 잘 알잖아. 안쓰럽지 않아?"

"……."

"그리고 솔직히 너랑 같은 사람 아닌가? 질투하는 게 말이나 돼? 만약에 지금 기억이 돌아온다면 어떨 것 같아? 되게 자연스럽게 이어질걸. 결국 너야, 너."

안스가 자신을 살짝 밀쳤다. 드디어 눈이 마주쳤다.

"그 인간이 나일 수는 있겠지."

티티라는 마침내 이야기가 통했다는 생각에 얼굴이 환해졌다.

"그렇지? 그러면—"

"근데 네가…… 사랑에 빠진 사람은 내가 아니잖아."

"……뭐가 다른 거야?"

"잘 구분해. 난 그 인간을 싫어하진 않아. 그냥 죽이고 싶은 거야. 네가 내가 아닌 다른 사람을 봤단 사실을 아예 지워 버리고 싶어."

그녀는 멍하니 있다가, 발끈했다.

"그 사람은 이미 이 세상에 없거든?"

"아무튼 싫어. 그리고 넌 잠자리를 탐탁잖게 여겼을 텐데 그 새끼가 밀어붙였을 것 같아서 더 싫다."

티티라는 잠깐 침묵했다.

아니라고 하기는 어려웠다. 안스카리우스는 안스가 모든 걸 '가졌'으면 제겐 무엇이 남느냐고 성을 낸 끝에 잠자리를 얻어냈으니까. 하지만…… 그녀는 그날 밤 이미 깨달았다. 하지 않았다면 후회했을 거라고.

그러나 그 잠깐의 침묵이 안스에게 불을 붙였다.

"진짜야? 억지로 했어?"

"뭐? 아니, 아니."

그의 얼굴 위로 안도하는 표정이 스치면서, 또다시 언짢은 기색이 배어났다. 티티라는 도저히 이 인간을 달랠 자신이 없었다.

'아니, 잔 게 그렇게 중요해?' 묻고 싶다가도 자신은 안스카리우스를 사랑했으니 할 말이 없었다. 매번 찬물과 뜨거운 물을 오가며 분개하는 안스의 모습이 이해되지 않는 건 아니었다.

그때, 안스가 자신을 내려놓았다. 다시 얼굴과 목을 씻기 시작하더니, 순식간에 자신을 스쳐 지나갔다.

티티라는 그를 따라 나왔다.

"아펭글로 데리고 올 거지?"

"아니."

"여기서 공부한다면서?"

"생각이 바뀌었어. 바를라암 관에서 할 거야. 저녁 식사 때 보자."

그녀는 식후 디저트만큼 속이 좁은 놈을 어떻게 대해야 할지 몰랐다. 질린 표정으로 그가 윗옷을 챙겨 입는 모습을 바라보았다.

안스는 순식간에 방을 나갔다.

티티라는 배웅할 생각도 없이 팔짱을 꼈다. 발을 탁탁 때리며 방법을 고민했다. 평생 이럴 수는 없을 텐데.

갑자기 문이 열렸다.

안스의 상체만 쑥 들어왔다.

"화난 거 아니야."

한순간 어이가 없어 웃음이 터졌다.

"네가 미워."

"하."

"마음 고치고 올게."

"참."

그는 자신이 웃고 있는 사이 사라졌다.

티티라는 기이할 정도로 평온한 일상을 보냈다.

안스는 선대 바를라암의 장례식을 마친 뒤 그녀를 내실에서 풀어 주었다. 제 뻔뻔한 살인 고백에 아예 신경도 쓰지 않는 모양새라, 오히려 자신이 눈치를 볼 지경이었다.

그렇게 자유롭게 둔 뒤론, 그녀 꽁무니에 어마어마한 숫자의 경비병을 붙여 주었다. 물론 그가 그러지 않아도 바를라암 관 바깥으로 나갈 생각은 없었지만, 안에서도 경비병은 떠나지 않았다. 그들은 그녀가 들어간 공간을 밀봉하듯 지키곤 했다.

바를라암 관을 제집처럼 쏘다니는 낮이 지나면, 저녁에는 착실히 내실에 들어온 안스를 만날 수 있었다. 친구는 애써 태연한 체했지만, 날이 갈수록 짙어지는 얼굴 위 피로를 가리기는 불가능에 가까웠다.

티티라는 그를 보호하겠다고 말을 피하지는 않았다. 친구와 과거, 어제, 오늘, 내일, 미래, 영원을 이야기하고, 또, 괜히 손을 만져 주었다. 밤에는 같은 침대를 썼다. 더 이상 쿠션은 없었다.

티티라는 그가 가까이 있을 때 여전히 몸이 저릿했다. 안스카리우스라고 생각해서는 아니었다. 그보단, 자신이 안스카리우스에게서 엿봤던 지독한 감정들을 안스에게서도 발견했기 때문이다. 시선이라는 질긴 천이 있다면, 그 위에 수없이 박힌 유리 조각, 애정.

열일곱 살 때는 왜 아무것도 몰랐을까? 안스는 하나도 변하지 않았는데, 나이 먹은 자신만 거대한 유리알을 눈앞에 썼다. 그러자 세상이, 사람이 달라 보였다.

티티라는 그의 손을 꽉 잡다가도…… 괜히 피했다.

이제는 자신이 왜 그러는지 알고 있었다.

어느 날, 안스는 저녁에 돌아와선 침대에 머리부터 박았다. 아주 침대가 부서지는 줄 알았다.

티티라는 탁자에서 매우 살찌는 것을 먹고 있다가 시선만 흘끗 들었다.

"뭔 일 있었어?"

이불에 묻힌 그의 얼굴에서 신음 소리가 들렸다.

티티라는 다시 먹는 데 집중하며 물었다.

"어디 아파?"

그가 고개를 돌려 자신을 바라보았다.

"법황은 미쳐야만 할 수 있는 직종인가 봐."

"새삼스럽게 왜, 또?"

"우리가 흰 벼락에서 돌아왔을 때 법황이 처음 전갈을 보냈지. 다짜고짜 법황청은 티티라 돔니니의 안전을 염려한다던가. 그때 난 그 애가 아프니 말 걸지 말라고 대답했어."

"그래. 전에 말했잖아."

"그랬더니 보름 뒤에 또 묻더라. 네가 안전한지, 건강한지, 법황청에서 도울 일은 없는지. 그리고 빠른 시일 내에 법황청 홀에서 얼굴을 보길 바란다고. 그 서신의 답장으론, 네가 신체적으론 기운을 차리고 있지만 정서적으로 불안정하여 감히 성하께 보일 만한 상태가 아니라고 했어."

"어."

"그러자 이번엔 일주일 뒤에, 더 이상 네 안부도 안 묻고 그냥 법황청으로 보내래. 날짜와 시간도 지정해 주더군. 그래서 내가⋯⋯ 아, 다른 방법이 없대서⋯⋯."

티티라는 마침내 그릇 바닥을 보곤 벌떡 일어났다. 묻힌 줄도 몰랐던 흰 가루들이 파스스 떨어졌다.

"뭔데?"

"네가 내 아이를 가졌다고 했어."

티티라는 잘만 먹던 가루에 목이 막혀 캑캑거렸다.

"에취! 켁, 크⋯⋯."

"사제왕의 '귀하신 핏줄'을 보존하기 위해서가 아니라면, 법황의 명령을 거역할 수 없다고 하더라. 어쩔 수 없었어."

안스는 사과하지 않았고, 그녀도 딱히 바라진 않았다.

다만 의문이 하나 풀려 인상을 찡그렸다.

"어쩐지. 시중 인원이 갑자기 배로 늘고 의사가 두 시간에 한 번씩 찾아오더라. 별일도 안 하면서 귀찮게 시간을 때우길래 발로 걷어찰 뻔했어."

"다들 내가 애매하게 말해서 혼란스러운 상황일 거야."

"애를 가진 척 배에 넣을 것부터 찾아야겠다."

티티라는 쿠션을 뒤지는 시늉을 하며 말했다.

안스는 짧게 웃은 뒤, 다시 불만 섞인 신음을 터뜨렸다.

"그렇게 답장했더니 진짜 바로 다음 날에, 선물을 주고 싶으니 네 친필 답장을 바란다대."

"……."

"내가 넌 피곤해서 어렵다고, 안정을 찾으면 꼭 보내 드리겠다고 했더니 쏘아붙이듯 또 다음 날, 다음 날, 다음 날…… 계속 편지를 주고받게 되더군."

"……."

"그래서 결국 오늘 법황청에 다녀왔어."

티티라는 순간 놀라 쿠션에 파묻었던 몸을 들었다.

"뭐……? 야, 그걸 왜 이렇게 늦게 말해?"

안스는 다른 쪽으로 몸을 돌려 자신을 등졌다. 얼굴을 보기 싫다는 뻔뻔한 표현에 그녀는 급히 그를 좇아갔다. 다시 한번 그 시야를 가득 차지하며 닦달했다.

"왜 말 안 했어?"

"말하면 네가 흥분하고, 네가 흥분하면 난 불안해져."

"……."

"법황청에 가기 전에 좀 침착해질 필요가 있었어. 난 그 인간을 처음 본단 말이야."

'너한테 말하면 뭐가 바뀌냐?'라거나, '널 걱정하게 만들고 싶지 않았어.' 따위의 말이 나왔다면 실망했을 것이다. 하지만 안스는 도저히 반박할 수 없는 대답을 했다. 티티라는 분명 흥분했을 테고, 친구는 제 흥분에 휩쓸려 냉정하지 못했을 거다.

티티라는 자신이 그에게 도움이 되지 않는단 사실에 약간 울적해졌다.

한순간, 그가 제 손을 꽉 잡아 침대로 쓰러뜨렸다. 티티라는 반쯤 누운 자세로 말똥말똥 그를 바라보았다.

"아무튼, 오늘 힘들었어."

그 얘기를 하고 싶었다 이거지. 티티라는 얕게 웃으며 까끌까끌한 뺨을 툭 건드렸다.

"알겠어. 고생했어. 법황청에선 별일 없었고?"

"……음."

티티라는 벌떡 일어나려다 다시 붙잡혀 고꾸라졌다. 거친 목소리가 새어 나왔다.

"문제가 있었던 것 같은데?"

"아, 엄밀히 말하면 그건 아니고."

"답답하게—"

"법황은 날 계속 쑤셔 대고 관찰하면서 내 기억이 돌아왔는지 검증하려고 했어. 그런데 같은 바를라암 관에서 십 년 동안 날 봐 왔던 사람도 모르는데, 그 인간이 어떻게 알겠어?"

그녀의 손에 힘이 들어갔다. 가슴이 따끔거렸다.

그 기색을 눈치챈 안스가 얼굴을 찡그렸지만, 그들 사이에서 너무도 오래, 자주 다툰 주제기에 다시 한번 꺼낼 생각이 없는 듯했다.

"……그날 너를 흰 벼락에서 구해 왔고, 그 뒤로 더욱 애정이 깊어졌다고, 자연스러운 수순으로 아이가 생겼으니 한동안 성하의 부름에 응답할 수 없게 되었다. 뭐, 그런 개소리를 지껄이고 그럭저럭 넘어가는 듯했는데, 그 인간이 비장의 무기로 꺼낸 마지막 용건이 날 좀 괴롭히네."

티티라의 몸이 움츠러들었다. 순식간에 오만 비관적인 생각이 그녀를 꿰뚫고 지나갔다.

"뭔데……?"

"디아딜로테에게 사제왕 위를 넘길 생각이 없냐더라. '우리가 예전에 협의했듯'이."

귀를 의심했다.

"디아딜로테……. 그, 네 누이?"

"응."

"법황한텐 뭐라고 대답했어?"

"어려웠지. 그렇게 공부하고도 몰랐던 내용이거든. 내 이전 사람이 실제로 법황과 이야길 나눴대도 도저히 문서로 남길 내용이 아니고……. 결국 어림짐작하는 수밖에 없었어."

"……."

"'안스카리우스'가 바보가 아닌 이상 아무 이득 없이 법황과 밀약을 맺진 않았을 거야. 디아딜로테한테 사제왕 위를 넘기면 나한테 뭐가 좋겠어? 없어. 결국 내가 누려야 내 권력인 거니까. 그래서 날 떠보는 거라고 생각하고 시치미 뗐다. '무슨 말씀이신지 모르겠습니다.'"

티티라는 얼이 빠진 채 그를 바라보았다.

정신으로만 따지면 안스는 갓 스물일 텐데, 어쩜 저렇게 성숙한 어른인 체할까. 그 생각에 빠져 있다가, 문득 고작 열 해를 살았던 안스카리우스가 누구보다 침착했다는 사실을 기억하곤, 각자의 인생이 은연중 서로에게 영향을 끼치는 것일지 궁금해졌다.

"듣고 있어?"

"……응."

"그렇게 대답했더니 법황이 못 참고 맨발로 달려 나오더라고."

"자꾸 끊지 말고 쭉 설명해 봐, 제발."

안스는 작게 웃은 뒤 말을 이었다.

"좋아. 흉내 낼게. '그리 아끼는 돔니니는 그대 기억이 돌아와야만 그대를 온전히 사랑해 줄 텐데.'"

"아니, 이 머리 회까닥한 법황 놈이…….'"

저 말을 안스카리우스가 들었다고 생각하자 등골에 오소소 소름이 돋았다. 안스카리우스는 본인 기억을 살리는 데엔 관심이 없었지만, 제 사랑을 얻는 데에는 관심이 있었으니까. 당연히 상처를 입었겠지—

정신을 차리자 뚫어져라 자신을 응시하는 안스가 보였다. 흠칫 놀라 시선을 돌리니, 그제야 그가 말을 이었다.

"……'바를라암, 디아딜로테가 사제왕 위를 승계받으면 그대도 마침내 기억을 온전히 품을 수 있지 않겠느냐. 더 이상 사제왕의 '약속'에 휘말릴 필요가 없어지겠지. 희생하는 만큼 얻는 것은 주께서 내린 세상의 이치일세. 그러니 우리가, 악연에도 불구하고 기회를 주겠다고 하는 것이야.'"

티티라는 엎드린 채 얼어붙었다.

안스의 시퍼런 눈이 감시하듯 자신을 따라왔다.

그는 마치 스스로가 아닌 체 법황의 말을 흉내 냈다.

"'그대 기억을 보전할 유일한 방법이다. 디아딜로테는 신을 모시는 청렴한 사람이니, 새로이 우리 영광에 기여할 수 있을 터.'"

제 얼굴에서 기대, 미안함, 수치심이 뒤엉킨 채 줄줄 흘러내리는 것 같았다.

나는 입 벙긋하면 안 돼.

절대—

"—네가 사제왕 위를 내려놓으면 안스카르의 기억이 돌아온다고?"

티티라는 제 목소리를 들은 뒤에야 철렁 내려앉았다. 한마디도 안 하겠다고 다짐했는데, 애정은 순식간에 머리를 배반했다.

그녀는 욕설을 중얼거리며 등을 돌리려 했다.

그러나 안스는 팔뚝을 놓아줄 생각이 없어 보였다. 놓아주기는커녕 오히려 잡아당겨, 그의 온기가 느껴지는 거리에 가두었다.

티티라는 빠져나갈 수 없단 사실을 깨닫고 중얼거렸다.

"안스, 꼭 그런 뜻은 아니고……."

그런 뜻이 아니긴.

'그날'부터 내내, 옷 속에 들어온 모래를 불편해하듯, 잠을 설치고 삶을 뒤척인 시간이 그토록 많은데.

"티, 알아."

티티라는 입을 다물었다.

안스의 나직한 목소리가, 마치 어떤 형체를 가진 것처럼 자신을 옭아맸다.

"네가 그 사람을 보고 싶어 하는 거, 알아."

"말했잖아. 난 너를 더—"

"나한텐 네가 전부지만, 넌 비교할 수 있는 대상이 있는 거지. 부정하지 마."

오랜만에 드러난 질투는 의외로 평온했다. 하지만 바로 그렇기에 조금 겁이 났다.

"안스."

"어차피 법황의 반응을 보니 낚싯줄을 던진 것뿐이더라고. 이전 사람과 하나도 논의하지 않은 모양이야. 그러니 디아딜로테도 전혀 모르는 바일 테고. 나는 일을 진행하기 전에 누이와 상의할 거야. 그녀는 그런 대접을 받아야 하는 사람이니까."

그는 잠깐 침묵했다.

아주 짧은 정적이었다.

그러나 끔찍이 깊어서, 그 틈에 빠지면 어떤 선한 이도 지옥에 떨어질 것만 같았다.

이내, 높낮이 없는 목소리가 들렸다.

"네가 그자를 원하면…… 이 자리에 데려다 놔야지."

단순한 문장을 듣자마자 심장이 쿵쾅쿵쾅 뛰었다. '이렇게 쉽게?' 속으로 중얼거리고도 안스가 얼마나 지독한 고민 끝에 '쉽게' 대답했을지를 알아 아찔했다.

눈치채지 못한 사이 안스의 숨이 제 귓가에 닿았다.

"적어도 그런 척이라도 해야겠지."

"……."

"디아딜로테가 거절하면 난 애쓰지 않을 거야. 누이와 아펭글로가 법황의 속셈을 불쾌히 여기고, 위험하다고 판단해도 하지 않을 거야. 애초에 그다지 양위하고 싶은 마음도 없으니까. 다만, 너한테 이 선택지를 숨기는 게 옳지 않다고 느꼈어. 네가 나를 경첩 떨어진 문짝처럼 대했어도 나는—"

"내가 언제……."

안스는 돌아온 뒤론 주체할 수 없는 애정과 손바닥만 한 미움을 움켜쥐곤 갈피를 못 잡았다. 그 손바닥만 한 미움이 기우뚱거리며 바닥을 지키고 있어서, 아무리 애정이 커도— 아니, 애정이 클수록 고꾸라지기 쉬웠다.

"나는 널 사랑하니까."

"……."

"네가 바라는 모습이 되어 줄 거야."

'그러지 말라'고 말할 수 없는 자신 때문에 괴로웠다. 구름 사이 한 줄기 빛으로 들어온 희망에 속이 조여들었다.

안스카리우스가 나 때문에 죽었다는 생각을 하면 나는 정말 잠이 안 와. 흰 벼락에서 말했잖아. 그냥 너랑 나랑 여기서 죽고, 기억이 돌아온 안스는 혼자 잘 살게 두자고. 나는 진짜로 내가 추락한 뒤를 상상하기 싫었단 말이야.

"그런데."

티티라는 제 양어깨를 붙잡은 손에 흠칫 놀랐다.

"결정하기 전에 부탁 하나 해도 돼?"

영문을 모르는 눈이 깜박였다.

"어, 뭘?"

"너랑 자고 싶어."

잠깐 할 말을 잃었다.

안스의 얼굴에 웃음기라곤 없었다. 바짝 마른 바다처럼 성마르고 냉정할 뿐이었다.

……그녀는 뒤늦게야 놀랐다. 이미 한참 전에 그와 자고 싶다고 말했는데, 이제 와 또다시 흠칫 물러서다니.

너, 그때 고백하면서 진지했던 거 아니었어? 진지했어! 진지했어. 정말이야. 하지만 안스는 내 말을 웃어넘겼단 말이야. 그래서 그냥 그런가 보다 했지.

아.

자신은 또다시 어릴 적의 잘못을 반복하고 있었다. 안스가 무한히 깊은 해저 동굴이라도 되는 듯, 저 애의 바닥이 없다고 생각해선 천방지축으로 애정을 시험했다. 상대는 제 한 마디에 목숨이 넘어가는데 내 멋대로 칼을 휘두르고 시치미를 떼었다.

티티라는 구석에 몰린 사람처럼 헐떡였다.

"좋아. 알겠어. 자자."

안스는 미간을 좁혔다.

"되묻지도 않네?"

"예전에 나도 너랑 자고 싶다고 했잖아."

"말했지만 나랑 잔다고 꼭 법황의 제안을 들어주겠단 건 아냐. 그리고 넌 내가 왜 그런 말을 했는지도 모르잖아? 그런데 마냥 좋다고?"

티티라는 혼란스러웠다. 쟤는 나랑 자고 싶은 거야, 아닌 거야?

안스의 큰 손이 뺨을 덮었다. 그는 몸을 숙여 제 코앞까지 다가왔다.

"내가 너랑 자고 싶은 건, 만에 하나 정말 법황의 제안이 괜찮아 보여서 사제왕 위를 내려놓고, 또 만에 하나 그 덕분에 '안스카리우스'의 기억이 돌아온다면, 더 이상 온전한 내가 아닐 거라고 생각하기 때문이야."

철렁 내려앉았다.

"안스, 무슨 소리야? 넌 그래도 너일 거야. 네가 몸의 주인일 거라고."

그는 제 말을 무시했다.

"그래서 그런 일이 벌어지기 전에 한 번이라도 티, 너랑 자 보고 싶어. 유치하다고 해도…… 너한테 난 항상 유치했잖아."

"아니! 그딴 각오로, 또다시 죽을 것처럼 말하면서 부탁하는 거면 안 할 거야. 바라지도 않을 거야. 넌 그냥 너인 그대로 있어. 경고야, 이거."

씩씩댔다. 그러나 안스는 물끄러미 자신을 바라볼 뿐이었다.

한참 뒤, 그의 입매가 부드럽게 열렸다.

"내가 너랑 자고 싶어서…… 라고 하면? 그건 되나?"

그는 한순간 정말로 궁금해하는 듯 보였다.

얼굴이 붉어졌다.

"티, 내가 오늘 법황청에서 돌아오면서 별별 생각을 다 했거든……. 그런데 단숨에 '안스카리우스'가 되살아날 수 있느냐고 묻는 네 모습을 보곤 다 지웠어."

"……."

"난 네 친구로만 남아 있기 싫어."

그의 손이 제 허리를 더듬었다. 손가락 하나하나가 제 발끝을 빳

뼛이 세웠다.

"다시 만났으니 오래 기다릴 수 있다고 생각했는데……."

옷자락 사이로 차가운 살이 스며들었다.

"이러다간 또 소조폴 꼴이 나겠군 싶더라……."

티티라의 몸이 움찔 뒤로 물러났다. 그러자 짧게 정돈된 손톱이 살을 콱 찍었다. 그녀는 약간 떨었다.

"너도 나를 원하면, 그냥 하면 되잖아."

한숨 같은 속삭임 끝에 안스가 뺨 위로 키스했다.

"다시 마음을 따지고, 재고…… 어디까지 좋아하는 건지 실랑이하다가 널 놓칠 생각 없어."

그러나 그렇게 말하는 안스에게선 두려움이 느껴졌다. 자신이 버둥대면 순식간에 물러나겠지만, 실제로 그런 결말을 맞이했다간 절망감에 죽을 테니, 미지의 대답에 망설일 수 없어 거칠게 밀어붙였다는 표현이 더 옳을 것이다.

반면 티티라는 지금 이 순간에도 전혀 두렵지 않았다. 각오했던 순간이 다가왔다는 흥분, 기껏해야 가 보지 않은 길에 대한 긴장일까.

그녀는 생각하지 않고 내뱉었다.

"안스, 난 정말로 안스카리우스가 필요했어."

뺨에 얹힌 안스의 입매가 일그러지는 것이 느껴졌다.

티티라는 파도를 가라앉히듯 그의 등을 쓰다듬었다. 등줄기 위로 견고한 근육이 꿈틀거렸다.

"너를 위해, 널 친구로 보지 않기 위해서 필요했어……."

"……."

"생각해 봐. 내가 구 년 뒤에 널 다시 봤다고 갑자기 입 맞추고 싶어졌을까? 아니야. 난 너를 친구로, 가족으로, 너무, 미친 듯이, 삶이 분쇄될 정도로 사랑해서 감히 상상하지 못했을 거야. 오히려 키스야말로 내 사랑을 얕보이는 짓이라고 생각했겠지."

"……."

"하지만 그 사람이 있어서 난 이제 애정을 비교할 수 있어. 넌 다 거짓말이었다고 했지만, 진짜로 다른 누굴 좋아하는 게 방법이었 던 건 아닐까……."

"……."

"안스, 네가 사랑한다는 내 말을 평생 동안 믿지 못할까 봐 걱정 이 돼. 우리가 자서, 그 한 꺼풀 살덩이만으로 서로 안도할 수 있다 면 정말 기쁘겠지."

그녀는 조금 더 고백하고 싶었다.

하지만, 안스가 자신을 안아 올렸다. 귓가에 숨이 닿았다. 입술 이, 잇새가 들어와 잘라 내고 싶다는 듯 잘근잘근 깨물었다. 부르 르 떠는 순간 허리에 충격이 닥쳤다. 그들은 함께 추락했다.

방은 너무 밝았고, 감정은 너무 어두웠다. 사람을 숨죽이게 만드 는 어둠이었다. 어디서 적이 닥칠지 몰라 우왕좌왕 혼란스럽고 그 저 두렵기만 한 열 살짜리들 같았다.

그도 자신도, 침대에 누워 대화할 때까지만 해도 이 순간을 전혀 예상하지 못했다. 그들은 갑작스레 부두가 열리자 한데 휩쓸려 들 어가는 어린 파도였다. 이성이라곤 한 조각도 없었다. 단지 부둥켜 안은 채 살아남으려 했다.

티티라는 물에 빠졌다.

안스는 제 바다였다. 그러니 물속에서도 숨을 쉴 수 있었다.

어린 시절이 밀물처럼 쏟아졌다. 작은 조류 하나하나가 그들의 빛나는 기억이었다. 안스는 그 기억을 한 움큼 쥐어 제 몸에 문질렀다. 껴안고, 움켜쥐고, 베어 물었다. 우리가 교차하는 동안만 볼 수 있는 보물이라, 둘 중 하나라도 사라지면 영원히 소멸하므로, 샅샅이 삶에 박아 넣고 함부로 떼어 내지 못하도록 하려는 듯했다. 몸짓이 악착같았다.

티티라는 바르르 떨었다. 하지만 거부할 생각이라곤 손톱만큼도 없었다. 오히려 쿵쿵 뛰는 심장과 함께 꽉 부둥켰다. 그녀는 모든 감각을 불에 덴 듯 민감하게 느꼈다. 한순간 오싹했다가, 잔뜩 녹은 버터처럼 완전히 뭉개졌다.

안스는 너무 급했고, 절박했고, 두려워했다. 제 말을 똑똑히 듣고도 이 밤을 믿을 수 없어, 차라리 그녀를 부순 뒤 영영 죽은 조각으로 두고 싶어 하는 듯했다. 거칠다는 말보단 난폭하다는 말이 어울렸다.

그녀는 밀물에 점차 힘이 빠졌다. 숨을 쉴 수 있었지만 온몸이 천근만근 무거웠다. 더 이상 잠잠한 바다가 아니었다. 제 발을, 다리와 상체를 바스러뜨릴 듯 사나운 저류底流에 휘말렸다.

티티라는 까무룩 정신을 잃었다.

안스는 티티라의 얼굴을 바라보았다. 항상 얼룩처럼 남아 있던 긴장이 부드럽게 풀려서, 어린 시절을 상상하지 않곤 배길 수 없는 뺨이었다.

그는 몸을 숙여 발그레한 입가에 키스했다. 그녀의 몸이 움찔 떨렸다. 그러나 깨어나려는 기색은 없었다.

안스는 티티라의 검은 머리칼을 매만지다, 천천히 창가로 고개를 돌렸다. 저녁, 울긋불긋한 노을이 방 안을 침범하고 있었다. 시간이 늦었다고 놀라지는 않았다. 아침에 하인들을 내쫓은 것도, 점심에 배고프다는 티에게 단것을 물려 준 것도 자신이었으니까.

짜증을 내면서도 간식을 챙기던 티의 모습에 갑자기 웃음이 났다. 단것을 그리 좋아하지 않는 친구—안스는 잠시 '친구'란 단어에 의심을 품었다.—지만, 그거라도 먹지 않으면 못 버틸 것 같다고 판단한 모양이었다.

그녀는 옳았다.

아, 온몸이 배겼다.

그는 몸을 숙여 다시 키스했다.

그제야 눈꺼풀 아래로 동그란 것이 구르기 시작하더니, 마침내 눈이 가늘게 뜨였다.

"……자."

무슨 말인지 이해하기 힘들었다. 그러나 굳이 언어가 필요한 순간은 아니었다. 안스는 괜히 양손으로 티티라의 얼굴을 감싼 뒤, 뺨과 광대를 이리저리 문질렀다. 죽고 싶을 만큼 부드러웠다. 그만큼 사랑하는지도 몰랐다.

"……지?"

"티, 뭐라고?"

"……너 혼자…… 뭐 먹고 왔지…….."

웃음을 참았다.

"아니."

"……죽을 것 같다."

티티라는 허겁지겁 고통을 토해 내더니, 손으로 얼굴을 가리려 했다.

"괜찮아."

"아니…… 내가 죽을 것 같다고…… 됐다……."

목소리는 풀피리처럼 연약했다. 솔직히, 인간의 말이라기보단 날숨에 더 가까웠다.

안스는 처음으로 티티라가 걱정되었다. 팔씨름 같은 단순 힘겨루기가 아니라면, 특히 지구력만큼은 자신보다 강하던 티인데, 진짜 어디가 아프기라도 한 건가?

"아파?"

"아, 죽어…… 그냥……."

티티라는 횡설수설했다. 눈을 감았다가, 떴다가, 영원히 감을 것처럼 축 늘어졌다.

안스는 당황했다. 처음에만 멍청하게 밀어붙였지, 그 뒤로는 계속 물어보고 ─그러고 보니 티에게 대답을 들었던가?─ 살펴 가며 안았다. 그다지 연달아 욕심을 부리지도 않았고, 티가 조금이라도 요구하면 바로 대령했다. 그런데도 이렇게 힘들어하면…….

안스는 자리에서 벌떡 일어서 옷을 걸쳐 입었다.

티티라가 이불을 돌돌 말며 중얼거렸다.

"왜…… 뭐가 문젠데……."

"의사를 부를게."

그녀의 눈이 휘둥그레졌다.

안스는 성큼성큼 문으로 향했다.

한순간, 뒤에서 요란한 소리가 들렸다.

그가 몸을 돌렸다.

티티라는 솔직히 안스가 미친 줄 알았다. 그는 한순간도 자신을 놓지 않았다. 저녁, 밤, 아침, 오후, 다시 방 안에서 해가 저물 때까지 제 살을 움켜쥔 인간이라니, 괴물처럼 느껴졌다.

몇 번이나 쉬자고 권유했던지 도저히 기억할 수가 없었다. 어쩌면 부탁을 들어준 것 같기도 하고. 정신을 잃거나 쪽잠으로 도망친 적이 셀 수 없이 많아 헷갈렸다.

온몸에 그와 닿지 않은 곳이 없었다. 단순히 스치거나 부딪힌 게 아니라, 의도를 가지고 닿았다. 벅차다가도 한순간은 이상하게도 슬펐다. 안스가 자신을 지독히 바란다는 사실이 축축하고 얇은 살가죽 위로 느껴져서.

자기 비하를 하는 성격도 아닌데, 감당하기 어려운 애정과 십수 년을 버틴 상대에게 미안한 마음이 교차하여 꼭대기에서 고꾸라졌다. 그러니까 쾌락이 쏟아지는 순간에 기묘하게 우울해지는 그런 감정 말이다.

안스카리우스의 잠자리와는 확실히 달랐다. 그는 항상 자신에게 반응하듯 움직였다. 한 밤, 한 밤이 정교하게 이루어졌다. 그러나 안스는 저를 아예 집어삼키려 들었다. 수영도 잘하는 개자식이 물에 빠져 죽는다며 엄살을 피우고 있었다. 아주 제 다리를 끌고 함께 익사하려는 모양새였다.

티티라는 세 번째인가, 네 번째인가, 아무튼 그쯤부터 숫자를 잃었다. 제겐 쉽지 않은 일이었으므로, 눈앞에 있는 인간에게 이를 갈며 찬사를 보내고 싶은 심정이었다. 너무 짜릿해서 찰나 정신을 잃고, 동시에 너무 아파서 속사포처럼 욕설을 지껄였다.

한번은 교양을 좀 배우라고 했다가 발목을 틀어잡혔다. 달이 아직 흐릴 때였는데. 자신이 이불 속으로 끌려 들어가며 소리쳐 안스카리우스와 비교하지 않은 건 정말이지 천운이었다.

진짜 이해가 안 갔다. 어떻게 매사 딱딱거리며 제 욕심만 차릴 것 같은 안스카르가 주의 깊게 조절하고, 오래도록 제 말 한마디에 끔뻑 죽는시늉을 한 안스가 인정사정없는지, 자신이 기억을 헷갈린 것은 아닌가 싶었다.

문득 뺨에 뜨끈한 것이 느껴졌다.

티티라는 너무 지쳐 눈을 뜨기 싫었다. 정신이 들면 또 살금살금 허리를 껴안을 것 같았다.

이내 제 뺨에, 그리고 다시 입술에 입맞춤이 느껴졌다.

그녀는 조금 분개했다. 눈을 떴다. '좀 쉬자.'

"……자."

하지만 안스는 그만두기는커녕 제 뺨을 붙잡고 주물거렸다. 저놈은 왜 저렇게 쌩쌩해?

'너 혼자 뭐 먹고 왔지?'

"……지?"

"티, 뭐라고?"

"……너 혼자…… 뭐 먹고 왔지……."

웃네? 저게?

"아니."

몸을 돌리다가, 온몸을 두들기는 듯한 압박감에 불평했다.

"……죽을 것 같다."

"괜찮아."

"아니…… 내가 죽을 것 같다고…… 됐다……."

"아파?"

"아, 죽어…… 그냥……."

한 대 때리면서 말하려고 했는데, 사지에 힘이 쭉 빠져 옴짝달싹할 수가 없었다. 볼 때마다 배 속이 따뜻해지는 친구 대신 웬 개자식이 눈앞에 버티고 있었다.

문득 침대에 얹힌 무게가 사라져서 가까스로 시선을 들었다. 안스가 옷을 걸쳐 입고 있었다. 어딜 나가려는 건가? 그녀는 애정을 담아 꺼지라고 중얼거리며 다시 이불 속으로 들어갔다.

물론 예의상 한번 묻는 것도 잊지 않았다.

"왜…… 뭐가 문젠데……."

"의사를 부를게."

눈이 번쩍 뜨였다.

입을 벌리는 것, 일어서는 것과 달려가는 것을 동시에 해내려다, 침대에서 바닥까지 굴러떨어졌다. 두 바퀴를 통으로 굴렀다.

절로 고통 섞인 신음이 터졌다. 머리에 혹이 두 개는 난 것 같았다.

"아윽……."

누구인지 물어볼 필요도 없는 손이 자신을 감쌌다.

"괜찮아?"

"너…… 의사 부르기만 해 봐."

안스는 제 뺨을 감싸 이리저리 돌리다가, 의아한 듯 중얼거렸다.

"진짜 안 아픈 거 맞아?"

"아니, 너 바보냐? 잡아당기고 밀고 누르는데 안 쑤시고 배겨?

네 몸무게가 몇인데?"

드디어 짜증이 피로를 이겼다. 티티라는 후다닥 쏘아붙이곤 그를 노려보았다.

"다리에 멍든 것 같아. 진짜 너, 칼집 같은 거 가져와. 네 허벅지도 터뜨릴 테니까."

그의 고개가 살짝 옆으로 기울였다. 천진하기까지 한 표정 위로 웃음이 떠올랐다.

"네가 원한다면."

그가 곧장 바지를 내리려는 기세기에 티티라는 기겁했다.

"아— 안스, 아니야. 내가 잘못했어."

"정말 어디 안 아픈 거 맞아?"

"그런 건 '책임 회피'라고 하지, 보통."

"어떻게 해야 네가 덜 아플까."

"다음부터 이러지 마."

"너도 좋아했잖아."

"아, 죽어."

"내가 널 몇 년을 봤는데, 너보다 더 잘 알걸."

티티라에겐 저 뻔뻔한 방패를 뚫고 들어갈 무기가 없었다. 안스는 걱정하는 듯하면서도 아주 낯짝이 두꺼웠다.

잠시 말을 고르던 중, 그가 조심스럽게 자신을 안아 들었다. 맞닿는 살에 괜히 발끝이 움츠러들었다.

안스가 바로 침대에 내려놓을 줄 알았는데 잠깐 침묵이 흘렀다. 티티라는 제 알몸이 무안하지 않은 체했으나, 시간이 지나자 좀처럼 견디기 힘들었다. 결국 양팔로 가슴팍을 가린 뒤 눈살을 찌푸렸다.

"뭐 해?"

"아니……."

"빨리 내려놔. 추워."

"소조폴 해변이었으면 좋았을 텐데."

"응?"

"해저 동굴 앞에, 사람도 없고 지는 해가 멋있게 들거든. 모래가 배기긴 하겠지. 하지만 달라붙는 게 더 좋아."

티티라는 낯간지러운 기분을 털어 내기 위해 고개를 흔들었다.

"티, 여기가…… 빨개."

얼마나 긴장했던지, 그가 가슴팍을 건드는 순간 갓 잡힌 송어처럼 푸드덕 발길질을 했다. 안스가 가까스로 침대로 몸을 기울이자 급하게 이불 속으로 기어 들어갔다.

그녀는 석양이 진 이불 속, 새빨갛게 달아오른 불공처럼 앉았다. 온몸이 화끈거렸다.

침대에 안스의 무게가 느껴졌다. 웃음을 꾹 참는 소리와 함께, 제 어깨에 손이 얹혔다.

"소조폴 해변에 가야 할 거 아니야. 그래야 우리가…… 아니, 내가 바랐던 대로 되지."

"……지금의 나를 바란 게 아니라고?"

"이곳에서 넌 항상 긴장해 있어."

"우리가 뭐 어린애들이야? 마냥 즐겁게."

"나는 널 돌려보낼 거야."

티티라는 입을 다물었다. 더 이상 해변에서 뒹굴고 싶다느니 하는 장난스러운 이야기가 아니었다.

"내가 사제왕이고, 너는 사제왕의 유일한 연인인 채 평생 지내자고 하면 넌 그래도 괜찮다고 하겠지."

그녀는 정말 괜찮았다. 삶에서 모든 것을 얻을 수 있는 사람은 없다. 그 정도만 되어도 자신은 성공하여 행복을 누리는 셈이었다.

"나도 그러려고 했어. 네가 '안스카리우스'를 언뜻언뜻 생각할 때면 더더욱. 난 사제왕으로 남부럽지 않은 힘을 누리면서 널 죽도록 사랑하기만 하면 되잖아. 어차피 우리는 같은 뿌리니까…… 시간이 지날수록 서로가 있어야만 살 수 있단 걸 깨닫겠지."

행복이 한 스푼 떨어져 나갔다. 자신을 온실 속 화초처럼 기르려 했다는 안스에게 언짢아졌다가, 결국 그의 이야기처럼 되었겠지 싶어 착잡해졌다. 사실 안스를 그렇게 결심하게 만든 가장 큰 힘이 현실 속 한계였을 테니까. 그들에겐 달리 다른 길이 없었다.

"그런데 어제, 오늘…… 널 보고 깨달았다."

"……."

"넌 너무 어른이 됐어. 나는 그게 슬퍼."

정적.

"평소의 너를 보면 알아차리기 쉽지 않지만 어제, 오늘…… 네가 제일 연약할 때 보여 주는 표정들, 말들…… 항상 눈코입처럼 달고 다니던 긴장이 없더라. 우리가 어렸을 때처럼……. 너무 오랜만에 봐서 나도 깜빡했나 봐."

"……."

"그러니 너는 소조폴로 가야 해."

티티라는 이불 사이로 얼굴만 빼꼼 내밀었다.

안스의 시선은 제게 머물러 있지 않았다. 저 멀리, 창밖을 향해 있었다.

"그런데 너만 보낸다고 하면 또 무진장 싫어하겠지."

그녀는 이를 드러냈다.

"죽일 거야."

"알아. 그러니 나도 갈게."

"……"

"하지만 내가 사제왕인 채로는 방법이 없어. 어떻게든 이 안장을 벗어던져야 해."

"……"

"법황 말이 진짜인지 아닌지는 신경 안 쓴다. 기억이 돌아온다는 미친 새끼 헛소리 말이야. 하지만 이미 총독 위에서 불명예스럽게 물러난 '사제왕'은 소조폴로 못 돌아가. 이건 장담할 수 있다. 망할 신이 세상에 돌아와도 변치 않을 사실이지."

티티라는 조심스레 팔을 뻗어 안스의 허벅지를 짚었다. 그의 시선이 가까스로 내려왔다.

안스의 얼굴은 딱딱했다. 어떤 감정이 드리워져 있는지 읽기 쉽지 않았다.

"그러니, 사제왕 위는 내려놓을 생각이야."

안스는 그 뒤로도 티티라 곁에 머물렀다. 제 곁에서 자고, 일어나고, 식사를 하고, 뒹굴고, 자길 안아 들었다가 잠들길 수없이 반복했다.

물론 이젠 더 이상 인내하지 못한 아펭글로가 내실에 쳐들어왔다. 안스는 탐탁잖은 듯했지만 결국 본인의 나태를 인정하고 고개

숙일 수밖에 없었다.

그럼에도 친구는 여전히 제 곁을 떠날 생각이 없었고, 아펭글로 또한 업무를 보기만 하면 무슨 상관이냐는 듯 행동했기에, 내실은 순식간에 집무실이 되었다. 매일 아침 그가 옆방으로 질질 끌려 들어가는 모습을 보는 게 또 하나의 재미였다.

티티라는 이른 오후 즈음에야 그들이 일을 보는 집무실에 들어갔다. 그리고 방 한구석 안락의자에 앉아 방해하지 않는 선에서 대화에 참여하곤 했다.

안스가 처음으로 법황의 제안을 털어놓았을 때 방 안에 흐른 몇 분여간의 정적은 정말이지 가시방석 같았다. 아펭글로는 '그놈을 믿습니까?'라든지, '그걸 빨리 말씀하시지 않고!'처럼 감정을 터뜨리지 않았다. 그는 단지 생각에 빠진 얼굴로 철없는 친구들을 바라보았다.

티티라는 안스카르가 돌아왔으면 하는 제 욕심이 들킨 것 같아 얼굴이 벌게졌다. 그리고 그런 자신을 안스가 눈치챌까 봐 전전긍긍했다.

"⋯⋯우선 제 말이 무조건 옳은 건 아니니, 의심하며 들어 주십시오. 아마 성하께선 이전 사제왕 각하와 계약하지 않으셨을 겁니다. 그 두 분이 서로 싫어하기 때문이라는 이유보단, 이전 사제왕 각하께서 한동안 돔니니 당신 때문에—"

아펭글로는 잠깐 안스의 눈치를 살폈다.

안스는 무표정했다.

티티라는 초조했다.

"흠, 아무튼 돔니니 당신 때문에 분주하셨잖습니까. 내내 법황이 당신에게 무슨 짓을 저지를까 경계하셨을 겁니다. 아무튼 그 덕분에 법황은 지금 뭘 안다기보단 안스의 기억이 돌아왔는지 가늠하며 새빨간 거짓말을 해 보는 것이겠지요."

"……."

"골치 아프네. 하지만 디아딜로테께서 바를라암 관에 돌아오고 계신단 사실만큼은 진짜입니다. 법황의 속셈을 무시하면 안 됩니다. 며칠 안에 교읍지에 입성하실 겁니다."

티티라는 숨을 들이켰다. 안스와 아펭글로의 시선이 잠시 제게 머물렀다가 다시 중요한 안건으로 향했다.

"안스도, 예전 각하께서도 공식적으로 누이를 부른 적 없단 사실이 기이하죠. 처음에는 오랜 수도원 생활에 지쳐 연락도 없이 돌아오시나 했는데…… 법황의 제안을 들으니 우연의 일치는 아닌 것 같군요."

안스는 조용히 책상 위 지도를 쓰다듬었다.

"디아딜로테는 사제왕을 싫어하는데."

"……."

"그러니 사제왕 위를 받으라고 불렀다간 오히려 도망갔을 테고. 이유를 묻고 싶지만 편지로 대화를 시도하기엔 너무 불안해."

티티라는 그제야 꽉 막혔던 말문을 터뜨렸다.

"내가 알아."

두 사람의 시선이 동시에 돌아왔다.

"법황은 내가 선대 바를라암을 죽이면, 애도 차원에서 법황청이 바를라암에 내렸던 벌을 되돌린다고 했어. 정말 그 처벌을 되돌렸어?"

"예. 한동안 시끌시끌했습니다."

"아…… 그 뒤 '그자의 누이를 교읍지로 데려오겠다.'고 했거든. 사제왕 위를 수행할 안스카리우스가 사라질 테니 누군가가 땅을 돌봐야 한다고 말했어. 그럴 사람으로 네 누이를 낙섬한 거야."

"……."

"나는 그때…… 법황이 안스 너를 되돌려 줄 방법을 전혀 모른다고 생각했어. 그래서 그 말을 지껄이는 목적이 단지, 나를 이용해 선대 바를라암을 죽이고 엉망진창이 된 안스카르를 실각시키는 거라고 생각했지. 그런데 아니었어. 그 자식은 나는 자살시키고, 안스카르는 죽이고, 내가 없어 불안정한 안스 너는 금치산자로 만들어 사제왕 위를 빼앗아 버릴 작정이었던 거야."

그들은 침묵을 지켰다.

티티라마저도 방금 깨달은 사실에 새삼 법황에 대한 분노를 되새겼다. 그렇게 어떤 식으로든 나를 죽일 망상으로 가득 차 있으니 안스의 기억이 돌아오지 않았지.

어떻게 사제왕을 무력화시킬까 고민하느라 잠도 못 잤을 저 독사 새끼. 내가 고분고분 노예가 되어 선대 바를라암을 죽여 주자 얼마나 신났을까. 소식을 듣자마자 바를라암의 명예를 회복시키고 디아딜로테를 불렀을 거야. 안스나 안스카르보다 그녀가 천배는 더 부려 먹기 쉬울 테니.

"그렇다면…… 법황은 나름 정직하게 행동한 셈이군요. 어쩌면 정신이 하나도 없었을지도 모르겠습니다. '기억이 사라졌나? 잘 모르겠는데. 내가 바라 마지않는 양위 이야기를 던져도 믿져야 본전 아닐까?'"

"……."

"그러면 한 가지만 더 물어보죠. 대체 왜 사제왕 위를 내려놓으면 기억이 통째로 돌아온다는 겁니까?"

이야기는 급물살을 탔다.

티티라는 아펭글로의 질문에 놀랐다. 자신이 지금까지 저 명제를 궁금해하지 않았다는 사실에 속이 쿵쾅쿵쾅 뛰었다. 그녀가 자살하여 안스가 돌아왔기에 그와 비슷한 신비가 있으리라 믿어서— 혹은 단지 안스카르가 그리워서, 그저 믿고 싶었나 보다.

안스는 자신을 바라보며 입을 열었다.

"티는 궁금해하지 않던데."

그녀는 주먹을 쥐지 않기 위해 애썼다.

"음, 뭐라더라……. 법황은 내가 안스카리우스라고 착각했으니, '약속'이 사라지면 네 머릿속에 들어온 괴상한 인격 거름망이 사라질 거라는 둥 설명하더군. 그래도 내가 시큰둥해하니까 종내엔 아주 자기 몸에 대고 폭탄을 던지던데. '만일, 혹여나 '누군가'가 돌아왔다면, 기억이 그대의 옛것으로 돌아갔을 텐데'……."

그는 기억 속의 법황을 애써 묘사하는 듯했다.

"그 에두르는 말을 어떻게든 설명해 볼게. 그자는 나를 설득하기 위해서인지 아주 혓바닥이 길더군. 내 몸에 '안스카리우스'가 깃든 건 내가 티를 죽인다는 협박을 들으면 바람직한 사제왕이 되지 못해서잖아. 그게 '약속'이라면서? 그런데 티가 자살했을 때 '약속'은 다시 생각한 거지. 저놈이 교국에 해를 끼치리라 생각해서 가두었지만, 더 이상 위험이 없다면 진짜 주인을 돌려주어야 정의다. 더 오래된 것이 진짜 주인이다. 그런데."

"……."

"그런데, 더 오래된 주인이 돌아오면 새 주인과 부딪혀 제정신일 리가 없다. 미치광이가 될 텐데, 우리에겐 안정적인 사제왕이 필요하다. 그러니 '안스카리우스'를 가둔 거야. 마치 우리 둘이 한 몸에 있다간 다른 하나를 죽이기라도 할 것처럼."

"……."

"짐승이 된 기분이라 좀 웃긴데, 이거."

안스는 가볍게 이야기했지만 그의 말은 나머지 두 사람을 움푹 가라앉혔다.

티티라는 제대로 생각하지도 못한 채 더듬거렸다.

"법황 말이 진짜라면 넌 정말 미칠 수도 있는 거 아냐? 나도…… 만일 내 몸을 차지한 다른 인격과 같이 살라면 광중에 걸릴지도 몰라……."

"'약속'은 그렇게 생각했다지만, 난 그 새끼가 좀 웃긴 거 같아. 사람을 제대로 모르는 주제에 힘은 무지막지하게 세서 엉뚱한 곳에 폭력을 쓴다. 잠깐 물을 막아 달라고 하면 마개를 주면 되는데, 거기에 석고를 들이부어 영원히 굳히는 것 같지."

"……."

"그건 인간을 몰라. 그리고 너무 단편적이야. 어떤 선택 하나 때문에 교국에 이득이 될 놈이 돌아서진 않아. 삶이 쌓이고 쌓이면 한순간 세상을 다르게 볼 수밖에 없는 거지."

"……."

"그리고 무엇보다 사람을 완전히 꼭두각시처럼 만드는 게 아니라, 자유롭게 둔 뒤 물길을 터서 교국에 충성하는 강을 만들겠다는 얘기면 그건 무조건 실패할 거야. 인간은 진짜 그딴 식으로 안 움직인다니까. 봐 봐, 불경하기 짝이 없는 내가 다시 살아난 거."

안스는 근거 없이 자신감에 차 있었다.

아니, '근거가 없다.'고 말해도 될까? 그는 누구보다 '약속'에 깊이 베인 사람 아닌가…….

"안스, 아무리 그래도 네 머릿속에 낯선 이 하나가 더 들어온다고 생각해 봐. '약속'이나 법황 이야기가 아니라도 당연히 힘들 거야. 매일같이 혼란스럽고, 너 스스로가 되지 못할 수도 있어."

"이제 와서 걱정돼?"

그는 농담처럼 말하다가…… 제 표정이 굳는 것을 보고 급하게 일어섰다. 순식간에 한 걸음 다가왔다. 뺨을 감싼 채 단단히 다짐시켰다.

"티, 순전히 네가 바라서 하는 건 아냐. 죄책감 가지지 마."

"……."

"미쳤다고 네가 좋아한다는 다른 남자 때문에 목숨을 걸겠냐."

아펭글로가 고개를 돌렸다. 티티라는 얼굴이 벌게졌지만 제 얼굴을 꽉 잡은 안스의 손에 반항할 수도 없었다.

"말했지. 내가 이 지긋지긋한 곳에서 나가려면 사제왕 위를 등에 지고는 안 된다고."

"'나가'신다고요?"

그들을 외면하던 아펭글로가 새된 목소리로 반문했다. 난장판이었다.

안스는 태연했다.

"응. 왜?"

"물론…… 당신이 바라신다면 앞날에 행운이 가득하길 빕니다. 하지만 안전하게 시노드 신넬에 다다를 방법이 없을 겁니다. 만일 실패하여 교국에 머무른다면 다른 어떤 신분보단 사제왕이 나으실 거고요."

"글쎄. 디아딜로테를 설득할 수만 있다면 법황과 협상할 예정인데. 법황, 당신 뜻대로 디아딜로테에게 양위할 테니 시노드 신녤로 넘어가는 배에 나를 태워라. 그러면 당신은 영원한 골칫덩이 하나를 치울 수 있고, 나는 고향으로 돌아가고. 모두가 행복한 거 아냐?"

"영원한 골칫덩이 하나를 치우는 데엔 길이 잘 든 칼 한 자루면 됩니다. 법황이 약속을 지킬지 모르는 일이잖습니까. 이번에 돔니니에게 한 짓을 보십시오. 당신 기억을 살려 준다고 해 놓곤 자살하라고 하지 않았습니까."

"그런데 결국엔 그 방법이 맞았잖아? 내가 보기에 법황은 거짓말로 사람을 조종하는 성격은 아냐. 물론 감정을 숨기지 못하는 성격 탓도 있지만, 기본적으로 자존심이 징그럽게 세서 그래. 그자는 진실을 교묘하게 전달하여 상대를 궁지에 몬 뒤, 제 전략에 감탄하는 자아도취형 인간이다. 자기가 거짓말을 하면 그거야말로 치욕이라고 생각할걸."

티티라는 입을 꾹 다물었다. 자신이 느낀 법황과 똑같았다. 단지 스스로 명확하게 풀어내지 못한 감각들을, 누구보다 사람에 익숙한 안스의 오래된 성정이 잡아낸 것이다.

그는 마지막으로 덧붙였다.

"신이 인간을 손바닥 위에 놓기 위해 거짓말을 하진 않잖아. 그 인간은 신 흉내를 내고 있어. 인생의 목표가 그것뿐인 불쌍한 새끼야."

아펭글로는 턱에 힘을 주었다가, 마침내 한숨을 쉬었다.

"안스, 영원히 살게 해 준다는 말로 현혹시키곤 영원히 늙게 만드는 신이 있는 세상입니다. 거짓이 아닌 모든 것이 진실인 것은 아닙니다."

"적어도 나를 죽이라는 명령은 못 내릴걸. 그리고 디아딜로테는 내가 안전하단 편지를 못 받으면 절대 협조하지 않을 테고. 그러면 법황 앞날에도 먹구름이 낄 거다."

안스의 자신만만함은 자석처럼 그들을 끌어당겼다. 반항하기 힘들었다. 고작해야 스무 살짜리라고 속으로 중얼거렸지만, 목마른 희망을 움켜쥔 인간에겐 너무도 매력적이었고 반박하기 힘들었다.

자신과 비슷한 것을 느낀 듯한 아펭글로가 힘없이 토로했다.

"저도 어렸을 적 항해 계획을 성공시키겠노라, 자못 큰소리로 선언했지요. 그때는 제가 다 맞을 줄 알았습니다."

"그래? 그럼 내가 틀린 걸 말해 줘."

"지금은 딱히 생각나는 게 없지만 고민해 보겠습니다."

"기대하고 있을게. 그런데 어렸을 적 당신은 성공했잖아?"

안스는 톡톡거렸다. 언제 굵은 목소리의 연설가였냐는 듯 어린 태도로 밀쳐 냈다.

"아무튼 티와 나는 무조건 이 개 같은 땅을 뜰 거고, 당신도 오고 싶으면 오든가."

그날 아펭글로는 잠깐 침묵하다가, 짧게 고맙다고 말했다.

티티라는 그가 안스의 제안을 당연스레 받아들였다는 사실에 놀랐지만, 사실 생각해 보면 그다지 이상한 일은 아니었다. 아펭글로는 이 땅에선 유폐된 골칫덩이이자, 법황과 대적하는 이들에게만 보이는 투명 인간이었다. 그 인생의 절정은 수십 년 전 그녀의 고향에 있었다.

티티라는 아펭글로의 정답을 골똘히 생각하며 안스의 손을 감쌌다. 제 배를 껴안은 친구가 움찔 반응하는 것이 느껴졌다.

"안스."

"응?"

"만약에 우리가 진짜 시노드 신넬로 돌아간다고 쳐."

"어."

"너는 괜찮아?"

"무슨 개풀 뜯어 먹는 소리야?"

"사람이 진지하게 물어보면 좀……."

"나도 진지해. 내가 왜 여기서 사제왕으로 위세 좀 부려 보려 했는지 알아? 너 때문이야."

티티라는 이 정도로 직접적인 고백을 들은 적은 처음이라 잠시 침묵했다. 이내 미약한 반발심이 입을 벌렸다.

"내 덜떨어진 '충고' 때문이지……. 더 많이 꿈꾸라고 했잖아."

"맞아. 하지만 충고를 따른 건 내 인생이 더 잘되길 바라서가 아니라, 널 바라서였어."

"……."

"달라진 내 모습에 놀랄 너를 생각하면 얼마나……. 아, 진짜 상상만 해도 좋았다. 다들 총독이랍시고 내 얼굴도 못 보는데, 티 너만 입이 딱 벌어져서 날 손가락질하는 거야."

"그만 말해. 쪽팔려."

"난 안 쪽팔린데."

"쪽팔려."

그는 무시했다.

"그렇게까지 안 해도 네가 날 좋아하는 지금이 가끔은 비현실적이야. 아직도 탈란타우에 방에서 눈을 감던 때가 엊그제 같거든."

"……."

"그러니까, 네가 보고 싶어 뼈저리게 후회하다가, 그래도 더 자라서 만날 수 있단 생각에 기대로 부풀었다가…… 오락가락하던 중에 머리를 한 대 맞고 쓰러진 거지. 그런데 눈을 뜨니 네가 있는 거야. 그것도 날 좋아한다고 악을 쓰면서."

"악 안 썼어."

티티라는 꼼지락거리다 뒤로 돌았다. 그의 품에서 움직이려니 여간 불편한 게 아니었다.

안스는 한 손을 들어 제 머리칼을 귀 뒤로 넘겨 주었다. 그녀는 장난스레 토하는 시늉을 했다.

"안스, 난 가끔 네게…… 기억을 잃었다는 상실감이 하나도 없는 것 같아서 이상해. 짧은 시간도 아니고 무려 십 년이잖아."

"……."

"안스카르는 어렸을 적 기억이 없어서 정말 힘들어했다고. 날 사랑하게 된 것도 내가 그 시절 기억을 가져서, 라고 생각될 정도로."

조심스럽게 안스카르의 이야기를 꺼냈다. 그런데 짜증을 낼 거란 제 예상과 달리, 안스는 빙그레 웃고 있었다.

"그건 아닐걸."

"……."

"그놈이 나라면, 그냥 너라서 사랑했을 거야."

"……."

"난 예전에 내 몸을 차지한 인간에 대해선 하나도 모르고, 솔직히 알고 싶지도 않다. 그래도 누가 되었든 나라면 널 사랑했을 거야. 분명해."

티티라는 안스를 이해할 수 없었다. 하지만 누군가 제게 왜 안스를 사랑하느냐 물으면 자신도 논리적으로 대답할 수 없었다.

그녀는 생각을 거치지 않고 더듬거렸다.

"안스, 난 네가 날 지지해 주는 친구라 사랑해. 꿈만 가지고 떠들어도 손을 잡아 줘서, 무언가 결정하기 전에 항상 든든하게 해 주는 친구라 좋아. 그래서 네 앞에선 절대 실수하고 싶지 않아. 적어도 그러려고 노력하는데…… 동시에 네 앞에선 언제든 실수해도 괜찮을 거라는, 그 상반된 감정이 나를 안도하게 해……. 난 이게 뭔지 잘 모르겠어."

안스의 눈이 크게 뜨였다가, 순식간에 웃음으로 허물어졌다.

그의 손이 제 뺨을 가늘게 쓰다듬었다.

"네가 배라면, 나는 바다야."

검지가 광대 위로 미끄러졌다.

"네가 나를 파고드는 감각이 좋아. 매번 새롭게."

손짓은 콧등으로, 수많은 가지처럼 입술을 덮었다.

"아무것도 없던 시절, 바다는 그냥 바다였을 거야. 하지만 배가 나타났으니…… 이젠 네 바다가 되겠지."

그는 손가락 너머로 입 맞추었다. 따뜻한 입김이 느껴졌다.

"날 샅샅이 뒤져. 가로지르고, 측량하고, 정복해."

티티라는 친구를 빤히 바라보았다.

이내 천천히 제 손을 입가에 가져갔다. 그의 손을 떼어 내선, 단

단히 깍지를 끼었다. 안스 역시 처음부터 끝까지 뚫어져라 자신을
바라보고 있었다.

그녀는 오랜만에, 떨리는 자신감으로 말했다.

"고향으로 돌아가자."

더 이상 서로를 감싸기 위해 움츠리다 말라비틀어질 수 없었다.
정말 가까스로 두려움을 떨쳐 냈다. 그를 보호해야 한다고 생각하
지 않았다.

죽어도 같이 죽겠지. 그거면 충분해.

티티라는 안스의 이마에 입 맞추었다. 자신을 마주 껴안는 힘이
기쁨을 담고 있었다.

'디아딜로테'는 도착하기 사흘 전 바를라암 관에 소식을 보냈다.
안스는 칼카스를 비롯한 어마어마한 수의 하인과 사병을 그녀가
있는 도시로 행차시켰다.

티티라는 그것이 그녀에 대한 애정인지, 예식인지, 그것도 아니
라면 죄책감인지 궁금했다. 그러나 안스는 설명하지 않았다.

그는 '디아딜로테'에 대해선 자신과 상의할 생각이 전혀 없는 듯
했다. 우리는 부족하나마 서로를 알기 때문에 네 의견은 대화를 흩
트리기만 할 뿐이라고, 그가 말했다.

티티라는 어깨를 으쓱였다. 네 말이 맞겠지. 나도 그레슈카 씨를
설득하는 데 네 도움이 필요하다고 생각하진 않을 테니까.

그럼에도 제 누이가 돌아오는 자리에 함께해 달라고 말하는 모양
새가 좀 수상했다. 뭘 생각하는 걸까? 꼬치꼬치 캐물어도 그가 누이
의 일은 제게 맡기라는 말만 앵무새처럼 반복했기에, 방법이 없었다.

집 안이 광적으로 청소되고, 정문으로는 온갖 기이한 식재료들이 실려 들어오고, 수행인들은 쨍한 햇살 냄새가 날 정도로 빳빳한 옷으로 치장하던 어느 날, 티티라 또한 귀한 옷 방에 끌려 들어갔다.

그녀는 수행인들이 건넨 두 가지 차림, 즉 진한 녹색 드레스와 검은 정장 중에 하나를 골라야 했다. 물론 그녀는 검은 자수가 놓인 정복을 택했다. 평소보다 바지의 품이 크고 멋스러워서, 꽤나 꾸몄다는 인상을 주었다.

하녀들이 계속 아쉽다는 듯 드레스를 흘끗거렸지만, 티티라는 정말이지 처음 만난 이에게 자신이 아닌 모습을 보여 주고 싶지 않았다.

안스는 휘적휘적 나타난 제 차림에 고개를 한 번 끄덕였다. 왠지 선택지를 준 것도 저놈, 그럴 줄 알았다고 말하는 것도 저놈 같아서 살짝 빈정이 상했다.

그러나 사담을 나누려는 참에, 정문 앞으로 단출한 마차가 터벅터벅 걸어 들어왔다. 바퀴가 닳아 있을 정도로 검소했으나, 티티라는 주변 사람들의 반응만으로 저 안에 든 사람이 누구인지 알 것 같았다.

안스가 보낸 휘황찬란한 수행인들은 전부 어디로 돌려보낸 것일까. 혈혈단신으로 나타난 모습은 꽤나 상징적이었다.

티티라는 문득 자신이 검은 정복을 택했듯, 저 여자도 그러기로 결심했다는 사실을 알아차렸다.

"아."

안스가 흘끔 자신을 내려다보았다.

하지만 마차 문이 열리자, 그의 시선이 다시 큰길을 따라갔다. 누군가 혼자 성큼 걸어 내렸다.

키가 훤칠한 여자였다. 얼굴 위로는 검은 천이 드리워져 있었다.

티티라는 문득 자신이 지난번 추측했던 내용이 완전 엉터리였을까 걱정이 되었다. 저자는 단지 아버지의 죽음을 추모하러 온 것 아닌가? 아니, 그런데 그렇다면 왜 장례식에서 애도하질 않고?

혼란으로 뒤엉켜 있는 사이, 디아딜로테는 어느새 그들 앞에 다다랐다. 멀지 않은 거리에 서 있는데도 얼굴이 잘 안 보였다.

"누이."

"각하."

"수도원의 암실暗室에 드셔서, 돌아가신 아버님을 홀로 위로하실 줄 알았습니다. 알량한 장례보다 주께 가까운 일입니다."

티티라는 물 흐르듯 이야기하는 안스를 미친 사람처럼 보지 않으려 노력했다. 대신 내용에 집중해서, 상대가 어쩌구 수도원 의례에 들어가 있었다는 사실을 알아차렸다. 그리고 그녀에게 수도원이 그렇게 중요하다면, 종교에 깊이 빠져 있을 거란 사실도 함께 깨달았다.

법황이 좋아할 만했다.

디아딜로테의 얼굴을 덮은 너울이 유연하게 떨렸다.

"글쎄요. 들어가시지요."

"잠시, 이 사람을 누이에게 소개해도 되겠습니까?"

고개가 돌아왔다. 티티라는 가볍게 긴장한 채 경의를 표했다.

아, 그런데 어떻게 소개를 해야 하나? 그냥 냅다 이놈 애를 뱄다고 할까—

"제 벗입니다. 티티라 돔니니, 티."

티티라는 눈만 깜빡깜빡 떴다.

그게, 뭐? 무슨 설명이야? 애칭은 왜 말해?

자신이 속으로 투덜거리는 사이, 갑자기 디아딜로테가 검은 천을 휙 걷어 냈다.

지금까지 여유 있던 태도와는 완전히 다른 움직임이었다.

티티라는 그녀의 시퍼런 눈을 보고 고개를 살짝 뒤로 뺐다. 안스와 닮았으면서도 닮지 않은, 너무도 냉혹한 눈이었다. 웃음기라곤 조금도 없어서, 세월을 새긴 그녀의 주름조차 감정을 담지 못했다.

"아, '벗.'"

"예. 들어가실까요?"

디아딜로테는 다시 안스에게로 시선을 돌렸다. 그녀는 움직이지 않은 채 거의 일 분여 동안 그를 노려보기만 했다. 티티라는 먼저 제안했던 안스가 대화를 이어 나가리라 생각했지만, 그도 가만히 디아딜로테를 지켜볼 따름이었다.

그렇게 긴 침묵이 이어졌다. 주변 수행인들이 불편한 듯 자세를 고칠 정도로.

마침내 디아딜로테가 운을 뗐다.

"들어가요. 각하의 집무실이 좋겠어요."

"여독을 푸셔야 하지 않겠습니까?"

"아니요. 기도를 늦추었으니 외려 지난 며칠보다 게을렀던 날이 없어요. 그렇다면 제 몸을 돌볼 필요도 없지 않겠어요."

"누이의 제안에 따르겠습니다. 물론 시간이 오래 걸리지 않도록 특별히 신경 쓸 것이고요."

디아딜로테는 고개를 끄덕였다.

그들은 나란히 몸을 돌렸고, 티티라는 왠지 불청객이 된 기분으로 엉거주춤 따랐다. 솔직히 자신이 왜 여기 있는지조차 이해할 수 없었다. 설득하는 데 도움이 안 된다면, 함께 맞이할 필요도 없지 않았을까?

그러다 이내 현실감이 돌아왔다. 앞서 가는 두 사람의 등을 보며—

아, 따라가도 되나?

제 마음속 소리가 흘러 나가기라도 한 걸까.

디아딜로테가 우뚝 멈추더니 자신을 돌아보았다.

"그대와도 나눌 이야기가 많겠어요."

그녀가 제게 공대했다는 사실에 놀라움 하나, 그리고 그 문장에 담긴 내용에 또 놀라움 하나.

티티라는 그녀 옆에서 묘하게 즐거운 기색인 안스를 바라보았다. 이 순간에 이르러서야 남매가 옛날 옛적 제 이야기를 했으리라는 느낌이 강하게 들었다.

티티라는 어린 시절 소조폴로 돌아간 것처럼 귓가가 붉게 달아올라 대답했다.

"네. 하문하시는 내용엔 정직하게 답하겠습니다."

그들은 이내 집무실에 들어갔다. 안스는 가장 마지막을 지키곤 문을 단단히 걸어 잠갔다.

티티라는 여유롭게 자리를 트는 디아딜로테를 바라보았다. 그녀는 소파에 앉자마자 옷깃을 다듬었는데, 곧게 선 허리가 마치 철심을 세워 둔 듯 엄격했다.

"디아딜로테."

등 뒤에서 안스의 목소리가 들렸다. 그 속에 담긴 건 순전한 호의였다.

디아딜로테는 빠르지도 느리지도 않게 대답했다.

"'누이'라 하지 않으시고요."

"더 이상 흉내 낼 필요가 없잖아요. 제 친구를 소개해 드렸으니."

안스는 디아딜로테의 앞으로 걸어가 쑥스러운 듯 살짝 몸을 숙였다. 그녀는 거부하지 않고 마주 안아 주었다.

티티라는 눈을 크게 뜬 채 남매를 바라보았다.

십 년 전, 안스가 교국에 머문 건 길어야 반년. 물론 그만큼 짧은 시간이라도 안스 입장에선 친해졌다고 느꼈을 수 있겠지. 하지만 저 여자는 그 뒤 십 년 동안 안스카리우스와 알았을 텐데, 순식간에 안스를 눈치채곤 반기고 있는 것이다.

안스는 누이의 옆자리에 앉아선, 반대편 자리를 권했다.

티티라는 불청객이 된 느낌으로 걸어가 소파 끝에 엉덩이를 걸쳤다. 그들이 한순간은 부드럽게, 다음으론 격하게 기쁨을 나누는 모습을 바라보았다. 잘 이해가 안 되어 정신이 멍했다.

"안스, 어찌 된 일이에요? 나는 법황이 불러서 수도원을 떠났어요."

"한 사람씩 설명하는 게 좋겠습니다. 부탁인데, 당신 먼저요."

"아, 그래요. 그자는 내 동생이 광증에 시달리고 있다고 했어요. 바다 너머에서 사제왕 탈란타우에가 사망한 것도 당신의 손으로 이루어진 일이라 말하더군요. 또한 아버지의 죽음에도 타살의 여지가 있다고요. '아무리 마찰을 빚는 관계라 해도, 교국의 기둥을 함부로 무너뜨릴 수는 없는 법, 특히 사안이 이 정도로 괴이쩍은 경우엔 더더욱 그렇다. 이에 유일한 핏줄인 그대에게 밀사를 보내니 직접 판단하길 바란다.'고 했어요."

"법황이 전갈을 보낸 시점은요?"

"역산하면 아버님이 돌아가신 다음 날 즈음이지 않았을까요. 동생에게 '광증'이라니. 하지만 무려 사제왕이 머나먼 땅에서 죽었고, 잇따라 아버님께서 돌아가신 것은 단순한 우연이 아니리라 생각했어요. 그리고 내 동생에겐 때때로 기억을 잃는 오래된 질병이 있지요. 그것도 불안감의 이유로 꼽지 않았다면 거짓말이고요."

안스는 고개를 기울이며 물었다.

"그래서, 실제로 이 동생을 보신 소감은 어떠십니까?"

디아딜로테가 희미하게 웃었다.

"기대하지 않았으나 반갑군요."

"당신이 십 년 동안 알던 동생, 저는 전혀 모릅니다. 그 기억이라곤 쥐톨만큼도 없습니다. 그래도요?"

"그 또한 당신을 죽이고 나타났어요. 그러니 당신이 돌아온 것을 깨달은 순간, 신께서 안배하심을 각오하지 않았겠어요."

그 말의 끝에서, 디아딜로테는 지금껏 가려져 있던 그녀의 앞머리를 걷어 올렸다. 이마의 정중앙에 검은 획으로 십자가가 새겨져 있었다.

"나는 당신이 사라진 이후 수도원의 암실에 머물렀기에, 성경과 성 이스히론의 규칙만을 읊으며 세계를 관찰했어요. 자유가 허용되는 시간은 참사參事[1] 회의실에서 세상 이야기를 들을 때, 그리고 천국의 형상을 본뜬 회랑에서 동료 수도사들과 담론을 나눌 때뿐이었어요. 물론…… 만일 내가 편지를 받았다면, 그것을 읽기 위한 자유도 허락받았겠지요."

---

1) 어떤 일에 참여함. 여기서는 세속의 일에 참여함을 의미.

그녀는 짧게 뜸을 들였다.

"하나, 법황에게서 온 편지는 내가 십 년 만에 처음 받은 편지였어요. 바를라암과 연락을 끊은 지 오래되었으니, 나는 예전 동생을 그리워할 만큼 정을 쌓지 못했어요."

그녀가 언급하는 모든 사람을 직접 죽인 티티라는 범죄자처럼 고개를 숙이고 있다가, 그제야 조심스레 시선을 들었다. 새삼 디아딜로테의 눈을 바라보았다. 그녀는 정말로 한 점 어둠 없이 안스를 응시하고 있었다.

"마지막으로 바를라암 관을 떠났을 때가 아주 먼 과거, 또한 다른 사람의 일처럼 느껴지는군요. 나는 십 년 전 그대가 왜 사라졌는지 몰랐어요. 아버지는 단지 흡족해하셨고, 당신의 스승—아펭글로는 도망쳤어요. 무슨 속셈이 있다고 생각했으나, 더 이상 권력을 꾀하는 더러운 협잡질에 스스로를 더럽힐 수 없었기에 떠났어요. 그러니 지치지 않았겠어요."

"……."

"홀로 아주 오래 생각했어요. 가끔은 주를 되뇔 때도 이 고약한 궁금증과 억울함이 제 마음속을 파고들었어요. 안스, 어찌 된 일인가요? 어떻게 돌아왔어요?"

그녀의 목소리는 냉혹한 듯하면서도 천진난만했다. 맹신하는 자의 특징이겠지만, 그 안에서 안스를 향한 호의가 엿보여 티티라를 헷갈리게 했다. 그녀는 신을 믿는 사람에게 어찌할 줄을 몰라 정신적인 칼을 뒤로 숨겼다가, 다시 확 들이대길 반복했다.

그사이 안스는 사정을 솔직히 설명했다. 자신은 '약속'으로 인해 기억을 잃었으며, 그 조건이 취소됨에 따라 돌아왔다고. '약속'은 이전에 제 몸을 차지했던 자와 원래의 자아가 섞이면 혹여나 미칠까 우려했고, 이에 좋은 사제왕이 되길 소원하며 이번에는 이전 사람을 가두었다고. 그렇기에, 짜잔, 나 안스가 여기 도래했도다.

안스는 설명 끝에 빙그레 웃었다.

"당신과 나는 비슷하군요. 십 년 동안의 기억이 없다는 점에서요."

지금껏 내내 미소 짓고 있던 디아딜로테가 인상을 찌푸렸다.

"나는 주 앞에 부끄럽지 않도록 신앙을 탐구하고 있었어요. 내 십 년은 진리를 향한 열정으로 건재해요."

"아니요. 정확히 말씀하셔야 합니다. 저는 당신이 제 사제왕 위를 승계하길 바라니까요. 그런 관점에서 당신의 지난 십 년이 얼마나 도움이 될까요? 궁금합니다."

티티라는 안스가 다짜고짜 본론을 꺼내자 기겁하여 일어날 뻔했다. 엉덩이가 들썩였으나, 자신을 쳐다보는 두 사람의 시선 탓에 다시 꾹 가라앉았다.

디아딜로테는 언뜻 걱정하는 표정으로 안스를 돌아보았다.

"친구가 이 자리에 왔으니 모든 짐을 벗어 던지겠다는 것이에요? 교국을 등지고 떠나겠다고요?"

"디아딜로테, 당신은 내가 티에게 미쳐 있단 걸 잘 알고 있어요. 제 진심은 의심할 수 없으실 겁니다."

"그대의 진심은 믿어요. 하지만 사제왕으로서도 충분히 저이를 사랑할 수 있을 거라고, 똑같이 믿어요."

티티라는 자신을 흘끗 바라보는 디아딜로테에게서 얼굴을 가리고 싶었다. 둘이서 얼마나 자주 자신을 안주 삼았는지 상상하기 싫었다.

"안스. 다시 한번 말하지만 나는 진심으로 그대의 순수를 신뢰해요. 순수로 행동하는 사람이 많지 않은 세상이니, 항상 등 뒤에 바람이 불길 바라요. 하지만, 현명한 길인지 모르겠어요. 그렇기에 거듭 고민하라 충고할 수밖에 없어요."

"제 친구는 여기 있다간 말라 죽을 거예요. 저는 저 애가 죽으면 따라 죽을 거고요. 그러니 어쩔 수 없어요. 나는 무슨 일이 있어도 시노드 신넬로 돌아갈 겁니다. 그러기 위해선 당신 도움이 필요해요."

티티라는 이런 걸 누이를 설득하는 '계획'이라 부를 수 있다면, 내가 아침에 큰 걸 보겠단 생각도 '계획'이라 부를 수 있겠다고 생각했다. 그녀가 보기에 제 앞의 두 사람은 큼지막한 사실과 진심을 누가 질세라 던지고 있었다. 도무지 계략이라곤 없이 그저 투박하기만 했다.

"디아딜로테. 법황이 당신을 왜 불렀겠어요? 그자는 티티라를 자살로 내몰았어요. 그로써 내가 되살아나길 바랐겠죠. 법황을 향한 적의를 교육받은 '안스카리우스'보단 핫바지 같은 스무 살짜리 '안스'가 사제왕이 되는 편이 낫다고 봤을 겁니다. 그리고 내가 되살아나면 누구든 나를 달래고 가르쳐 줄 사람이 필요하니 당신을 부른 거예요. 물론 수틀리면 빠르게 승계할 수 있도록 조치를 취한 거기도 하고요."

"……."

"당신이 받은 편지에 그런 말은 한마디도 없었습니다. 법황은 당신이 바를라암 관까지 오기만 하면 목표를 이룬 것이었어요. 일이 잘 돌아갔다면 티 없이 유령처럼 헤매는 저를 발견했겠죠. 당신은 신앙을 품은 자이자, 바를라암의 일원으로서 책임지고 나를 다독이려 노력했을 거고요. 그리고 그건 전부 법황의 이득으로 갔을 테죠. 당신은 증오를 가르치는 사람이 아니잖아요. 편지에 그 말은 없었나요? '동생의 안위를 살핀 즉시 자기한테 오라는' 뭐 그런 말이요."

디아딜로테는 침묵 끝에 고개를 끄덕였다.

안스는 작게 웃었다.

"이전의 내가 티를 내실에 들이고 별 지랄을 다 했으니, 그 이름이 귀에 들어가지 못하도록 주의시키려 했겠지. 물론 그건 법황 계획대로 돌아갔을 경우의 일이고……. 지금은 내가 안스인지 안스 카리우스인지조차 정확히 모르니 그것부터 물어보고 싶을 겁니다. 아무튼, 당신이 신앙에 충실한 사람이기 때문에 꼴랑 인간 몇이나 다스리는 법황에게도 연약하리라 생각할 거예요."

"……."

"전 당신이 생각이 깊은 사람이란 걸 알아요. 하지만 한동안 수도원에 머물렀으니, 지금처럼 복잡한 상황을 계산하진 못했을 겁니다. 그러면 법황은 갓 기억을 회복해 혼란스러운 사제왕과 십 년만에 수도원에서 벗어나 모든 게 혼란스러운 혈족을 모두 부려 먹었을 테고요."

"안스, 빙빙 돌리지 말고 똑바로 말해요."

안스는 입을 다물었다. 티티라는 신기한 기분으로 둘을 바라보았다. 우스페히 씨에게 꾸중을 들을 때 외에, 제 친구가 바로 닥치는 경우는 없었다.

"내가 신을 사칭하는 법황에게 모욕을 당했기에 항거해야 한다는 뜻이에요? 아니면 당신의 사랑을 위해 도와야 한다는 뜻이에요?"

제발, 좀 돌려 말씀하시면 좋겠는데.

안스는 한층 작아진 목소리로 고백했다.

"둘 다예요……. 하지만 내가 누굴 좋아하기 때문에 당신이 싫어하는 일에 봉사해야 한단 건, 말이 안 되잖아요. 그걸로 설득할 자신이 없었어요. 그러니 당신이 혐오하는 법황에 대해 말하고 싶었어요. 그자는 신을 사칭하는 자예요. 막는다면 저는 오히려 신앙인인 당신이 해야 한다고 생각해요."

"글쎄. 나는 신앙의 수호자가 되는 것보단 젊은 연인을 돕는 게 더 좋아요. 섭섭하네요."

안스의 시선이 한순간 흐트러졌다가, 다시 한 점으로 꽉 모여들었다.

"도와주신다는 말씀이신가요?"

"아니요. 그건 잘 모르겠어요."

"……."

"하지만 법황을 싫어하는 감정보단 연인을 돕고 싶은 마음이 더 주께 가까워요. 아직도 신앙을 모르신다면, 그 사실만큼은 알아 두세요."

"……."

"아, 티티라 돔니니. 당신을 너무 오랫동안 혼자 두었어요."

티티라는 흠칫 놀라 시선을 들었다.

디아딜로테의 미소는 아주 얕았는데, 입가의 보조개가 아니었다면 웃고 있다는 사실조차 눈치채지 못했을 정도였다.

"돔니니, 그대가 진정으로 벗을 사랑한다면, 교국의 사제왕으로 남아 있길 바라야 하지 않아요?"

처음 만나는 사람이 마치 자신을 잘 아는 듯 부르자 기분이 이상했다.

"아."

아마 덜떨어진 대답을 한 것도 그 때문이지 않을까. 티티라는 아찔한 감각으로 변명했다.

"저를 어떻게 아시는지는 모르겠지만…… 말씀에 공감합니다. 아무리 저라도, 그 고생을 한 안스가 또다시 위험을 무릅쓰는 모습을 보고 싶지 않습니다."

"……."

"하지만 친구가 원해요."

"'친구가 원하길 바라는' 당신 이기심은 아니고?"

티티라는 말을 놓쳤다.

인상을 찡그린 채, 자신을 빤히 바라보는 안스에게서 일부러 몸을 틀었다.

"아예 없다고 하면 거짓말이겠죠. 하지만 우리는 시노드 신넬에서 자랐으니, 같은 땅에 묻히길 원하는 게 당연합니다. 그런 희미한 마음마저 이기심이라고 말씀하신다면, 솔직히 세상 모든 바람이 이기심 아닌가요?"

안스가 불쑥 끼어들었다.

"아, 그리고 티티라는 '안스카리우스'를 좋아해요."

"야……!"

"제가 사제왕 위를 내려놓아 '안스카리우스'의 기억도 돌아온다면 티는 두 배로 좋은 거죠."

"그만해. 우리끼리 얘기잖아."

"제가 없는 동안 티도 인생을 살아야 했으니, 그를 좋아하게 된 게 이상한 건 아니에요."

티티라는 자리에서 벌떡 일어섰다. 소리 없는 신음이 터져 나왔다. 분노는 아니었다. 어찌할 수 없는 상황의 답답한 같은 것이 가슴을 부술 듯했다.

뜨끈하고 난잡한 애정을 숨김없이 나누었으므로, 그도 앙금을 풀었으리라 생각했다. 아니, 그 정도까진 아니더라도, 적어도 조금씩 나아지는 방향이겠지, 적어도 처음 보는 누이 앞에서 애정사로 진흙탕을 만들진 않겠지, 생각했다.

한데 아니었다. 안스는 전혀 흔들리지 않는 눈으로 —어쩌면 웃음기까지 밴 표정으로— 잔인했다.

티티라는 안스를 노려보았다. 오늘 아침까지만 해도 웃으며 제 뺨에 입 맞춰 오던 인간이 아닌 것 같았다. 정말 사랑했지만, 당장은 얼굴을 갈기고 싶은 분노가 스멀스멀 끼쳤다.

"아, 이런."

그 얼음장 같은 침묵을 깬 것은 디아딜로테였다.

그녀는 마치 연극의 한 장면이라도 되는 양 입가에 손을 가져다 댄 채 놀란 목소리를 냈다. 지나치게 작위적이라, 사실 감탄사라기보단 주의를 요하는 선생님의 회초리 같기도 했다.

디아딜로테는 시선이 모이자 부드럽게 말을 이었다.

"이 부분은 설명을 못 들었어요. 사제왕 위를 내려놓으면 그대가 '온전'해진다고?"

다행히 사려 깊은 바를라암의 혈족은 서로 유치하게 싸워 대는 연인을 무시하기로 한 것 같았다.

"사제왕 위가 벗겨지면 '약속'이란 놈도 자연스레 사라져서 그렇게 된다고는 하는데, 일단 법황 헛소리라 다 믿을 수는 없고……. 아니, 그런데 솔직히 방금 말씀은 마음에 안 듭니다. '온전'이라니요? 저는 접니다. 시노드 신넬에서 자라, 제 결정으로 교국에 온 저요. 그 경험이 저를 빚었는데, 어떻게 다른 사람을 더해 '온전'해질 수 있겠습니까?"

그녀는 안스의 사나운 기색에 털끝만큼도 상하지 않았다.

"글쎄. 그러면 그대도 꼬맹이 '안스카리우스'가 오면 몸을 내줄 텐가요? 그대, 옛날에 표류에서 구출당한 날 이전은 충격으로 기억하지 못하잖아요. 만일 기적적으로 그때가 되살아난다면, 그 어린 기억이야말로 정말 '온전'한 것 아닌지? 그럼 그 꼬마에게 당신을 넘겨줄 거예요?"

"……."

"먼저 온 사람만이 소유권을 주장할 수 있는 것일지 잘 생각해봐요."

티티라는 단 한 번도 저런 방식으로 생각하지 못했기에 입을 살짝 벌렸다. 물론 자신이 똑같이 말했어도 안스는 그래 봤자 전부 네가 '안스카리우스를 사랑해서' 그러는 거라며 개, 거지, 똥, 쓰레기, 난장판을 피웠겠지만, 그마저 떠올리지 못한 자신이 투덜거릴 말은 아니었다.

"안스, 왜 이 사실을 말해 주지 않았어요?"

"……말하려고 했는데, 우선순위는 아니었어요. 당신에게 별로 중요한 주제가 아닐 것 같았습니다. 그간 '안스카리우스'와 왕래하지도 않으셨다면서요. 그런데 혹시…… 그가 돌아오는 게 당신에게도 엄청난 일인가요?"

"사람을 구하는 일이 어찌 중요한 주제가 아닌지?"

"뭘…… 구해요……?"

이 순간 안스는 딱 자신만큼 덜떨어져 보였다. 티티라도 이해하지 못한 표정으로 자리에 털썩 주저앉았다.

"안스, 당신이 잘 보관되어 있다가 '약속'의 후의로 돌아왔다면, 지금 '안스카리우스'도 어딘가에 잘 보관되어 있지 않겠어요?"

"아니…… 그게 중요해요?"

"주를 사칭하는 장난질이 사람을 상하게 했다면 그 희생은 값을 치를 수 없을 거예요."

"네……?"

티티라는 안스에게 화가 난 상태에서도 그와 공감할 수 있어서 짜증이 났다. 뭐라고? 생명이 중요하니 사람 하나를 살리시겠다고? 이게 대체 무슨 소리야?

앞에 선 이들의 불편한 얼굴에도 디아딜로테는 인내심 깊게 설명했다.

"나는 주를 사칭하는 모든 것들이 밉살맞게 느껴져요. 홀로 길게 침잠하고도 떨쳐 내지 못한 감정으로, 끝끝내 극복하지 못할 미움이지요. 오래도록 내 원동력이었던 분노야말로 나를 고꾸라뜨릴 무기가 아니겠어요. 그 외에 또 무엇이 나를 두드리겠어요?"

시노드 신넬인들은 입을 딱 벌렸다.

"그러니 단순한 '요술'이 마치 신앙인 척, 지켜야 할 절대율인 척 사람을 조종하고 죽이는 모습을 두고 볼 수 없어요. '약속'? 교국에 이득이 되는 방식으로 움직이라고요? 그게 주의 뜻이에요? 나는 그것이 선지자의 조잡스러운 장치라고 생각해요. 그자는 신이 아니고, 신드라문에는 아무 의미가 없죠."

티티라는 이 자리에 상식적인 교국인 —예를 들어, 아펭글로— 한 명이 있어 디아딜로테가 얼마나 광신적인지 설명해 주면 좋겠다고 생각했다. 그들의 허수아비 같은 계획은 광신자에게 넘어가면 사소한 실수에도 짚단처럼 불에 타 버릴 것이다.

"그 단단한 목줄을 내가 망칠 수 있다면 더 바랄 것이 없겠어요. 그러니 새로 이야기한 건, 내겐 꽤나 큰 유혹이에요."

자신보다 한 발자국 먼저 정신을 차린 듯한 안스가 입을 열었다.

"그런데 만일 그렇다면, 제게서 벗겨진 목줄이 당신 목에 채워지는 셈이잖아요."

"내 신앙에는 한 점 거리낌이 없어요. 그렇기에 그 목줄은 자유를 상징하지요."

티티라는 광기에서 조금쯤 도주하고 싶었다.

그러나 겁먹은 제 얼굴을 보았는지, 디아딜로테가 다독이듯 덧붙였다.

"'약속'에 대해선 나도 들어 알아요. 체제를 증오하는 것만으로 '약속'이 적용된다면, 그동안 제정신으로 죽은 사제왕이 없었을 거예요. 하지만 근 이백 년 안에 내가 아는 '약속'이 일어난 건 단 두 번으로, 영지민들을 극도로 수탈하고 강간하여 신체 손상을 입은 자가 하나, 두 번째가 안스지요. 첫째는 권력을 광적으로 표현하는 데 쓰인 육체를 앗아 갔고, 둘째는 증오만으로 움직였을 파괴적인 정신을 앗아 간 것이에요. 가리키는 바는 명확하지요."

"……."

"'미치지 말라.' 자기 파괴를 경계하며, 깨끗한 이성을 유지하라."

티티라는 속삭이듯 말했다.

"이해가 안 돼요."

"왜 이해가 안 될까. 깨끗한 이성을 유지하면 범죄에도 고결한 이유가 생겨요. 더 높은 이상을 지닌 죄는 체제에 도움이 돼요. 그러니 미치지 않고 사제왕의 임무를 다하는 것이 '약속'의 조건이라면 이건 매우 쉬운 과제예요."

"감히 말씀드리자면, 시노드 신넬에도 부자들은 많아요. 그 사람들은 정말 매일매일 극한의 계산 끝에 본인 이득을 챙깁니다. 그 과정에서 수없이 많은 죄를 저지르고요. 그처럼 황금에 눈이 먼 사람들 덕에 시노드 신넬 체제는 좋아지긴커녕 매일같이 나빠지고 있습니다."

디아딜로테는 함정에 빠진 토끼를 보듯이 미소 지었다.

"내가 왜 '약속'이야말로 주를 사칭하는 선지자의 목줄이라 하겠어요?"

"……."

"주의 가르침을 지키며 사는 데엔 아무 쓸모가 없는 장치예요. 시노드 신넬처럼, 상황을 더 열악하게 만들 수도 있겠지요. 신앙 없이 체제 수호를 위해 움직이는 것들이란 대개 그래요."

시퍼런 눈이 살짝 바닥을 내려다보았다. 시선 위로 강한 경멸이 드러났다.

"아무튼 생각해 볼게요. 많은 이야기를 한 번에 들어서, 내게도 정리할 시간이 필요해요."

그녀는 무릎을 짚곤 일어섰다.

설교를 들어 정신이 오락가락하는 시노드 신넬인들도 잽싸게 따라 일어났다. 그러나 신앙에 어떻게 예의를 차려야 하는지 몰라 혼란에 빠졌다.

다행히 디아딜로테는 고개만 까닥이곤, 곧 이어질 식사에서 보자며 방을 나갔다.

티티라는 묵직한 무게로 닫히는 응접실 문을 보며 한참이나 얼떨떨하게 서 있었다. 순식간에 '네 누나, 장난 아니네.'라고 말하려 했지만, 그에게 피어올랐던 분노가 가벼운 말을 밀쳐 냈다.

그녀는 콧등을 찡그리며 딱딱거렸다.

"다시는 내 이야기 그렇게 함부로 꺼내지 마."

티티라는 그가 적어도 침묵할 줄 알았다. 하지만.

"싫은데."

"……."

"네 이야기인가? 우리 이야기지."

"허."

"그러니 우리 사정을 아는 사람한텐 다 얘기할 거야. 모르는 사람에겐 네 '전 애인'에 대해 농담할 거고."

기가 막혔다.

"안스, 우리가…… 그래도 마음은 확인하지 않았나? 계속 이럴 거야? 저분은 존중받아야 하는 분 같은데, 그 앞에서도 따박따박?"

"디아딜로테는 신경도 안 쓰더라. 물론 넌 신경 쓰이겠지만."

"그래! 내가 신경 쓰여."

"잘됐네. 너 신경 쓰이라고 하는 말이야."

티티라는 더듬어 가는 벽마다 막다른 모퉁이가 나타나는 미로에

갇힌 기분이었다. 안스는 분명 그들의 마음이 통했다는 데 기뻐했고, 이젠 함께 행복감에 푹 잠겨 있었다.

그러나 여전히 어떤 작은 부분에선 안스카리우스, 그리고 그녀에 대한 옹졸한 마음이 똬리를 틀고 있었다. 더 나아가 그걸 매번 무기로 휘두르겠단 심보라니.

그녀가 말문을 잃은 사이, 안스가 한 걸음 다가왔다. 제 코앞에 섰다.

그는 자신이 노려보고 있는 것을 알면서도 아무것도 없는 허공을 응시했다. 한숨에 이어, 울긋불긋, 석양의 바다를 닮은 눈이 내려왔다. 귓가에 다가왔다. 그처럼 아름다운 눈이 깨져 추한 말이 흘러나왔다.

"……."

티티라는 그의 짧은 말을 듣곤 부르르 떨며 몸을 뒤로 물렸다. 귀뿌리까지 벌게졌는데, 화가 나서인지 민망해서인지 알 수가 없었다.

다시 몸을 세운 안스는 입을 앙다물곤 웃어 보였다.

"그러니 이거라도 용서해 달란 말이야."

그는 고개를 절레절레 저으며 방을 나갔다.

티티라는 홀로 남은 응접실에서 화끈거리는 손을 마주 잡았다.

안스는 잠자리를 가질 때, 그 개자식이랑 비교되냐고 말하고 싶은 마음을 꾹 참고 있다고 했다. 물론 좀 더 적나라했고— 심부름꾼 출신인 자신에게마저 천하게 느껴지는 단어였다.

티티라는 정말이지 아무나 붙잡아선 상담을 받고 싶은 심정이었다. 하늘에 계신 우스페히 씨를 떠올렸는데, 솔직히 그분은 '자연스러운 일이지.' 하신 뒤 고개 숙여 다른 일에 열중하실 것 같아서 도움이 안 됐다. 투크 바하 씨도 뒤집어지게 웃고 무시할 듯했다. 아, 진짜, 이럴 때 쓸모없는 인간들이었다.

당장 이어질 식사 시간에 저 자식을 또 봐야 한다니 견디기 힘들었다. 그녀는 깊은 한숨을 내쉬며 이마를 짚었다. 기묘한 신음과 함께 벽에 머리를 쾅 박고, 한참이나 같은 자리에 서 있었다…….

식사는 꽤나 평온했다.

안스는 수도원에 대해 질문했고, 디아딜로테는 묘하게 친절한 태도로 대답했다.

안스의 누이는 절대로 찢어지지 않는 천 같은 인간이었다. 밝은 날엔 해를 비추고 비가 오는 날엔 젖어들겠지만, 본질만큼은 절대로 손상되지 않는 유연함이 엿보였다.

그러나 손에 쥐는 건 애매한 비유뿐, 티티라는 상대를 묘사하는 게 좀처럼 힘들었다. 솔직히 그녀는 시노드 신녤 출신으로서 만나기 힘든 종류의 인간이었는데, 나 같은 말종이라면 더더욱 드문 경험이 아니겠는가.

다만 남매가 서로를 마음에 들어 하는 것은 자연스러운 이치처럼 느껴졌다. 안스는 저와 다른 것에 지나치게 열려 있는 친구였기 때문이다. 아무리 '신앙심'이 기묘하게 느껴져도 그것이 인간의 근사한 본성을 가리지는 않으므로, 저 애도 처음에는 호기심을 가졌다가 마침내 존중하게 되었을 것이다.

디아딜로테도 마찬가지였다. 그녀는 자신만의 잣대로 교국을 두 동강 낼 수 있을 만큼 강직한 인간이었다. 그리고 장담하는데 안스는 그녀의 '잣대' 안에 너무도 쉽게, 성큼 들어갔을 것이다. 저 애는 기본적으로 선해서 누구에게나 호의를 사곤 했는데, 그 선함을 지키는 게 쉽지 않음을 아는 이에게는 더더욱 귀중하게 느껴졌을 것이다.

티티라는 디아딜로테가 안스를 높이 평가하고 있다는 사실을 깨닫자마자 괜히 움츠러들었다. 자신은 살아남는 덴 자신이 있었지만, 신앙이나 도덕성에 대해선 두 번 생각해 본 적도 없었기 때문이다. 정의의 저울처럼 구는 신앙인이 안스를 아끼고 자신을 꺼림칙하게 여긴다면, 왠지 혼자 악당이 된 기분일 것만 같았다.

그녀는 입맛이 온통 떨어진 채로 음식을 뒤적였다. 디아딜로테에게 잘 보여야 할 텐데, 그래야 그녀가 도와줄 마음을 먹을 텐데……. 하지만 자신이 입을 열면 무조건 감점을 당할 것 같았다. 안스가 대화를 맡는 편이 나았다…….

아니, 억울해! 저 자식은 고작 반년 동안 연인이었던 남자 때문에 끊임없이 빗자루로 내 엉덩이를 치는데, 어떻게 '선하다'는 거야? 난 대체 왜 '선하다'고 표현해 줬대? 말도 안 돼. 저건 개자식이야. 유치하고, 속 좁고, 천박하고…….

"티?"

그녀는 흠칫 놀라 고개를 들었다.

안스가 걱정스러운 시선으로 자신을 보고 있었다.

"어디 아파?"

티티라는 그를 무시한 채 디아딜로테의 눈치를 살피다가, 문득 놓쳤던 간판으로 시선이 되돌아오는 사람처럼 다시 안스를 바라보았다.

안스는 벌써 반쯤 일어나 있었다. 아, 전부 일어섰다. 제게로 걸어와 몸을 숙였다.

"속이 안 좋아?"

"아니."

"그러면 내가 말했던 것 때문에 화났어?"

티티라는 그의 뻔뻔함에 입을 딱 벌렸다. 하지만 여전히 디아딜로테에게 미운털이 박힐까 봐 조심스러웠다. 절대로 화내지도, 흥분하지도 않을 작정이었다.

"안스, 친구에게 무슨 말을 한 거예요?"

"아, 제 친구가 '안스카리우스'를 좋아한다고 했잖아요. 당신 앞에서 그런 이야기를 한 게 불편했을 수도 있고요."

디아딜로테에게 잘 보이기 위해 꾹꾹 참는 와중에, 점차 새로운 의문이 피어올랐다.

안스는 안스카리우스를 끔찍하게 싫어하면서도 나 때문에 법황의 말을 따르겠다고 했다. 고향으로 돌아간 내 모습을 보고 싶다는 바람이, 안스카리우스를 증오하는 마음에 비할 수 있을까? 결국 그가 원치 않는 선택을 하도록 내가 등을 떠민 걸까?

십 년 전처럼, 또다시?

손끝이 따가웠다.

우리가 잠자리를 가진 이튿날, 네가 나를 사랑해서 사제왕 위를 내려놓겠다고 할 때는 마냥 기뻤다. 그 기쁨을 숨기는 데 급급해서 네가 얼마나 깊은 구덩이를 덮어 놓고 나를 위하겠다고 한 건지 몰랐다.

티티라는 자신이 실수하고 있다는 사실을 알고도 입을 열었다.

"안스."

"어?"

"안스카리우스를 그렇게 못 견디겠으면…… 네 뜻대로 해."

안스가 얼굴을 찡그렸다. 그를 잘 아는 자신은, 곧장 '괜찮다'는 말이 나오지 않자 속마음을 훤히 알 수 있었다. 입맛이 썼다.

"난 네가 더 이상 나 때문에 무언가를 견디지 않았으면 좋겠어."

"……."

"단순히 빚지기 싫다는 차원이 아냐. 넌 이미 나 때문에 너무 힘들었어. 거기에 또 고민을 얹어 주기 싫어. 힘들어야 한다면 적어도 이번엔 내가 힘들 차례잖아."

전조도 없이 눈물이 투둑 떨어졌다. 아름답지 않게 뺨 위에서 뭉개졌다.

"고작 질투라고 네 감정을 폄하하지 마. 나도 고작 애정이니까."

그녀는 소리 없이 의자를 밀고 일어섰다.

"저, 죄송합니다. 먼저 올라가 보겠습니다."

디아딜로테를 향해 꾸벅 고개를 숙였다. 그녀는 뜸들이며 대답했다. 티티라는 두 번 인사하지 않은 채 식당을 떠났다.

안스는 티티라가 비워 둔 자리를 바라보았다. 다시 문으로 고개를 돌렸다가, 저 애가 몇 입 들지도 않은 음식을 응시했다.

얼굴을 쓸고, 눈을 꾹꾹 눌렀다.

조용한 가운데 식기가 부딪히는 소리가 들렸다. 그리고 디아딜로테의 명랑한 목소리도.

"그대는 목숨 바쳐 사랑한다던 친구를 되찾고, 심지어 마음이 통한 뒤에도 참으로 속 좁게 굴어요."

"······."

"저자가 그대를 만나려 시노드 신넬에서부터 안 한 짓이 없다면 서요? 그런 이에게 저렇게 면박을 주나요? 그대의 다른 인격과 사 랑을 나누었단 이유만으로?"

그래선 안 된다고 생각하면서도, 그녀의 말에 또다시 미약한 불 씨가 타오르는 것이 느껴졌다. 누군가 '안스카리우스'와 티티라의 관계를 상기시켜 줄 때마다 부글부글 끓는 열기였다.

"그걸로 얼마나 괴롭혔으면 성마른 이가 울겠어요. 부끄러운 줄 알아요."

안스는 툭 내뱉었다.

"나는 진짜 쓰레기야."

"맞아요."

"그런데 쓰레기가 안 될 방법을 모르겠습니다. 티가 다른 사람을 사랑했다면······ 그놈 얼굴을 보지 않는 것만으로도 어떻게든 잊혀 지겠죠. 하지만 전 이제 제 몸에 그 새끼를 욱여넣어야 한다고요. 그걸 어떻게 잊어요?"

"잊지 못하면 더 좋지 않아요? 그녀가 사랑한 상대란 처음부터 끝까지 그대뿐일 텐데요."

"'안스카리우스'는 저랑 엄청나게 다른 사람이에요."

"그러니 얼마나 다행이에요. 그렇게 다른 이를 몸에 녹이면 불안 증이 도질 수 있는데, 두 사람은 티티라 돔니니를 향한 애정으로 교집합을 만들 수 있잖아요."

"······."

"장담해요. 그대 정신은 정말로 튼튼하고 안전할걸요. 한동안 더 다양하게 티티라 돔니니를 사랑할 방법을 찾아내지 않을까. 그뿐."

디아딜로테는 물 잔을 술잔처럼 들어 올렸다. 제 시선이 멈추는 곳에서 살짝 흔들었다.

"축복으로 여겨요. 그자가 티티라 돔니니를 사랑하지 않았으면 저이의 성정으로 보아 그대는 죽은 친구나 만날 수 있었을 터인데, 그러니 또한 감사하고요."

안스는 입 안에서 투덜거렸다.

"말은 쉽지."

디아딜로테가 약하게 미소 짓는 모습이 보였다.

"그럼, 행동은 얼마나 더 어렵나요?"

그는 계속 뺨을 쓸어내리던 손을 우뚝 멈췄다.

의심스럽다는 표정으로 디아딜로테를 노려보았다.

"……벌써 고민을 끝내셨다고요?"

"이야기를 듣는 순간 이미 이렇게 되리라 예상했어요. 하나, 그대의 벗이 우는 모습을 보고 내가 승계하지 않으면 두 사람이 악의 손아귀에 떨어지겠구나 확신했어요."

"네? 무슨 '악의 손아귀'요? 고향으로 못 돌아가는 건 아쉽겠지만 그래도 잘 살 거예요. 저는 당신을 압박하려 거짓말을 하진 않습니다."

"그건 그대의 근거 없는 자신감이에요. 지금도 질투로 연인을 힘들게 하는데, 그 관계가 얼마나 오랫동안 건강하겠어요?"

안스는 기가 막혀 잠깐 침묵했다. 말도 안 됐다. 우리에겐 유년기가 있었다. 서로를 위해 죽었기 때문에 재회했다는, 누구에게도 없는 애정사가 있었다.

"디아딜로테, 그건 당신이 잘못 짐작한 겁니다. 저희는 오랫동안 잘 사랑할 거예요."

"근거 없는 자신감이라니까요. 내 장담하는데, 사제왕 위를 유지
하면 그대는 사랑받으면서도 더 많은 애정을 갈구하다 파멸할 거
예요. 솔직히 나는 그대 연인이 힘들 것보다, 그대가 망가질 것이
더 두려워요."

"……."

"내가 사제왕이 된다고 해서 나쁠 일은 하나도 없지만, 사제왕이
안 된다면 그대는 확정적으로 파멸해요. 안타깝지만 선택지가 별
로 없었어요."

"……사제왕이고, 법황이고, 교국이고, 다 싫다고 하셨잖아요.
저한텐 고작 몇 달 전 일 같은데, 당신에겐 십 년 전이라 혹시 결심
이 바뀌셨습니까?"

"나는 잠시 빈자리를 맡고 있다가 몇 년 내로 가까운 혈족을 입
양하여 승계시킬 겁니다. 카팅길레에 눈여겨 본 사촌 동기가 있어
요. 가르침의 기쁨을 누릴 생각이에요."

"……."

"물론 내 아래에서 바를라암은 죽은 듯이 살겠지요. 하지만 시노
드 신넬에서 추문에 휩싸였고, 전대 가주마저 비명횡사한 가문에
게 이상한 일은 아니에요."

디아딜로테는 마지막 남은 양파를 포크로 찍었다.

"안스, 내가 당신을 위해 양보하는 건 고작 몇 년간 침묵에서 벗
어나는 것뿐입니다. 영원이 아닙니다."

"……."

"그대의 곧은 정신을 아껴요. '약속'이 숨긴 영혼도 귀하게 여기지

요. 그대가 여전히 원한다면, 법황에게 같이 가 줄 의향이 있어요."

안스는 이야기가 급류처럼 흘러 여기까지 다다랐다는 데 새삼 놀랐다. 한순간은 질투로 똘똘 뭉친 옹졸한 속내를 이야기하고 있었는데, 다음 순간엔 승계에 이견이 없으니 법황을 만나자는 말이 흘러 다녔다.

안스는 결국 얼떨떨하게 중얼거렸다.

"감사합니다."

"그다지 기뻐 보이지 않아서 우스워요, 안스."

물론 기쁜 얼굴은 아닐 것이다.

어쩌면 반쯤은 디아딜로테가 제안을 거절하리라 생각했을지도 몰랐다. 때문에 애초에 '안스카리우스'와 같은 몸을 사용한다는 난감한 상황도 상상하지 않았을 거다…….

그는 부탁하던 태도와 달리, 다소 떨떠름한 시선으로 한 번 더 감사하다고 말했다.

디아딜로테는 빙그레 웃었다.

"나는 법황 이디이를 단 한 번도 만나 본 적이 없고, 심지어 수도원에서도 수다스러운 편이 아니었는데, 대체 어떤 경로로 내가 바보 천치일 거란 확신을 가지게 된 걸까요."

침묵.

디아딜로테가 자리에서 일어섰다.

"직접 물어봐야겠어요."

안스는 디아딜로테를 쫓아가 조금 더 이야기를 나눈 뒤, 겨우 마음을 가라앉혔다. 여전히 탐탁지는 않지만 그녀의 의견이 또 하나의 위안거리를 제공해 주었기 때문이다.

내가 '안스카리우스'를 받아들이지 않으면 티와의 관계도 망가진 다고. 그러니 사랑을 위해 사제왕 위를 내려놓는 건 꽤나 할 만한 일이지 않을까?

물론 그들의 관계를 잘 모르는 디아딜로테의 말이었지만, 티와의 관계가 망가질 가능성만으로도 마음이 서늘해졌다. 그런 일을 막 을 수만 있다면 자신은 무슨 짓이든 할 작정이었다.

그렇게 긴장한 채 디아딜로테를 떠나선, 재빨리 티티라에게 사과 하려 했다.

하지만 그녀는 항상 머무르던 내실에 없었다.

그는 심장이 철렁 내려앉아 수행인들을 추궁했다. 다들 '어느 방 향으로 가셨고', '제가 뵈었을 때는' 따위의 말을 반복하다, 큰소리 가 오가고 마침내 자신이 미칠 지경이 되자 누군가 웅크린 채 앞으 로 기어 왔다.

안스는 그 순간 정신이 확 들었다. ─'내가 저 정도로 화를 냈 나?'─

"정원에 계신 것을 확인했습니다. 시내 우측, 낮은 관목 아래 잠 들어 계셔서 수행인들이 놓쳤습니다. 사죄드립니다."

그는 제 분노를 곱씹어 보기도 전에 정원으로 걸음을 옮겼다. 수 행인들을 윽박질러 뒤로 물리고, 혼자 울창한 정원에, 중앙을 가로 지르는 인공 시내에 도착했다. 몸을 숙이곤 온갖 가지를 부러뜨리 며 사람을 찾아다녔다.

티티라는 가지가 교묘하게 가리는 지점에 누워 있었다. 아까 저 녁 식사 때 입었던 차림 그대로였다.

안스는 굴러떨어지듯 주저앉아 그녀의 어깨를 흔들었다.

"티?"

티티라는 눈을 떴다. 빠르고, 곧았다. 다행히 아픈 기색이라곤 하나도 없어 가슴을 쓸어내렸다.

"괜찮아? 왜 여기 있어?"

한순간도 버티지 못한 말들이 우르르 쏟아져 나왔다.

티티라는 잠깐 주변을 둘러보더니, 풀밭에 손을 짚고 상체를 일으켰다.

"그냥."

그 냉랭한 말에 제 마음속 겁쟁이가 튀어나왔다.

"떠나려는 건 아니지?"

티티라는 인상을 찌푸렸다.

"내가?"

"……."

"'이 땅'에서? '사제왕'한테 쫓기라고? 가능할까?"

안스는 온몸의 피가 발끝으로 꺼지는 듯한 느낌을 받았다.

"말을 왜 그렇게 해……. 내가 널 왜 추적해?"

"내 말본새 얘기하기 전에 너 스스로나 먼저 돌아봐."

"……."

"아, 길게 떠들어 봐야 너랑 싸우기밖에 더 하겠어? 떠날 마음 없어. 그런데 지금 널 보고 싶지도 않아."

티티라는 어깨에 얹힌 안스의 손을 툭 쳐 냈다. 그는 자신도 모르는 사이 주먹을 꽉 쥐었다.

"안스, 아까 식당에서 내가 뭐라고 했는지 잘 들었지? 사제왕 위를 간직하고 싶으면 그렇게 해."

"……."

"난 그냥 여기 있을게. 이 건물 테두리도 안 벗어날게. 정원에 있는 것마저 싫다시니 어쩌겠어."

"티."

안스의 목소리는 희미했고, 떨렸다.

"그러지 마."

티의 표정에서 짜증스러움이 묻어났다.

"아니, 당당해서 날 그렇게 못살게 군 거 아냐? 안스, 네 마음 이해해. 이해한다니까. 네가 고귀하신 교국 귀족 나리랑 사귀었다면 나도 눈에 보이는 게 없었을 거야. 미안해. 이해해."

"……."

"다 이해하는데, 어쩔 수 없이 화가 나네. 그 잠깐도 못 견디는 거야? 널 사랑하지만 진짜 질린다."

식은땀이 났다. 안스는 감정을 고스란히 녹이는 제 고약한 신체에 신물이 났다. 위험천만하거나 중요한 일을 해낼 땐 그다지 영향을 받지 않았는데, 티티라만 보면 주체가 안 되었다.

"티, 아냐. 디아딜로테랑 이야기했어. 내부적으로 승계를 마무리하고…… 아니, 그보다, 아무튼 법황이랑 빠르게 처리할 거야. 그 인간도 목 빠지게 기다리고 있을 테니 당장 내일 만날 수도 있어."

"괜찮다고 했잖아. 우리 둘이서만 죽을 때까지 살자."

티티라는 나뭇잎이 묻은 바지를 수선스럽게 털어 냈다. 곧장 몸을 돌려 떠나려는 모습에, 급하게 일어서 따라갔다.

"티, 내가 말실수를 많이 했어."

"아니야."

"……"

"난 진심이야. 네가 싫으면 하지 마. 네가 나 때문에 하는 모든 일들…… 이젠 버거워. 더 이상 보답할 수 없겠단 생각이 들어."

"……보답할 필요 없어."

"거짓말."

안스는 입을 다물었다.

……물론 거짓말이다. 그는 티가 자신만을 사랑해 주길 바랐다. 그 누구도 없이, 우물 속에서 하늘을 올려다보듯 독점적으로, 인생에서 그 홀로 유일하도록.

그런데 그 장밋빛 희망이 뿌리부터 잘려 나가자 종종 속이 울컥이며 분노를 뱉어 내는 것이다.

그는 그렇게 침묵을 지킨 순간 대화가 완전히 망가졌음을 깨달았다. 아찔한 아쉬움 속에서, 수행인들이 있는 건물에 다다랐다. 이제 그들은 더 이상 솔직해질 수 없었다.

계단을 한 걸음 올라간 티티라가 그를 돌아보았다.

안스는 얼어붙었다.

"각하, 오늘은 식사 중에 말씀하신 것처럼, 디아딜로테 님과 소회를 푸시는 것으로 알고 있겠습니다. 바쁘신 와중에 여기까지 행차해 주셔서 정말 감사드립니다."

안스는 순간적으로 생각했다. '안스카리우스'도, 티가 이렇게 거리를 둘 때마다 속이 뒤집어졌을까. 마치 우리 관계의 거리를 조절하는 이는 본인 혼자라는 듯. 볼록 렌즈 속에서 무시무시하게 가까웠다가, 저 작고 단단한 손이 유리를 치우면 한없이 멀리 떠나 버리는.

그는 차마 대답하지 못했다.

티티라는 꾸벅 인사하고 계단 위로 떠났다.

디아딜로테는 잠옷 차림으로 안스를 맞이했다. 처음에는 놀란 모양이었지만, 곧이어 예상했던 일이 닥쳤다는 듯 딱한 시선으로 그를 바라보았다.

"안스, 피곤한데 짧게 말할 수 있죠?"

"네."

"듣고 있어요."

"내일 아침 법황청에 전갈을 보내고, 가능한 빠른 시점에 방문하고 싶어요. 물론 그때 승계를 위한 협의는 전부 되어 있어야 합니다."

"결심이 섰어요?"

"네."

"그러면 내일, 법황청에 사전 연락 없이 방문하죠."

"……."

"잘 자요."

그녀는 대뜸 인사를 건넨 이후에도 한참 동안이나 그를 바라보았다. 한동안 버텼지만, 결국 먼저 등을 돌린 이는 그였다.

법황을 만나야 할 내일이 기다리고 있었다. 자신은 고작 방금 깨달았으나, 디아딜로테는 저녁 식사 때부터 각오했던 것이 분명했다. 저놈이 견디질 못하고 또 급하게 바라겠구나. 미리 짐작했겠지.

그는 확실히 물불 가리지 않고 법황에게 달려가려 했다. 누군가는 싸움은 어떤 관계에서나 벌어진다고 하겠지만, 티와 자신은 '어떤 관계'가 아니었다. 그들은 '유일한 관계'였다…….

티티라가 자신을 허락한 이후에도 망망대해가 펼쳐져 있을 줄 미처 몰랐다. 어느 때는 잠잠하지만, 한순간은 바람이 불고, 간혹 폭풍이 부는 그런 바다 말이다. 그는 쪽배를 가지고 항해에 나선 셈이었다. 바다가 불쾌해하니, 돛을 하나 더 달아야 하지 않나.

—문득 디아딜로테가 제 팔을 툭툭 건드렸다.

시선을 들자, 내일을 준비하라는 말과 함께 문이 닫혔다.

티티라는 오랜만에 고요한 아침에 눈을 떴다. 오늘. 오늘은 괜찮군. 어제. 어제는 안스에게 몇 마디 했다. 진력이 나는 것과 자포자기하는 건 동전의 양면이 따라오듯 자연스러운 일이었다.

언제쯤 안스가 네 뜻에 따라 사제왕 위를 유지하겠다고 고백할까? 혼자 도박을 걸었다. 늦어도 이른 오후 즈음 아닐까? '안스카리우스로 짜증을 낸 건 미안'하지만, '그래도 기억은 되살리지 않는 게 좋겠다.', '네 말이 맞아.', '동의해.'

그녀는 이불을 머리끝까지 덮었다가 다시 온통 걷어차기도 하면서 오전 시간을 보냈다. 잠깐 들어온 하녀마저도 피곤한 체하며 내보냈다.

그러나 배에서 꼬르륵 소리가 날 때까지 방문객은 없었다.

티티라는 이상하다고 생각하며 뒤늦게야 자리에서 일어섰다. 문을 열고 수행인을 불렀다.

"혹시 각하께서 어디 계신지 알 수 있을까요?"

"알려 드릴 수 없습니다."

가끔 들었던 말이기에 놀라지 않았다.

"아, 그러면 제가 뵐 수 있을까요? 먼저 서신으로 바쁘신지 여쭙

고요."

"어렵습니다."

······그러나 이런 말은 처음이었다.

티티라는 인상을 찌푸린 채 질문 하나를 더 했다.

"제가 내실을 떠나 각하의 집무실에 방문해도 될까요?"

"죄송합니다. 내실에 계시라는 명령입니다."

그녀는 온 정이 다 떨어진 표정을 짓다가, 천천히 혼란에 빠졌다.

"음, 어디······ 가셨기에······."

"돔니니 님, 들어가 계십시오. 허기가 지시는 듯하니 식사를 가져오겠습니다."

티티라는 수행인의 엄격한 손짓과 계단 아래에 버티고 있는 일렬 종대의 하녀 군단을 보곤 뒷걸음질을 쳤다. 의도는 명백했다.

그녀는 깨달았다.

아― 안스는 바를라암 관에 없었다.

어디로 갔을까?

질문이 던져진 순간, 답은 어렵지 않았다.

안스는 반 시간째 법황의 본당 앞에서 기다리고 있었다. 옆에 선 디아딜로테와 지금 상황에 대해 이야기하고 싶었지만, 지켜보는 군이 원체 많았고, 또 그녀가 자신만의 상념에 빠져 있는 모양이라 방해할 수 없었다.

그런데 놀랍게도, 그 기색을 눈치챈 듯 디아디로테가 손바닥에 수신호를 주었다.

'인내.'

그녀는 평온하기가 영원을 사는 침엽수 같았다. 눈은 가름하게 앞을 보고, 허리도 꼿꼿하게 서 있었다. 누이가 반 시간 넘도록 세워 놓는 벌에 멀쩡하리라곤 생각하지 못했는데.

그들은 그렇게 반나절을 꼬박 기다렸다. 법황이 내쫓지도, 받아들이지도 않는 것이 단지 그들의 기를 죽이기 위해서란 사실을 알면서도 마음이 초조해졌다.

이전에 왔을 땐 바라는 게 없어서 하나도 두렵지 않았다. 그러나 이젠 바라는 것, 지키고 싶은 것, 물러설 수 없는 것, 이따위 투쟁에 도움이 안 되는 물건들이 등 뒤에 산적하여 잔뜩 쪼그라들었다.

그렇게 끝내 열리지 않을 문에서 고개를 돌린 순간, 거대한 입구가 열렸다.

군사도, 의전을 차린 법황의 하수인도 입을 열지 않았다. 대신 길이 넓어졌다. 문을 지키는 기사가 한 걸음 물러나 마주 보고 섰다. 그동안 촘촘하게 바를라암을 노려보던 경비 기사들의 시선도 느슨하게 흩어졌다.

안스는 한 걸음 앞으로 내디뎠다. 디아딜로테도 거의 동시에 한 걸음. 그렇게 한 걸음씩 떼자 그 뒤론 내리막길에 선 듯 빨랐다.

등 뒤에서 육중한 문이 닫혔다. 안스는 성좌 위에 오른 법황을 찾아냈다. 법황은 빳빳하게 몸을 세운 채 권위 있는 자세로 그들을 내려다보고 있었다.

디아딜로테가 우뚝 멈췄다. 이번에는 안스가 그녀를 따라 멈추었다.

"성하, 주의 가호 아래 처음 뵙는 즐거움을 누리게 되었습니다. 디아딜로테 세메라 바를라암입니다."

"……."

"하달하신 제안에 대해 숙고했습니다."

법황이 몸을 앞으로 기울였다.

"성하, 성하께선 정직하지 못하십니다."

안스는 흠칫 놀라 그녀를 돌아보았다.

그제야 디아딜로테가 법황에게 예를 취하지 않았다는 사실을 깨달았다. 그녀는 누가 부러뜨릴까 겁날 정도로 반듯이 서 있었다.

그녀의 말 또한, 그랬다.

"그러니 제가 정직해야지요. 제가 동생의 사제왕 위를 승계하겠습니다."

"무례하구나."

법황은 인상을 찡그린 채 말을 끊었다. 그러나 진심으로 불쾌해한다기보단, 갑자기 얻어맞아 혼란스러운 모양새였다. 몇 마디만 더 기다렸다간 기세에 떠밀릴까 급하게 끼어든 듯했다.

"……우리가 그대를 부른 것은 그대 동생을 돌보라 부탁하기 위함이었다. 그런데 갑자기 사제왕 위를 승계한다니, 이해가 가지 않아 당혹스럽구나."

"성하께선 '안스'를 바라셨겠지요."

침묵.

"'안스카리우스'는 이미 사제왕들에게 설득당한 이고, 총독 위를 지낸 뒤론 더더욱 성하의 은총을 멀리하게 되었으니까요. 반면 '안스'는 성하께서 흥미롭게 여기시는 외지인에, 품성을 갖춘 후계자이니 탐나시는 게 당연합니다."

"무슨 말도 안 되는 소리를. 수도원에서 십수 년을 살더니 드디어 미친 것인가?"

디아딜로테가 희미하게 웃었다.

"성하, 수도원에 있는 분들은 신앙을 위해 평생을 수련합니다. 다른 분이라면 몰라도, 성하께서는 그리 말씀하시면 안 됩니다. 저희의 본보기가 되어 주셔야 하지 않습니까?"

확실했다. 단순히 누이의 말투가 달라졌기에 냉정해 보이는 게 아니었다. 그녀는 온몸으로 공격적이었다.

"그러나 성하, 두 사람 모두 제게는 소중한 동생입니다. 어느 쪽이든 건강하길 바랍니다. 그런데 지금은 전혀 그렇지 않은 듯하여, 제 좁은 마음이 매일같이 고통에 몸부림치고 있습니다."

"디아딜로테, 거듭 말하네. 그대를 부른 것은 아픈 혈족을 살피고 교국의 작은 기둥인 사제왕을 보좌하라는 뜻이었네. 교읍지에 도착하자마자 모자란 동생을 데려와 우리에게 난폭을 부리라는 게 아니라."

"성하, 혼란스럽습니다. 저는 성하께서 부탁하신 대로 하고 있습니다. 지금도 '모자란 동생' 대신 입을 열고 있지 않습니까? 제가 '모자란 동생' 대신 바를라암의 주인이 되겠노라 말씀드렸습니다. 이보다 더 동기를 도닥이는 방법이 있을까요?"

"……."

"아, 혹 말씀이 무례했다면 용서하소서. 제가 없는 사이 동생에게 망령이 들었기에 저 또한 놀라 경황이 없습니다. 제겐 아버님의 죽음보다 그 죽음에 동생이 연루되었을 수 있다는 사실이 더 슬픕니다. 유일한 핏줄이란 그 정도 무게이지요. 제가 십수 년 동안 둥지를 튼 수도원을 떠났다면, 성하께서 그만한 이유를 제게 주셨기 때문입니다. 저는 성하의 뜻을 따랐습니다."

법황은 혼란에 빠져 있었다.

법황의 세상 속에서 디아딜로테는 순진한 수도원 수녀고, 자신은 정체 모를 자아를 쥐곤 넋이 빠진 인간이었으니, 편견이란 꽤나 고약한 존재였다.

안스는 역할극에 참여하기로 마음먹었다. 장난스러운 표정을 애써 숨기곤 입을 열었다.

"성하, 저는 예전의 저와 똑같다고 느낍니다. 몸도, 정신도 그때와 다름없이 건강합니다. 그런데 누이가 저를 보고 놀라니, 저 또한 스스로에게 의심을 품게 되었습니다. 이에 요양 후 사제왕 위를 다시 돌려받는 한이 있더라도, 디아딜로테에게 승계하고자 합니다."

법황이 코웃음을 쳤다.

"어찌 사제왕 위를 두 번 얻는단 말이냐. 두 번째는 없다. 아무리 무능력한 금치산자라 해도 그 사실은 알아야 하지 않나, 바를라암."

"죄송합니다. 제가 그것을 알아야 하는지조차 잘 모르겠습니다. 솔직히 '안스'니, '안스카리우스'니 하시는 두 분 말씀도 어지럽기만 하고, 일전에 제게 말씀 주신 '기억을 되찾는다.'는 예언에도 모호한 감정입니다. 저는 그 둘이면서 아니기도 합니다. 제가 누구인지 모르겠습니다."

"······'약속'이 그대를 이리 망쳤을까."

법황은 흘려 내듯 말하다, 천천히 입을 다물었다. 말실수를 했다고 느낀 것 같았다.

그러나 법황이 실수를 되새기기도 전에, 디아딜로테가 나섰다.

"저 또한 그렇게 생각합니다. 초조함에 말씀이 사나웠다면 사죄드립니다. 성하께 강하게 말씀드려야, 동생의 광증과 제 간절함이 보이리라 생각했습니다. 보셨듯 스스로를 '안스'와 '안스카리우스' 중 무엇으로도 온전히 인지하지 못하고 있으며, 저는 그 사실이 너무도 걱정스럽습니다."

"……."

"성하께서도 저와 같은 생각을 하고 계시단 사실을 압니다. 이미 제 동생에게 제안을 하셨다고 들었습니다. 저는 수락합니다."

"……."

"성하, 저는 바를라암의 적법한 후계자입니다. 그 옛날 '안스'가 돌아오지 않았다면 이미 사제왕 위에 올라 성하를 뵙고도 남았을 테지요. 제가 동생의 병구완을 할 수 있도록 결정을 부탁드립니다."

디아딜로테는 뚜렷하게 '가짜 디아딜로테'를 만들어 내고 있었다. 책임을 지기 싫어하지만, 가문만큼은 어마어마하게 중요하게 여기는 누군가. 그래서 법황을 만나고도 급한 마음에 무뢰한처럼 행동했으며, 그 말 하나하나에 진심이 배어나 속이기 쉬운 종류의 인간 말이다.

안스는 바보 역할만 하면 되는 자신이 만족스러웠다.

"하나만 묻지, 사제왕 바를라암."

"아, 예."

"'티티라 돔니니'는 어떻게 되었나?"

……아쉽게도 바보 역할만 할 수는 없었다.

"전에도 말씀드렸듯이, 제 아이를 가지고 휴식 중입니다."

꾸며 내면서도 묘하게 배 속이 꿈틀거렸다.

"아니. 그것 말고. 그날 흰 벼락에선 무슨 일이 있었지? 그것을 고백하기 전까진 승계를 허가할 수 없다."

"저는 성하께서 왜 그날에 관심을 기울이시는지 모르겠습니다. 그날 돔니니는 감정의 동요를 겪고 벼랑 끝에서 자살하려 했지만, 결국 제 설득에 못 이겨 돌아왔습니다. 그 결과, 애정이 더 돈독히—"

"그럼 그대는?"

"저는 벼랑 위에서 돔니니를 설득해 냈지요⋯⋯. 대체 무엇이 궁금하신 겁니까?"

안스는 그렇게 아무 의미 없는 대답을 하곤 순진하게 법황을 바라보았다.

사정을 몰랐더라면 한갓 '정부'에 불과한 티티라 돔니니에게 이리도 집착하는 법황을 정말 미친 사람 보듯 했겠지.

하지만 이제 진실을 아는 입장에선, 그날 티가 자살 시도를 해서 제 기억이 일부라도 돌아온 건지 검증하고 싶어 죽을 지경이리라, 확신했다. 어느 방향으로든 법황이 아는 '약속'과 다르니 미치고 팔짝 뛸 노릇이겠지. 하긴, 저자도 '약속'을 전설처럼 들어 알지 제 눈으로 본 것은 처음 아닌가.

"성하."

이번에는 디아딜로테였다.

법황은 작은 배에서 난간을 꾹 잡은 채 좌우로 흔들리고 있었다. 분명 두 사람을 모두 종으로 부렸다고 생각했고, 실제로도 둘이 본인 의견에 따르겠다고 찾아왔음에도 초조한 표정이 가시질 않았다.

"한시가 바쁩니다. 성하께서 허가하지 않으셔도, 가문 내부에서 대행하는 방법도 있습니다."

그녀의 말은 틀리지 않았다. 어차피 사제왕 승계는 가문의 권한. 법황은 전통적으로 승인하는 위치에 있을 뿐이었다. 물론 그럼에도 서로 간의 존중이 필요하기에 추천할 만한 방식은 아니지만.

디아딜로테는 가문에 정신이 팔려 예의도 못 차리는 망나니처럼 행동했나. 그에 안스는 감탄했다. 연기만 출중하다면, 새로운 사제왕이 얼마나 명민한지 살피는 법황의 경계심을 낮추기에 충분한 언사였다.

법황은 급류에 휩쓸린 사람처럼 잔뜩 분개한 채 앉아 있다가, 정신을 차린 뒤 불쾌하다는 듯 툭 내뱉었다.

"……승계 서류를 내리지."

디아딜로테의 얼굴에 화색이 돌았다.

"감사합니다, 성하."

"이만…… 나가라."

법황은 꺼지라는 단어를 애써 억눌렀다.

디아딜로테는 깊이 예를 표하고 먼저 성큼성큼 돌아 나갔다.

안스는 잠시 두 사람을 번갈아 바라보다가, 어쩔 수 없다는 듯 급하게 디아딜로테를 따라 나갔다.

"왜 그런 거예요? 그냥 순하고 멍청한 티만 내면 부족할 것 같았나요? 하지만 장점이 있으면 단점도 있듯이, 법황의 반감을 너무 사셨습니다. 앞으로 사제왕 일에 먹구름이 끼겠는데요."

안스는 고요히 움직이는 마차 속에서 질문했다.

"가만히 있으면 몇 달 안에 법황청이 억지로라도 승계를 시켰을 텐데. 왜 굳이……."

창밖을 바라보던 시선이 살짝 돌아왔다.

"그 이유도 모르고 제 의도에 따랐어요?"

안스는 어깨를 으쓱였다.

"안스, 아무것도 아닌 것보단, 차라리 반감을 사서 관심을 받는 편이 나아요. 나는 후자를 선택한 것이지요."

디아딜로테는 빙그레 웃었다.

"그리고 솔직히 그대도 알 텐데. 오늘 법황은 일이 너무 자기 뜻대로 돌아가서 당황한 거예요. 본인이 바라 마지않던 승계 건이 처리되었고, 그것을 가져가는 수도원 출신 여자는 매양 흥분해 있는 바보니까요."

"아."

"손바닥 위에 놓고 흔들 수 있겠다, 아직도 그렇게 생각하겠지요."

"……."

"가증스러워요. 처음에는 '안스' 당신을 사제왕으로 만들고자 돔니니에게 칼을 들었는데, 이젠 포기한 모양이에요. 단지 어딘가에서 일이 크게 잘못되었다고 생각하고 있더군요. 그렇게 문제를 직감하자마자 불확실한 것투성이인 그대를 버리려는 것이지요. 미친 사람은 적으로서도 좋지 않으니까요."

"……."

"법황은 돔니니와 그대에게 아무런 죄책감이 없어요. 그렇게 남의 삶을 뒤엎었으면서 이제 '아니네, 돌아가자.' 말하네요. 주께선 저자에게 절대 마음을 쓰지 않으실 거예요."

디아딜로테는 몇 마디 저주를 더 중얼거렸다.

그녀가 사람을 이만큼 싫어할 수도 있다는 사실이 놀라웠다. 또, 그렇게 만든 법황도 대단하다는 생각이 들었다.

안스는 곰곰이 생각하며 마차에서 먼저 내렸다.

디아딜로테의 손을 잡아 주기 위해 바를라암 관에서 등을 돌린 순간, 주변이 시끄러워졌다.

수행인 여럿이 곁에 와서 섰다.

"각하."

"왜?"

"돔니니 님께서—"

안스는 어제 일을 생각하고 순식간에 얼굴이 창백해졌다. 제게 힘을 실은 디아딜로테가 발을 땅에 디디자마자 수행인에게로 몸을 돌렸다.

"어서. 정확히 말해."

"—각하를 뵙길 청하고 있습니다."

안스는 다소 맥 빠지는 발언에 헛웃음을 지었다.

그러나 그것이 끝이 아니었다.

"당장 모셔 오지 않으면 뛰어내리겠다고 내실 삼 층 난간에 매달려 계십니다."

웃음은 빠르게 사그라졌다. 그는 디아딜로테에게 고개 숙여 인사하곤, 성큼성큼 내실로 향했다.

자신이 법황청에 방문했단 사실을 티티라가 모를 리 없었다. 가만히 누운 채로도 알 친구인데, 저런 짓을 하다니…… 좀처럼 이해할 수가 없었다.

안스는 금세 내실에 다다랐다. 수행인들이 안내하는 대로 정원으로 발을 놀렸다. 가까이 갈수록 마음은 더욱 조마조마해졌다.

키 큰 나무 너머, 티티라가 보였다.

하마터면 욕설을 내뱉을 뻔했다. 그녀는 테라스의 난간 가장자리를 위태롭게 밟고 서 있었다.

"티."

티티라는 태연해 보였다.

"아, 각하."

"들어가."

"대화하기에 좋지 않은 상황이네요. 방으로 와 주시면 감사하겠습니다."

그녀는 엉거주춤 난간을 붙잡고 들어갔다.

그제야 안도의 한숨을 내쉰 안스는 곧장 사람들을 물리치고 방으로 뛰어 올라갔다. 체면이고 뭐고 하나도 생각나지 않았다.

속으로 중얼거렸다. 내가 어제 정원에 누워 있던 티티라에게 깜짝 놀라 빌었으니, 이젠 그 감정을 이용할 작정인가? 수틀리면 달아나겠다고 하거나, 아니면 죽겠다고 협박하게? —물론 이건 자신치고도 속 좁은 말이었다. 그는 모든 것에 환멸이 났다.—

등 뒤로 문을 쾅 밀어 닫았다.

티티라는 아무 일도 없었다는 듯 조용히 의자에 앉아 있었다.

안스는 낮게 말했다.

"어제 정원에선, 정말로 잠깐 어긋났던 거라고 치자. 이번엔 무슨 짓이야?"

"돌아오자마자 날 찾게 하려 했지."

"이딴 짓 안 해도 그러려고 했어! 지금 네가 잘못한 게 하나도 없다고?"

"나랑 상의도 없이 사제왕 위를 넘기는 건 잘하는 짓이고?"

"네가 그러길 바랐잖아. 이젠 나도 바라고."

"그렇게 화를 냈으면서 '바란다.'니, 개도 안 믿을 소리를 하는군."

"티, 대체 내가 어쩌길 바라는 거야?"

그녀는 입을 꾹 다물었다.

안스는 여러 걸음 다가가, 목멘 소리로 외쳤다.

"티!"

한쪽 무릎을 꿇었다. 아니, 양 무릎을 모두 꿇었다. 티티라의 손을 붙잡았다.

"우리 둘 다 계속 이래선 안 돼."

"안스, 그건 너 혼자 결정하는 게 아냐."

"난…… 디아딜로테를 처음 만난 어제, 고작 몇 마디 투덜거렸다고 하루 만에 날 미워하는 널 이해할 수 없어. 분명 잘하고 있었잖아. 함께 소조폴로 돌아가자고 했잖아."

티티라는 기가 막힌 듯 '허' 하는 탄식을 뱉었다.

"안스, 나는 그때 네가 나를 사랑하는 순수한 마음으로 고향에 돌아가자고 한 줄 알았어."

"세상에……. 그게 아니면 뭔데?"

"나한테 빚을 지우려는 거잖아. 난, 내가, 너한테 '갚아야' 할 거라곤 상상도 못 했어. 너는 내 반쪽인데, 어떻게든 뭔가 받아 내려고 눈이 벌게져선……."

그는 그녀의 못돼먹은 말에 울컥 화가 치솟았다.

"사랑하면서 보답을 기대하지 않는단 건 다 개 같은 거짓말이야. 난 부끄럽지 않아."

그녀는 할 말을 잃은 사람처럼 안스를 바라보았다.

"티, 난 '안스카리우스'의 기억을 되찾을 거야. 어떤 결과가 닥칠

지는 몰라. 하지만 너를 위해 그랬단 걸 네가 절대로 잊지 않았으면 좋겠어.”

“…….”

“너는 왜 나를 욕심내지 않아? 더 많이 함께하자, 네 모든 걸 알고 싶다, 나를 위해 뭐라도 해 달라…… 하나도 없잖아. 그게 더 고통스러워. 어차피 죽어도 안 떠나겠지, 생각해서야? 내가 아쉽지 않아? 아, 이 꼴이 웃긴가?”

티티라는 핏기가 다 빠져나가 창백한 얼굴로 대답했다.

“네가 없는 십 년 동안…… 내가 어떻게 지냈는지 몰라 그런 말을 하는구나.”

안스는 그녀에게서 손을 뗐다.

“뻔하지. 잘 살았겠지. 아니었으면 어떻게 소조폴에서 손꼽히는 상단의 상주가 됐겠어.”

“……그 이야기를 한 건, 내가 그동안 어떻게 살았는지 너한테 설명해 주기 위해서였어. 그걸 날 비난하는 데 쓰다니 믿을 수가 없다.”

“죄책감 심지 마.”

“안스, 너…….”

방에 처음 들어와서 느낀 분노는, 날카롭게 벼려져 사방을 공격하는 칼로 변했다.

“어쨌든 내가 미치면 날 돌봐 줄 거잖아. 그 정도 역할은 믿어도 되지?”

“난 분명히 사제왕 위를 버리지 말라고 했어.”

“도망칠 생각인 거야?”

"안스, 너, 어떻게……."

안스는 속이 답답했다. 온몸의 모든 구멍이 막힌 채 열기가 맴도는 듯했다.

티티라는 정말 너무했다. 나는 친구를 죽인다는 협박에 완전히 미쳐선 삶마저 빼앗기지 않았나. 저 애는 내가 없는 사이 '안스카리우스'를 마음에 들이면 안 되었다.

문득 뺨에 차가운 것이 느껴졌다.

안스는 당황한 기색으로 눈물을 훔쳤다. 머리끝까지 답답했지만, 울 만한 일은 하나도 없었는데.

티티라는 그렇게 싸우다가도 놀라 제게 몸을 숙였다.

"왜 울어? 괜찮아?"

가까이 다가온 그녀의 검은 눈, 동공을 둘러싼 희미한 갈색 선이 자신을 옭아맸다.

안스는 자신이 무슨 말을 하는지도 몰랐다. 속삭임이 눈물처럼, 전조 없이 흘러나왔다.

"티, 시간이 흐를수록 내가 잃어버린 삶이 뼈에 사무친다. 무엇보다, 네가 어린 나는 사랑할 수 없었고 그놈은 사랑할 마음이 들었다는 게 너무 아파."

누군가는 질투라고 하겠지만, 차라리 그 정도였으면 나았겠지.

"만일 내가 온전히 살아 왔으면, 넌 절대로 날 사랑하지 못했을 거란 뜻이잖아……. 그래서 지금 이 모든 게, 네 사랑한다는 말조차 가짜처럼 느껴져. 죽고 싶어."

아, 이건 열등감이었다.

그는 절대로 '안스카리우스'에게 다다를 수 없었다. 그는 존재만으로도 티티라의 애정을 산 개자식이었으니까. 자신은 기억하는 모든 시간 동안 죽도록 애쓰고, 목숨까지 바친 뒤에도 애매한 웃음이나 받는데.

안스는 낮게 읊조렸다.

"난 '안스카리우스'를 질투하는 게 아닌 것 같아. 그냥, 그 자식을 내 속에 녹이고 싶어. 어떻게 네 애정을 얻었을까……. 나한테 없었던 게 뭘까……. 그놈 뇌를 산 채로 뜯어 먹는 한이 있더라도 내 것으로 만들면 좋겠어."

눈물이 조금 더 났다.

차갑고, 뜨거웠다. 제 피를 쥐어 짜낸 것만 같았다.

"티……. 네가 아무리 나를 사랑한다 말해도 믿을 수가 없어. 애초부터 '안스카리우스'가 특별히 밉지는 않아. 이건 열등감이나 절망이야. 그자와 비교 대상도 못 되는데 질투가 뭐겠어, 아무 의미 없지. 네 인생에서 난 뭘까, 생각하면 순식간에 두려워져……."

티티라는 제 어깨를 짚더니 의자에서 내려왔다. 그렇게 품에 들어와 고개를 기울였다. 눈물에 입 맞추고, 다시 입술에 숨을 불어넣었다. 짠맛이 났다.

"안스."

"……."

"차라리 처음부터 솔직하지."

"나도 몰랐어. 그냥 네 다른 연인을 떠올리면 미친 듯이 화만 났어……. 너를 너무 좋아해서 질투하나 보다…… 생각했지만, 너무 바보 같았고 옹졸했지……. 감정을 설명하는 쉬운 단어가 있으니 ―'질투'라고― 거기에 날 가두었나 봐."

그녀는 계속해서 입 맞추었다. 서로의 고백은 드문드문 끊겼다.

"다 내 잘못이야. 안스."

"……."

"내가 너를 너무 불안하게 했어……. 사실은 어린 시절의 나도 너를 사랑했다고…… 그걸 '안스카리우스'로 인해 깨달았대도 너는 곧이듣지 않겠지……. 십 년이 지나…… 조금 더 굵은 머리로 말을 고르고 있지만…… 넌 아직도 어린 시절 상처에 머물러 있네……. 어떻게 해야 할지 모르겠어."

안스는 제 품에 파고든 티티라의 머리카락을 쓸었다. 매끄러운 머리카락들을 연달아 손아귀에 넣었다. 여전히 목말랐고, 채워지지 않았고, 영원히 알 수 없는 상대의 마음이 자신을 불안하게 했다.

그사이 티티라는 잡아먹을 듯 키스했다. 안스는 멍하니 따랐다. 코가 부딪혔다. 부유하는 입맞춤 아래에서 어쩐지 옛 기억들이 떠올랐다.

안스는 티티라의 양 뺨을 감쌌다. 힘을 주지 않았지만 입맞춤은 서서히 멈추었다. 그녀의 황금 같은 눈이 자신을 마주 보았다.

"티, 옛날에 있잖아. 나한테 왜 머리를 잘라 달라고 했어?"

그녀는 생각하듯 잠자코 허공을 바라보았다. 이내 시선이 돌아왔다.

"너는 나보다 내 연약한 부분을 더 잘 아니까."

"……."

"그 어린 나이에도 그렇게 생각했어. 물론 나는 절대 약점을 말하지 않겠지만, 너는 아마 알 거라고. 그리고 그래도 괜찮다고……."

그는 눈을 느리게 깜박였다. 숨소리가 닿을 정도로 가까운 위치에서 티티라의 어깨가 긴장하여 들썩였다.

"머리칼을 자르는 건 오트카저트를 떠오르게 하지. 그리고 안스, 난 그자에게 당했다는 사실이 수치스러웠거든. 아직도 건장한 남자의 뒷모습을 보면 그 인간과, 수치심을 떠올릴 정도로. 그다지 내 마음에 영향을 주진 않지만, 꼭 한 번씩 파문을 일으키는 물 같은 거야. 생각하고, 잊고, 생각하고, 잊고……. 그런 무게의 기억."

충격이 그를 흔들었다. 그동안 티티라는 오트카저트라는 인간이 기억나지 않는 듯 행동했었다. 재회하고 나선 단 한 번도 대화 주제에 올리지 않았을 정도로.

"물론 오트카저트도 증오했지. 내 호의를 그런 식으로 이용하다니. 하지만 그보다 더, 멍청한 내게 화가 났어. 돌아보면 놈이 불순한 의도로 접근한 게 그렇게 명백했는데, 대체 얼빠져선 뭐 하고 있었던 거야? 자기혐오가 뿌리박았지."

"티…….."

"하지만 너는…… 나를 받쳐 주는 힘이었어. 내 등 뒤 어떤 추한 부분이라도 너에게만은 믿고 맡길 수 있었어."

티티라는 고개를 숙여 얕게 키스했다. 그리고 그 자리에서 자신을 바라보았다.

"그러니 제발 나를 좀 믿어 줘. 내가 열네 살 때 너를 믿은 것처럼."

눈가에 남아 있던 눈물이 흘렀다.

"나는 가장 밑바닥일 때 널 믿었잖아."

뺨을 타고, 툭 떨어지는 눈물. 어떤 잔여의 감정.

세상이 무너져 이 광경이 내가 보는 마지막이었으면 좋겠다. 아니, 지금 꽁꽁 얼어 영원까지 함께했으면.

안스는 주춤 물러났지만, 티티라가 완강히 끌어안아 벗어날 수 없었다.

그는 압도당한 사람처럼 두서없이 고백했다.

"……티, 말해 줘서 고마워. 하지만 이미 승계는 결정됐어. 법황에게 전하고 오는 길이야."

"상관없어. 어차피 난 너한테 무슨 일이 생기든 곁에 있을 테니, 단지 내 말을 항상 기억하란 뜻이야."

"…….".

"승계 서류가 통과되면 내 방으로 와. 내가 널 돌봐 줄게. 다른 인격이 나온다면 너를 침범하지 못하도록 노력할 거야."

그는 메마른 뺨을 손으로 쓸어내리며 말했다.

"사실 조금 무서워."

"……알아."

"내 곁에 있어 줘."

"그럴게."

"내가 무슨 꼴이 되든."

"당연하지."

티티라는 그의 머리를 끌어안았다.

안스는 서류를 확인하는 디아딜로테에게 나직이 말했다.

"디아딜로테, 저는 당신이 사제왕 위를 승계하자마자 교국을 떠날 거예요. 시간이 지날수록 방해가 더 많아질 테니 정말 바로."

그녀는 글을 읽을 때 간혹 쓰곤 하던 안경을 들춰 올렸다. 의아해하는 표정이었다.

"안스, 새삼스러워요. 벌써 몇 번이나 이야기했어요."

그는 곰곰이 생각하다, 자신이 정확히 표현하지 않았다는 사실을
깨달았다.

"지금 이 며칠이 우리가 만나는 마지막이라고 이야기하는 겁니
다. 적절한 작별 인사를 생각해 내기 전에 떠날 것 같아서요. 당신
은 제가 어렸을 때처럼 기억을 잃는 병에 걸려 요양을 보냈다고 하
세요. 진실을 캐낼 것 같은 사제왕들에게는, 기억 상실이 시노드
신넬에서의 일과 관련이 있는 듯하여 그쪽으로 보냈다고 하시고
요. 뭐…… 저보다 잘하시겠지만요."

"음, 핑계야 무궁무진하니 신경 쓰지 않아도 돼요."

디아딜로테는 냉정했다. 안스는 주저하다가 내뱉었다.

"굳이 다시 이야기하는 건…… 당신이 저를 반기면서 동시에 미
련 없이 떠나보내는 게 조금 이상하게 느껴져서인가 봐요."

"그런가? 글쎄. 그대는 무언가 착각하고 있네요."

"가르쳐 주시죠."

디아딜로테는 탁 소리가 나도록 펜을 내려 두었다.

"나는 그대를 좋아하지만, 헤어짐이 아쉬울 만큼은 아니에요. 만
일 그러했다면 어떻게 십 년 동안 그대를 잊고 살았겠어요?"

뺨이 살짝 붉어졌다. 자신이 디아딜로테에게 정이 든 만큼 그녀도
그러리라 생각했는데, 너무 시노드 신넬적인 사고방식이었을까.

"내가 승계를 결심한 이유는 누누이 말했지 않아요? 그대의 자유
는 그에 따라오는 특별상 같은 것이지요. 좋은 사람이 편히 산다면
세상에 보탬이 될 테니까요."

"……."

"나는 그대가 처음 교국에 와서 사제왕이 되길 바랐을 때 지지했

듯이, 이번에도 그대 원하는 바를 이룰 수 있길 희망해요. 그대는 처음부터 아버님의 욕심에 삶을 빼앗겨 왔으니, 그때 적극적으로 말리지 않은 내 잘못에 값을 치르는 것이기도 해요."

그녀는 고개를 모로 들어 올렸다. 그러곤 어이없는 말을 떠올리듯 허공을 향해 빙그레 웃었다.

"그대가 보고 싶지 않겠느냐 묻는다면, 글쎄. 좋은 사람을 만나는 것은 드문 기회이니만큼 아쉽겠지만, 그대가 유일한 상대는 아니겠지요. 안스, 꽤나 자만한 것 아닌가요?"

안스는 짧게 맺은 인연이라도 그들의 관계에 대한 미련과 그리움 같은 것들을 설명해 보려 했지만, 생각보다 어렵다는 사실을 깨닫고 입을 다물었다. 뭐, 애초에 그런 감정이 느껴지지 않으신다면 어떻게 설득하겠는가? 자기만 우스운 꼴이었다.

그는 자신이 진짜 모자란 놈이라고 생각하며 픽 웃었다. 디아딜로테가 동생을 꽉 껴안고 놓아주지 않는다면 곤란해질 사람은 오히려 자신인데, 왜 나를 쉽게 보내 주냐고 묻는 꼴이 아닌가.

아마, 대부분의 인생 동안 그리했듯 모든 사람들이 제게 호감을 품고, 다시 만나길 바라리라고 순진하게 믿기 때문이겠지. 교국에서의 '십 년'을 겪고도…….

안스는 쓰게 웃으며 물었다.

"그러면 디아딜로테, 하나만 부탁해도 됩니까?"

"말해 봐요."

"'시노드 신넬로 돌아가는 방법'이요. 티를 시노드 신넬로 가는 법황의 소식꾼으로, 저와 아펭글로를 티의 경비병으로 만들어 주세요."

모든 복잡한 문제가 해결된 뒤 어떻게 돌아가야 할지도 고민해야
했다. 반년이 넘는 항해라면, 무작無爵의 여자가 배를 타긴 힘들 것
이다. 아펭글로가 제안한 보급선에 타는 것도 최악은 아니었지만,
티티라가 못내 걱정되어 함부로 선택할 수 없었다. 결국 그다지 영
리하지 않게 생각해 낸 방법은 법황의 권위를 빌리는 것.

디아딜로테는 눈썹을 치켜올렸다.

"왜, 굳이? 그래도 노력해 보죠."

자신이 받을 수 있는 최선의 답변이었다. 안스는 고개를 꾸벅 숙
여 감사를 표했다.

그러나 그녀는 생각에 잠긴 듯한 표정으로 다시 입을 열었다.

"아니. '왜 굳이?'라는 생각은 변함이 없어요. 그대들을 사제왕의
하수인으로 만들고, 법황에게 암묵적 보호 맹세를 받아 내는 편이 낫
겠어요. 법황은 본인 이름을 쓰는 데 있어 굉장히 까다로우니까요."

"……."

"다만 바를라암은 자숙이 필요하기 때문에 시노드 신넬에 사
람을 보내기 힘들어요. 때문에 다른 사제왕의 이름을 빌려야 하
죠……. 아, 나는 탈란타우에의 후계자와 종종 편지를 왕래하였어
요. 그러니 셋 다 탈란타우에의 깃발 아래에 들어갈 수 있도록 챙
길게요."

"탈란타우에의 후계자와 친하시다고요?"

"그래요. 우리 둘 모두 평범하다고는 할 수 없는 여성 후계자였
으니 간혹 이야기를 나누곤 했지요. 나야 수도원으로 물러났다지
만 그래도 옛정은 남아 있어요."

"……감사합니다."

기묘한 기분이었다. 이미 죽었지만 아직도 죽이고 싶은 '탈란타우에'의 도움을 받는다니.

아니, 내가 이상해할 것은 없지. 진짜 이상한 느낌을 받아야 하는 건 티겠지. 그 애는 자기가 죽인 남자들의 딸들에게 꽤나 큰 도움을 받게 될 테니. 그 대비가 왠지 조마조마하면서도 웃겼다.

안스는 배어나는 웃음을 삼키곤 다시 한번 말했다.

"감사합니다."

"큰일도 아니죠. 바를라암이 시노드 신녤에 남긴 자산이 있는데 관리를 위해 사람을 보내야 한다, 그러나 지금 우리가 공식적으로는 어수선한 죄인이라 한동안 운신이 어려우니 도와 달라, 정도면 될 것이에요. 아니면 그대가 말했듯 아예 숨기지 않고 어린 동생의 요양을 위해 보내야 한다는 말도 좋군요. 애초에 법황이 어깃장을 놓을 권한도 없으나, 그자와 합의해야 하는 이유는 '바를라암'이 떠난다는 사실을 숨길 수 없기 때문이지요."

"법황은 어떻게 생각할까요?"

"어차피 그대를 눈앞에서 치워 버리려고 승계를 허락한 자예요. 그대가 잘되는 꼴을 보기 싫다는 감정적인 부분을 제하면, 딱히 반대할 이유는 없죠."

그에 안스는 문득 걱정이 들었다.

"법황, 그 작자는 항상 감정적이던데……. 그냥 제가 잘되는 꼴이 싫어서 반대할 확률도 높지 않을까요?"

"네. 높아요."

할 말을 잃은 채 그녀를 바라보았다. 디아딜로테는 무표정하게 말했다.

"그러나 그것은 신경 쓰지 않아도 돼요. 아무리 법황이 진실을 안다 하더라도 사제왕의 개인 심부름꾼을 수색할 수는 없어요. 시노드 신넬을 개척한 사제왕에 맞서 법황이 수송품을 차단할 권한은 전무하다고 해도 과언이 아니지요."

"아…… 그러면 그냥 처음부터 법황을 무시하고 일을 진행해도 되는 거 아닙니까?"

"그건 제 고약한 성격 때문이에요. 당신을 무시한다는 사실을 법황에게 알려 주고 싶어서."

안스는 뜨악한 시선으로 그녀를 바라보았다. 정말이지 법황 입장에선 차라리 제 전에 있던 '안스카리우스'인지 뭔지가 훨씬 나았을 것이다. 그나마 회유가 통하는 상대였으니까. 디아딜로테는 바를라암의 친족들 중 제일 법황을 싫어하는 사람처럼 보였다…….

"아무튼 그 부분은 걱정하지 말아요. 시노드 신넬로 향하는 배 안에서 사제왕의 권력을 보면, 왜 그들이 새로운 대륙을 개척하고 싶어 했는지 고스란히 드러날 테니까요."

디아딜로테는 다시 펜을 들었다.

그러다 문득 속눈썹이 확 들리며, 제게 시선이 향했다.

"그대가 준비해야 할 것은 미치지 않는 것이에요."

안스는 한숨을 쉬었다.

"안스, 머릿속에서 계속 생각해 봐요. 그대 마음속에 완전히 새로운 사람, 생각이 흘러 들어온다면 어떻게 냉정을 유지할지."

그녀는 그 말을 끝으로 다시 서류에 전념하기 시작했다.

티티라는 안스의 실없는 소리에 언짢은 표정을 지었다.

"뭐? 내가 네 아버지도 죽이고 탈란타우에 놈팡이도 죽여서 그 후계자들에게 도움받는 게 꺼려지진 않느냐고?"

"농담이야, 농담."

"우리가 시노드 신넬로 가려면 필요한 것들이잖아. 고마울 따름 이지."

절대 '죄송'하지는 않았다. 죽은 장본인들은 목숨 빚을 치른 거니까. 하지만 남아 있는 이들에게 아주 조금은 안타까운 마음이 들었다.

"안스, 너랑 아펭글로만 간다면 모를까, 내가 끼면 일이 복잡해 지니 어떻게 시노드 신넬로 갈 수 있을까 나도 계속 고민이 되더라. 그러니 진심으로 고마워. 법황 신세를 지는 것보단 훨씬 낫지."

"그런데 아무리 그래도 남장은 해야 해."

티티라는 시선을 돌려 그의 엄격한 표정을 발견해 냈다. 갑자기 옛날 생각과 함께 웃음이 비어져 나왔다. 어릴 적, 우리가 함께 배를 타게 되면 어떨까 잡담을 나누었지……. 이런 식으로 타게 될 줄은 몰랐을 거야.

"그래, 남장. 눈에 안 띄려면, 해야겠네."

"남장을 하고도 바깥과의 접촉은 최소로 해야 해. 나나 아펭글로 가 적당히 쳐 낼 테니까 목소리, 연기 연습이나 해 둬."

"거참, 사사건건 잔소리하네. 한번 말하면 잘 알아듣는다니까."

안스는 곧이듣지 않고 또 참견했다.

"시노드 신넬에 도착하면 정말 다 끝난 것처럼 보이겠지만, 이즈 버르는 안 돼. 듣자 하니 그 도시에선 내가 얼굴을 드러낸 채 돌아 다녔다고 하더군. 정말 아무짝에도 쓸모없는 인간 같으니라고."

티티라는 약간 두려워하는 기색으로 덧붙였다.

"그럼 소조폴은 되려나……?"

"거기선 얼굴을 안 보였대. 그러니 가도 되지 않을까 싶은데, 자세한 건 내 안의 이놈이 깨면 좀 더 알 수 있겠지."

"소조폴을 고집하진 않아. 조금이라도 위험하면 다른 도시로 가자. 시노드 신넬이라면 어디든 좋아."

안스는 몸을 숙여 침대에 앉은 그녀를 껴안았다.

"소조폴도 괜찮을 거야. 몇 달, 몇 년 정도 조심하면 말이야……. 그런데 교국의 지배 권역이 확장되면— 물론 탈란타우에는 죽고 바를라암은 미친 상황에서 아주아주 오래 걸리겠지만—"

티티라는 검지를 들어 그의 입술에 턱 가져다 댔다. 그가 당황한 듯이 눈을 굴렸다.

"안스, 너무 먼 미래는 생각하면 초조해져. 해결할 수 없는 문제잖아. 그러니 현재만 생각하자."

"……."

티티라는 곧이어 안스의 양 뺨을 감쌌다.

"너는 기억이 돌아오면 어떻게 할지 좀 더 깊이 생각해 봐. 그게 당장 코앞에 닥친 일이니까."

그는 부루퉁해졌다.

"너나 디아딜로테나, 문제를 좀 외면해 보겠다는데 바득바득, 아주 짜증 나."

티티라는 걱정과 애정이 담긴 시선으로 그를 바라보았다.

언제 닥치리라는 기한이 없는 기다림은 정말 사람을 병들게 하기 충분할 것이다. 긴장하며 하루, 이틀, 보름, 한 달을 기다렸는데 기억이 하나도 변하지 않으면 미칠 노릇일 테니까.

티티라는 말없이 그를 다시 껴안았다. 무슨 일이 있어도 곁에 있는다고 했으니, 거듭 다짐할 필요는 없었다. 대신 그의 등을 가만히 쓸어 주었다.

'그날'은 하루, 이틀보단 길고, 보름, 한달보다는 짧은, 어느 평범한 시점에 닥쳤다.

티티라는 잠든 안스의 머리칼을 살살 매만졌다. 어제 디아딜로테와 밤늦게까지 이야기를 나누고 오더니 아무래도 피곤했는지 그대로 제 곁에 엎어진 모양이었다.

"씻지도 않은 거 아니야?"

그녀는 '으ー' 하는 표정을 지었다. 그러나 손은 여전히 그에게 찰싹 붙어선, 더 열심히 얼굴을 뜯어보았다. 물론 거기서 멈추지 않았다. 제 마음속 고약한 욕심이 엄지를 들어 그의 양 눈가를 쓸었다.

그에게서 떨어져 나온 손은 아침이라곤 믿을 수 없을 만큼 깨끗했다. 그래도 괜히 중얼거렸다.

"눈곱."

대답은 없었다. 얼마나 깊이 잠들었는지 안스에게선 깨어날 기미가 보이지 않았다.

그때, 누군가 문을 두드렸다. 두터운 문 너머에서 목소리가 들렸다.

"돔니니 님, 안녕히 주무셨습니까?"

"네."

"다름이 아니오라, 본관에 아펭글로 님께서 방문하셨습니다. 각하와 약조하였다고 하는데, 확인을 부탁드려도 될지요?"

"아, 잠시만요."

티티라는 안스의 어깨를 흔들었다.

"야."

넌지시 건넨 말에도 꿈쩍하지 않아, 의아해하며 다시 한번 그를 깨웠다. 이번엔 어찌나 거칠었던지 침대가 따라서 요동칠 지경이었다.

종내 그의 눈썹이 살짝 움직였다. 티티라는 잠꾸러기 녀석을 수마睡魔에서 건져 냈다고 생각하여 의기양양하게 양 뺨을 쥐었다.

"아펭글로가 기다린대. 씻고 나가."

곧이어 안스의 눈꺼풀이, 이마가 꿈틀거렸다.

그녀는 제 임무를 완수하여 뿌듯한 태도로 침대 아래로 폴짝 뛰어내려 갔다. 방을 한 바퀴 돌아 안스가 자주 걸치는 가운을 들고 걸어왔다.

"자, 받아. 내가 얼마나 친절해?"

그가 눈을 떴다.

오랜 친구의 시선은 붉게 칠한 그림 속, 실수로 쏟은 진한 파랑 같았다. 그 선연한 대비가 해가 적은 곳에서도 그를 빛나게 했다.

티티라는 저도 모르게 손을 뻗어 만질 뻔했다. 헛기침과 함께 다시 가운 아래로 모든 것을 숨겼다. 태연한 척.

"빨리."

그의 동공 아래 시선이 점차 분명해졌다. 날카롭다기보단 명료해졌다. 그는 그렇게 누운 채 물끄러미 자신을 바라보았다.

정적.

달팽이 같은 모습에 속이 답답해져 왔다. 그러자 말은 더 많이, 급하게 달려 나왔다.

"아펭글로가 기다린다잖아. 오후에는 또 디아딜로테랑 논의해야 할 텐데, 일어나야지. 조금만 더 수고해."

"……."

그에게선 아무 반응이 없었다. 귀가 막힌 것도 아니고 눈이 먼 것도 아닌데, 듣지도 보지도 못하는 체했다.

아! 눈썹이 움직였다. 어디로……? 그녀는 시선을 따라가다, 마지막에 머무는 곳이 제 맨허벅지인 것을 보곤 인상을 찌푸렸다. 아니, 단지 불쾌해하는 데서 멈추지 않고 가운을 휘둘러 안스의 어깨를 때렸다.

"어딜 봐? 그럴 시간 없어."

"아펭글로와의 약속은."

안스의 목소리는 불쑥 튀어나왔다.

"취소해."

티티라는 기가 막혀 그에게로 고개를 들었다. 아직도 우리 중 게으른 인간이 남아 있다니 용납할 수 없었다. 심지어 자신마저 항해나 군 편제 관련 자료를 정리하고 있었지 않나. 그런데 누구도 아닌 안스가 늦장을 부리겠다고?

"이봐요, 정신 차려. 나한테 교국 보급선에 대해 배워야 한다고 말했잖아. 그걸 아펭글로가 아니면 누가 알려 줘? 늦장 부리면 안 돼."

"……."

안스는 제 말을 전혀 듣고 있지 않았다. 여전히 침대에 바짝 엎드려 있었는데, 물 먹은 천처럼 늘어져 있다기보단, 무언가…… 천천히 주변을 파악하는 듯한 느낌이 들었다. 깊은 잠에서 깨어나 잠깐 동안 현실을 깨닫지 못하는 사람처럼, 긴장이 엿보였다.

"아…….."

"안스, 물론 너무 피곤하면 쉬어야겠지만, 조금 늦게 잔 걸 가지고 엄살이라니. 어제 내내 편히 바를라암 관에 있었는데 투정 부리기엔 좀 부끄럽잖아."

"…….."

이상한데.

그가 눈을 뜨고, 찡그리고, 초점을 흐렸다가, 미세하게 떨며 정상으로 돌아오는 게 몇 번째인지 도무지 셀 수가 없었다.

아귀가 맞지 않는 건물을 바라보는 느낌이었다. 무생물이 삐걱거리며 일어섰다. 와르르 무너졌다. 이곳저곳을 접붙인 뒤 가까스로 섰다. 그러나 겨우 지탱하고 있을 뿐.

마침내 안스가 자리에서 상체를 일으켰다. 그러나 여전히 침대에서 떨어지지 않은 채 양손으로 얼굴을 누르고 있었다.

티티라는 침대를 빙 돌아 그의 앞으로 갔다. 얼굴을 빈틈없이 가린 손을 치우고, 뺨에 살짝 손을 대 보았다.

"어디 아파?"

순간, 안스의 손이 제 손등을 움켜쥐었다.

티티라는 습관처럼 무방비하게 있다가 놀라 신음을 흘렸다. 손을 바스러뜨릴 듯 강한 힘이었다.

"아!"

"티."

어쩐지 빈정거리는, 떠보는 듯하는, 동시에 지독히 낮은 목소리

였다. 고작 제 이름이나 한마디 불리고도 움찔 물러날 수밖에 없는
음성.

"아펭글로와의 약속은 취소해."

그의 손아귀에서 힘이 풀리는 것과 동시에 목소리도 부드러워졌
다. 바다에 밀물이 들어오듯이 자연스러웠지만, 그 빠른 변화에 조
금 소름이 돋기도 했다.

"……음, 이유라도 이야기해 봐. 아펭글로를 그냥 돌려보낼 수는
없잖아."

"생각할 시간이 필요하다."

문득 등골이 서늘해졌다. 왜인지 알 수 없었다.

아니, 알았다.

티티라는 황급히 그의 양손을 붙잡았다.

"기억이 돌아왔어?"

그는 대답하지 않았다. 대신 뚫어져라 제 눈을 바라보았다. 시선이,
콧날이, 턱이 기울어…… 냄새를 맡듯 제 관자놀이까지 다가왔다.

그가 중얼거렸다.

"생각 중이라고 했지."

귓가에 가까워, 혀가 잇새에 닿는 소리까지 들렸다.

그는 다시 부드럽게 물러났다.

티티라는 주춤거리다 한쪽 무릎을 꿇었다. 만일 우리가 내내 각
오했던 대로…… 기억이 돌아왔다면…… 내 앞에 있는 사람은 안
스카리우스일까? 아니면 안스 그대로일까?

그녀는 힘이 풀려 완전히 땅바닥에 주저앉았다. 그러나 곧 제게서
떨어질 줄 모르는 눈빛을 깨닫곤, 더듬더듬 그에게서 등을 돌렸다.

"조용히 할게."

"……."

"신경 쓰이면 나갈게. 말만 해."

"……."

티티라는 눈, 코, 입, 그리고 주먹까지 꽉 닫은 채 버렸다. 그러나 정적은 그녀의 마음속에 각양각색의 불안을 불어넣었다. 생각해 보니…… 방금 전 쟤가 '안스' 같은 태도를 한 번이라도 보였던가? 설마 '약속'이 미쳐 돌아가 또다시 '안스'를 내게서 빼앗아 간 걸까?

그녀가 공포에 폭발하기 직전—

"'겨울 친구'를 알려 주었군. 그건 내 노랜데."

티티라는 돌아보려는 자세 그대로 얼어붙었다.

"너무 오래된 기억이고, 너도 어른이 되어 노래 따위에 관심이 없는 줄 알았지. 그런데 이건, 바로 얼마 전이네."

"……."

"나를 떠올리며 노래를 가르친 건가? 징그럽게 왜 그랬어? 새로 관계를 잇는다고 생각했든, 내가 돌아오길 고대했든 소름 끼치는 짓이다."

그는 그의 몸속에 든 두 사람을 투시하듯 이야기했다. 그러나 한 발자국 바깥에서 바라보긴커녕, 그 진창 안에 온통 빠져 있었다. 문장 하나에도 높낮이가 서너 번은 바뀔 정도로 불안정했다.

그의 옷자락이 바스락거리는 소리, 한숨과 신음 소리가 두서없이 뒤섞였다.

그 사이에서 자신이 이해한 것은 단 한 문장이었다.

"시간이 필요하다."

제 뒤에 있는 사람은 절반은 안스인 듯, 나머지 절반은 안스카리우스인 듯 행동하고 있었다. 그녀 스스로도 둘을 제대로 구분할 수 없겠단 생각에 감히 뒤를 돌아볼 수 없었다.

물론 안스와 자신은 그가 더 이상 '안스'가 아니게 될 때의 일을 종종 이야기했다. 안스는 시종 불쾌한 표정이었지만, 이미 코앞으로 다가온 미래를 외면하는 성격이 아니었기에 대화에 성실했다.

"티, 기억이 돌아오면 넌 어쩔 건데? 나야 스스로와 싸우느라 바쁘겠지만, 너도 '놈'을 어떻게 대할지 생각하느라 곧 깨질걸."

"뭐가 '놈'이야? 어차피 넌데. 너처럼 대하면 돼."

"나부터 내가 어떤 인간이 될지 모르겠는데 어떻게 '날 대하듯이' 해. 너, 내가 아닌 생판 남도 '날 대하듯이' 할 거야? 그건 싫어—"

"아니. 안스, 네가 '안스카리우스'를 맨날 죽이고 싶어 안달하니까 대책이 없다고 생각하는 거지. 적대감을 좀 낮춰. 그 사람은 네 적이 아냐. 너랑 정말 비슷하니까, 너의 또 다른 가지라고 생각해 봐."

조금 쓸모 있는 말들이 나왔다. 그래. 안스와 안스카리우스는 꽤나 닮았다. 결국 같은 사람이기에, 안스의 지휘 아래 성격이 스며들면 흔적 없이 자연스러워질 것이다…….

불안한 가운데 가까스로 스스로를 다잡았다.

티티라는 이 순간에 이르러서도, 안스에게 사제왕 위를 내려놓으라 충동질한 것이 후회되지 않는단 사실에 환멸감을 느꼈다. 아니, 아니다. 솔직히 환멸감보다 흥분한 마음이 컸다. 조마조마하고, 기대하고, 미지의 선을 밟듯 가슴이 쿵쾅쿵쾅 뛰었다.

안스카리우스.

누군가 제 속에서 속삭였다.

'흰 벼락'이 마지막이라는 건 말도 안 돼. 그치? 나는 그 우울한 죽음을 가만두지 않을 작정이었어.

그렇게 짓씹은 뒤에야 제 머리도 냉정해졌다. 좁아졌던 시야가 늘어났다. 그녀는 자세를 고쳐 앉았다. 침착한 태도로 상대를 인내할 생각이었다.

시간이 얼마나 지났는지 모르겠다. 이렇게 발치에 주저앉은 우스꽝스러운 꼴을 지켜보자면 아예 나가라고 할 법도 한데, 안스는 묵묵히 자신을 기다리게 했다.

"……."

낮게 깔린 침묵 속에서 이해할 수 없는 소리가 들렸다. 그 소리가 칼날처럼 제 긴장을 끊어, 저도 모르는 사이 몸을 반쯤 뒤로 돌렸다.

그녀는 눈을 가늘게 뜬 안스와 시선이 마주쳤다.

"시간이 좀 더 필요한데."

티티라는 고개를 끄덕이곤 자리에서 일어섰다.

"그래도 이쯤이면 피해 줘야겠지. 아펭글로도 영문 모른 채 기다릴 테고…… 내가 나가서 만나 볼게."

"안 돼."

"……."

"약속을 취소한단 소식만 전하고, 너는 여기 있어."

"……내가 당장 도와줄 수 있는 것도 없잖아."

안스는 달려들 기세로 자신을 노려보다가, 동시에 당황한 듯 갈피를 못 잡았다. 헛웃음을 짓던 중 삽시간에 혐오로 얼굴이 일그러졌다. 그는 매 순간 서로 다른 감정에 양쪽 팔을 붙들려 어쩔 줄 몰라 하는 사람처럼 보였다. 생각이 너무도 많아 그중 하나를 선택하는 것조차 어려운 모양이었다.

그렇게 산산조각 나던 그가—

"내가 누누이 말했지. 너는 안스의 대용품으로 나를 봤다고."

티티라는 소스라치게 놀랐다. 지금까지 '안스'가 말하고 있지 않았던가?

티티라는 자리에서 벌떡 일어섰다. 상대의 곁을 지킬 수 있으리라 생각했는데, 그가 더 이상 안스가 아닐 수도 있다는 생각에 소름이 돋아 견딜 수가 없었다.

그녀는 경계하듯 팔을 앞세웠다.

그리고 곧장 그런 자신에게 혼란스러워했다. 그동안 안스카리우스가 돌아오길 바랐으면서 지금은 또다시 겁먹고 물러난다고?

물론 복잡하게 생각했다간 제 머리가 먼저 터져 버릴 것 같았기에 전부 그만두었다. 티티라는 무턱대고 손 닿는 곳에 있는 화병을 움켜쥐었다. 꽃을 버린 뒤 마구잡이로 끌고 오자, 줄줄 흐른 물이 옷을 적셨다. 그녀는 망가진 꼴에 아랑곳하지 않은 채 스스로를 보호하듯 빈 화병을 치켜들었다.

"누구야?"

그의 표정엔 변함이 없었다.

"생각 중이다."

깨닫지 못한 사이 두려워하는 목소리가 새어 나왔다.

"안스카르……?"

"아니야."

"거, 거짓말."

티티라는 더듬고도 부끄러운 줄을 몰랐다. 새하얗게 질린 채 화병으로 그를 삿대질했다.

"내가 어렸을 때 제일 좋아했던 과일이 뭐지?"

그의 얼굴에 처음으로 감정이 비쳤다. 기가 막힌다는 기색이었다.

"너, 과일 싫어했잖아."

"……그러면…… 블리조 씨가 애용하던 단검의 이름은?"

"'창살.'"

"……."

"그리고 나는 어젯밤에 디아딜로테와 바를라암 지역구에 대해 이야기하고 새벽 세 시쯤 들어왔지. 디아딜로테, 그런 체력이라니. 수도원에서 고행하던 인간들을 더 이상 무시할 수 없겠더라니까."

"……."

"그만하지? 안 그래도 복잡한데."

티티라는 시야가 흐려지는 것을 느꼈다. 아, 순식간에 긴장이 풀리며 눈물이 차오른 것이다. 그녀의 손에서 화병이 떨어져, 카펫 위로 둔탁한 소음을 냈다. 뎅, 덜걱, 덜그럭. 소리에 맞추어 몇 걸음 고꾸라지듯 뛰어갔다.

그녀는 안스를 껴안았다.

그의 품에선 어젯밤 잠자리의 냄새가 났다.

작은 한숨 소리와 함께 마디 굵은 손이 등을 감쌌다. 단단히 껴안긴커녕, 섬세하게 옷자락을 쓸어 주었다. 그러니까, 그는 살도 붙이지 않았다. 그저 아슬아슬하게 제게 닿아 있을 따름이었다.

아— 이게 아닌데.

티티라는 평소와는 다른 안스의 태도에 또다시 불안감을 느꼈다. 억지로 그의 손을 잡아당겨 제 등에 얹었다. 그가 멈칫했다. 그녀는 고개를 들곤 횡설수설했다.

"안스? 하지만 네가 아닌데⋯⋯. 난 누구보다 널 잘 알잖아."

"'나' 맞아."

"그러면 말투는 왜 그래? 왜 날 꽉 껴안질 않아?"

"글쎄? 무슨 말인지 모르겠다."

"빙빙 돌리지 말고 정확히 말해. 안스? 안스카르? 기억은 누구 거야? '주인'이 누구냐고 묻는 거야."

안스는 자신을 밀어냈다. 한 뼘 거리에서 얼굴을 빤히 바라보더니, 불쾌하다는 투로 —여기서 그녀는 또 겁을 집어먹었다. 안스가 아니었다.— 중얼거렸다.

"'주인'이라니. 단어가 마음에 안 든다."

티티라는 숨넘어갈 듯이 재촉했다.

"그게 중요한 게 아니잖아. 제발 네가 누군지나 먼저 자세하게 설명해 봐—"

"나야. 안스."

"난 네 왼쪽 눈썹이 고작 모래알만큼 짧아져도 알아차릴 수 있어. 내 눈은 못 속이니까 제발 쓸데없이 고집 피우지 마."

"누가 널 속인대? 계속 '안스'라고 했잖아."

드디어 짜증스러워하는 기색이 배어났다. 가벼운 욕설이 튀어나

오기 전 들뜬 얼굴이 익숙했다. 그러니까, 안스다웠다.

티티라는 두려움과 희망이 섞인 시선으로 그를 올려다보았다. 그는 제 희망을 본체만체하며 여전히 그 스스로에게 집중해 있었다.

"그런데 이상하군."

"뭐가……?"

"이런 기분일 줄이야. 상상했던 것보다 더한데."

"……."

"나는 안스야. 하지만 내가 '안스의 대용품'이란 생각이 너무도 깊어서 구역질이 날 것 같다."

얼어붙은 사이, 그의 검지가 제 맨팔뚝을 쓸어 왔다.

"그런데 동시에 '안스카리우스에게 미치지 못했단 감각'도 나를 돌아 버리게 해. 서로 너무 다른 이야기를 하고 있어 머리가 쪼개질 것 같군."

"……."

"아, 잘못 생각했나. 네가 있어 다행인지 불행인지 모르겠다. 처음에는 네 기억을 중심으로 바큇살처럼 기억을 구축하리라 생각했는데, 이젠 너 때문에 감정이 찢어질 것 같아."

그는 물끄러미 자신을 내려다보았다.

안스라면 시선에 순수한 애정만을 품었겠지. 안스카르였다면 묵묵한 침묵으로 자신을 달랬을 것이다. 그러나 지금은…….

그가 대뜸 물었다.

"티, 절벽에서 왜 그랬지?"

심장이 쿵쿵 뛰었다.

"……뭘, 왜 그랬냐는 거야?"

"왜 자살하려 했는지 묻는 거야."

그는 태연했다.

상대가 만일 '안스카리우스'라면, 어떻게 저만치 무덤덤할 수 있는지 정말 알 수가 없었다. 그녀는 그때 정말 목숨을 걸었다. 악에 받쳐 투쟁했다. 지금도 기억을 떠올릴 때마다 사지가 벌벌 떨릴 정도의 감각이었다. 안스가 돌아와 훌륭한 삶을 살길 바랐다. 그 결심을 비수처럼 마음에 품고, 태어나 처음으로 제 몸까지 해쳐 가며 남을 위했다.

그러나 안스카르도 제 무게보다 덜한 것은 아니었다. 그는 자신을 위해 사제왕의 규칙이란 규칙은 모조리 위반했고, 심지어 아버지를 죽인 죄까지 용서했다. 그러면서 제게 숨기지 말라고, 삶을 간직하라고 이야기했었다.

그들은 그렇게 절대 부서지지 않는 무기를 들고 고래고래 소리지르며 싸워 댔다. 그 기억을 태연히 대화에 올리자 참 비현실적으로 느껴졌다.

티티라는 목멘 소리를 쥐어 짜냈다.

"너를 살려야 했잖아."

"확신하지도 못한 상태였지. 한데 대책 없이 낭떠러지로 떨어졌다."

"당신도 바다로 뛰어들었어."

그녀는 불쑥 대답하다가 그런 스스로에게 놀라 입을 가렸다.

"그랬지."

안스는 희미하게 웃었다.

철렁 내려앉았다.

"내가 그리 빌었는데도 절벽에 떨어졌다는 사실이 놀라우면서도 전혀 놀랍지 않군. 내 말은 네게 반 푼어치의 가치도 없으니까."

"말도 안 되는 소리……. 그때는 반드시 안스를 되살리고 싶은 마음뿐이었어. 어쩔 수 없었어……."

"글쎄. 여러 가지 이야기를 덧대어도 결국 네 선택을 명백히 보여 준 것이지……."

안스는 머리를 살짝 흔들었다. 그녀는 벌써 여러 번 목격한 그 움직임을 이제야 이해했다. 안스와 안스카리우스, 둘 중 한 사람의 입장에서 감정을 표현할 때, 입 밖으로 내뱉고 남은 조각들을 뭉쳐 보기 위해 뒤섞는 것 같았다.

그는 불쾌감이 서린 목소리로 중얼거렸다.

"안 되겠군."

"……."

"널 여기 두겠다는 건 내 욕심이었어. 포기하마. 잠시 나가 있는 게 좋겠다. 네가 있으니 충분히 이해할 수 있는 일에도 미친 듯이 달려들게 돼. 진정할 수가 없다."

티티라는 주춤거리며 일어섰다. 그가 불안정한 상황에 화를 북돋고 싶지 않았다.

몇 발자국 더 걸어갔다가, 문득 그가 있는 자리를 다시 돌아보았다. 안스는 상체를 숙여 얼굴을 보호한, 짐승 같은 태도로 꿈쩍도 하지 않았다.

티티라는 급하게 방을 나섰다.

안스는 홀로 남은 방에서 어두컴컴한 손아귀 안을 바라보았다.

그는 안스였다.

가까스로 뱃전의 키를 잡았으나, 한 가지를 떠올리면 두 사람이 동시에 의견을 내는 것 같아, 미치기 일보 직전에 있었다. 생각이 각각 한 쌍의 팔다리를 가진 듯 기괴하게 느껴졌다.

그는 안스카리우스였다.

잠에서 깨어난 순간, 안스카리우스의 기억, 생각, 감정, 심성, 참을성, 무던함, 여유로움이 파도처럼 닥쳐 기억의 항구를 완전히 무너뜨렸다. 배에 실려 있던 짐은 하나하나 옮겨지지 않았다. 시선을 돌린 순간 모든 도시가 공평하게 박살 나 있었을 뿐.

안스카리우스는 오늘 아침 일어나자마자 제 몸을 탐색했다. 그다지 달라진 것은 없었다. '흰 벼락' 때로부터 고작해야 석 달이나 되었을까. 시간 감각도 느껴지지 않았다. 자신은 그저 있었다가, 없었다가, 다시 생겨났을 뿐이었다.

그는 이와 가장 비슷한 감각을 찾아냈다. 안스가 십 년 만에 돌아오고도 시간의 흐름을 전혀 느끼지 못했던 것처럼, 그도 그러했다. 상실이 아쉽지 않았다.

제 마지막 기억은 물속에서 티티라를 구해 내던 기억이었다.

또한 안스의 첫 번째 기억은 물속에서 티티라를 구해 내던 순간이기도 했다.

이제는 모두 제 것이었다.

감정 또한 그러했다. 회색 지대 없이 온갖 빛깔의 색채가 터져 나왔다.

그러나 기억이든 감정이든, 서로 다른 사람이 쌓은 물건을 한곳에 두면 쉽게 엉망이 되는 법이다. 몰락한 항구 속 건물이, 물건이, 시체가 수없이 많이 들어찬 가운데 그는 길을 잃었다.

지금부터 무언가를 관찰하고 싶다면 폐허를 들추어야 했다. 그렇게 주운 조각을 샅샅이 밝혀야만 자신이 누구인지 정의할 수 있었다. 어떤 이름의 도시인지, 이 건물, 저 건물의 주인은 누구인지, 찢어진 깃발에 서린 이야기는 무엇인지 고민할 차례였다.

그러기 위해선 제 발치에 쪼개진 돌벽부터 해석하여 기억을 되밟을 필요가 있었다. 그는 이 도시에 대해 전혀 모르는 얼간이였으니, 이해하기 전에 생각할 수 없었다.

그는 잔해를 주워 올렸다. 그러니까, 제 목구멍을 넘어 드러난 최초의 잔해— 즉, 문장을 살폈다. 생각하여 내뱉은 결과가 아니라, 이미 존재하지만 자신은 모르는 것을 찾을 수 있는 단서였다.

아무 말이나 해 봐.

아—

"티."

이름을 부를 때마다 뭉근하게 느껴지는 온기가 자신을 따뜻하게 했다.

그는 잔해 속에서 '티'라는 단서를 하나 발견하여 선언한 셈이었다. 이제 실체가 드러났으니 그녀에 대한 진실을 되짚어가야 할 차례였다.

티.

그래, 티를 사랑했다. 그 애정은 오후 햇살에 달궈진 바다처럼 자신을 덮쳤다. 따뜻한 요람 같다가도, 언제든 자신을 짓누를 수 있다는 듯 굴었다. 그 격차가 그를 사랑하게, 아쉽게, 증오하게, 짜릿하게 했다. 그는 제멋대로인 상대에게 두서없는 애정을 품었다.

단서는, 풀어내는 데 성공했다. 너무도 쉬웠다.

그래서 이 조각의 주인이 누구라고? 모든 것이 가지고 싶던 철부지, 혹은 항상 갈증에 시달리던 금치산자—

'티.'

대답 없이, 단지 똑같은 호명이었다. 잔해는 잔해로 남아 있었다. 그 끝에 남은 얼룩을 털어 내고 흔적을 좇아도 '티'라는 이름은 어느 한 지점으로 이끌지 않았다. 모든 도시의 바탕이었다.

그는 구분할 수 없었다.

그들은 한 사람이었다.

티티라는 아펭글로에게 오늘은 이만 돌아가라는 이야기를 전했다. 수행인은 안스가 아닌 자신이 명령하는 데 의아한 모양이었지만 결코 되묻지 않았다. 잠깐 치켜뜬 눈을 제외하면 눈치챌 수 없을 정도로 고요하게 복종하여 떠났다.

그녀는 초조하게 옆방으로 들어갔다. 곧장 벽에 귀를 붙였으나, 쥐 죽은 듯 고요해서 힘이 빠졌다. 스르륵 미끄러져 앉았다.

그렇게 몇 시간이나 지났을까. 식사를 핑계로 들어온 하인들이 아니었다면 시간 감각도 없이 계속 그러고 있을 뻔했다.

티티라는 그들을 붙잡곤 혹시 '각하께서 본관으로 돌아가셨는지' 물어보았다. 그들은 당혹스럽다는 태도로 아직 나오지 않으셨으며 출입을 엄금하셨다고 전했다. 그 말 사이사이로, 대체 무슨 일이 있었는지 궁금해하는 호기심들이 비어져 나왔다.

그녀는 빵 한 쪽 들지 않은 채 그들을 내쫓았다.

중천에 떠 있던 해가 점차 기울었다. 얼룩졌다. 어두워졌다. 붉은색이 눈을 찌를 듯했다.

그때, 누군가 문을 두드렸다.

티티라는 날카롭게 소리쳤다.

"낮에 이미 말했을 텐데요."

"들어가도 되나?"

그녀는 아주 잠깐 지체했고, 그는 기다리지 않았다.

문이 열렸다.

'안스'는 태연하게 들어왔다. 잠시 방 안을 살피는 듯하더니, 구석진 곳에 구겨져 있는 그녀에게로 걸어왔다. 티티라는 무슨 반응을 보여야 할지 모르는 상태로 멍하니 그를 바라보고 있었다.

그는 그녀의 팔을 잡아당겨 일으켰다. 그 사소한 몸짓 하나하나가 제 친구답지 않아 가슴이 철렁 내려앉았다.

"티, 왜 이러고 있어?"

그녀는 궁금한 것이 너무 많았다.

고작 한나절 만에 '네'가 '누구'인지 파악해서 돌아온 거야? 다행이지만 너무 불안해. 그러면 넌 '누구'일까? 나를 어떻게 할 셈이지? 우리가 떠나기로 한 약속은 그대로야?

"디아딜로테에게 가야 하는데, 네가 이러고 있다는 이야기를 들어서."

티티라는 고개 숙인 채 입을 다물었다. 자신이 무슨 말을 하든 이 관계를 망칠 것만 같아 두려웠다.

—그렇게 멀리 창문을 바라보던 시야에 그가 불쑥 들어와 깜짝 놀랐다. 그는 몸을 숙이곤, 제 어깨에 손을 얹었다.

"괜찮아?"

"누구야?"

그녀는 반사적으로 질문한 뒤 그런 스스로에게 놀라 숨을 들이켰다.

안스는 손바닥을 제게 보이며 한 걸음 물러났다. 경계하지 말라는 양 부드러웠다. 물론 여유 속에서도 얼굴만큼은 지독히 무표정했다. 그 격차가 그를 더더욱 낯선 이처럼 보이게 만들었다.

그가 웃는 듯 얼굴을 일그러뜨렸다.

"네가 돌아오길 바랐던 두 사람 모두."

"……."

"마음에 들어 할 거라고 생각했는데, 이상하군."

티티라는 순간적으로 깨달았다.

자신은 '흰 벼락'에서와 똑같이 생각하고 있었다. 그때는 안스를 되살리곤 도망치고 싶었고, 지금은 안스카르를 되살리곤 도망치고 싶었다. 언제나 일을 저지르기만 하지, 그 뒤를 감당할 용기가 없었다.

"나만 받아들일 시간이 필요한 줄 알았는데…… 마찬가지였어. 정리가 되면 부르는 게 좋겠다."

그는 별다른 미련 없이 뒤돌아 떠나려 했다.

티티라는 저도 모르게 몇 발자국 뛰어 그의 옷자락을 잡았다. 그러니까, 우습게도 옷자락이었다. 살이 닿는 것은 엄두도 내지 못했다.

"설명해 줘."

고개를 푹 수그린 꼴로 세상에 다시 없을 바보 천치가 된 기분이었다.

물론 어른이 된 뒤 그 ―'그'가 '누구'든― 앞에만 서면 항상 모든 게 불안하긴 했다. 더하고 덜하고의 차이만 있을 뿐이지, 그를 이해할 수 없을 때마다 위태로움이 스며들었다. 그래서 익숙해진 줄 알았는데, 이번엔 정말 차원이 달랐다. 이제는 그가 어떤 생각인지를 떠나, 누구인지부터 알 수 없었으니까.

"날 똑바로 쳐다보면."

그녀는 홱 고개를 젖혔다. 상대의 치켜뜬 눈을 노려보았다.

"대답해."

"난 안스야."

안도하는 한숨이 나와야 할까? 그러나 그 모든 짓을 했는데도 안스카르가 조각나 형체 없이 돌아왔다면, 그 또한 눈앞이 캄캄하기는 마찬가지였다―

"그리고 안스카리우스이기도 하지."

"……."

"나는 안스로 안스카르를 바라볼 수 있고, 안스카르로 안스를 바라볼 수 있어. 우연찮게도 십 년씩 삶을 분할했기에 한쪽으로 기울지도 않는다. 그래서 네가 '주인'이라고 하는 것이 불만스러워. 적절하지 않은 단어야."

"……."

"내친김에 묻고 싶은데. 너는 절벽에서 죽은 '나'를 다시 데려오며 대체 어떤 결말을 원했던 건가?"

그에게서 눈을 뗄 수가 없었다. 신발 속에서 발가락이 꿈틀거렸다.

"안스가 '주인'인 채로 내 기억만을 앗아 가길 바랐나? 그런 경우라면 그걸 '되살아났다'고 할 수 있나?"

잠깐의 침묵. 안스는 ―티티라는 혼란 속에서 이 단어에 정착했다.― 눈살을 찌푸린 모습으로 무언가를 곰곰이 생각하는 듯했다.

"티, 네가 답을 줄 거라고 생각하지 않아. 너는 뒷일을 생각하지 않고 지르는 경향이 있으니까. 하지만 네 선택을 되새겨 보라는 거지."

"……."

"좌우간 나는 이 공존이 마음에 든다. 안스든 안스카리우스든, 상황이 훨씬 낫군."

"어째서……?"

절로 신음이 새어 나왔다. 안스카리우스를 질투하며 펄펄 날뛰던 안스였다. 그렇게 분노한 인격이 절반일 텐데 아무렇지 않게 굴다니.

안스는 무덤덤하게 중얼거렸다.

"'안스'는 망가질 뻔했지."

얼굴에서 핏기가 빠져나갔다. 나 때문에……?

"온전히 너 때문이라 하면 그건 불공평한 말일 거다. 그는 이미 교국에 온 순간부터 맞지 않는 옷에 욕심만 비대해진 소년에 불과했으니까. 그 태도는 십 년 동안 더더욱 커져 그 스스로, 그리고 너까지 할퀴었지. 그의 생각이야 어떻든, 그는 적응하는 데 실패해서 고꾸라진 셈이다. 교국이 그의 성정을 빨아들였어."

"……."

"물론 그를 탓하는 건 아니다. 어떤 훌륭한 이라도 공짜 권력에는 냉정하기 힘들고, 돌아오고 나서는 네가 그를 미치게 해 상황을 악화시켰지. 아무튼 결론적으로 상황이 안 좋았다. 그는 그 힘으로 무언가를 해야 한다는 압박감에 너무 시달렸어. 그러다 보니 더더욱 권력을 부렸고…… 권력을 부리는 데 넘어가 버린 인간들이 어떤지는 너도 보호 귀족들을 보아 충분히 알고 있을 거다."

매서운 해석은 티티라의 가린 눈마저 벗겨 낼 정도였다. 그는 그녀가 애정에 눈이 멀어 감쌌던 부분을 날카로이 도려내고 있었다.

그는 고개를 한 번 젓고는 또다시 칼을 들었다.

"아, 그리고 '안스카리우스'."

"……."

"어쨌든 그는 '안스'보단 생활이 나았어. '안스'와 달리 권력을 당연스레 받아들였기에 욕심부릴 필요가 없었지. 하지만 기억이 뚝 잘려 누구와도 진실 된 관계를 맺지 못했던가. 사람을 대할 때마다 자기도 모르는 스스로를 상대가 알고 있다는 불안감이 도사렸나 봐. 그게 그에게 뿌리 깊은 경계심을 심었고, 끊임없이 포기하도록 부채질했어."

티티라는 한 번도 듣지 못한 안스카리우스의 속내에 입을 벌렸다. 그가 항상 텅 비어 자신을 붙잡고 싶어 한다고는 생각했다. 아주 여러 번— 아니, 언제나. 하지만 단순히 잃은 기억 때문이라고 생각했지, 저런 마음은 상상하지도 못했다.

안스는 가볍게 양손을 들었다.

"스스로를 완벽히 이해할 수 있고, 조금도 거부감이 들지 않는 상대에게 조언을 듣기란 보통은 불가능하다. 나는 그런 면에선 행운아지."

"……."

"나는 이제 교국의 삶이 불안하지 않아. 기억에도 흔들리지 않는다. 내가 무엇을 원하는지 명확히 알고, 당연히 해결할 방법도 찾아낼 수 있다."

티티라는 그의 말에 반박할 수 없었다.

기억을 되찾은 뒤 두 사람이 공존하여 혼란을 겪을 거라고? 헛소리……. 그는 오히려 쇳덩이처럼 단단해 보였다. 안스나 안스카리우스가 불안해 보였던 구석이 전부 사라져 빈틈 하나 없었다.

그녀는 아까와는 다른 감각으로 한 걸음 뒤로 물러섰다.

눈앞에 있는 그가 낯설었다.

그녀는 두 사람의 채울 수 없는 불안감까지 사랑했기 때문이다. 어쩌면 그 때문에 더욱 사랑했을지도. 게다가 자신은 흔들리는 곳 투성이인데, 그는 저렇게 단단한 벽이라니 부자연스럽게 느껴졌다.

한순간, 그가 바짝 다가와 양 뺨을 감쌌다. 그의 향이 훅 끼쳤다. 잇새로 새어 나오는 듯한 소리가 들렸다.

"이상한 생각 하지 마, 제발."

그녀는 표정을 숨기기 위해 입술 안쪽을 베어 물었다.

"티."

"……."

"나는 너를 사랑해."

가슴이 크게 오르락내리락했다. 머릿속이 완전히 꼬여 토할 것만 같았다.

"네가 나를 바랐으면서, 도망칠 생각 하지 마."

티티라는 가까스로 입을 열었다. 목소리는 잔뜩 낮아져 있었다.

"안스……. 이제 보니 너보다…… 내가 더 혼란스러운 것 같네. 너는 괜찮은지 몰라도 나는 네가 한마디 할 때마다 '안스'인지, '안스카르'인지를 수십 번도 더 생각해."

그는 코앞에서 자신을 뚫어져라 바라보고 있었다. 조금만 더 기울면 입술이 닿을 정도로 가까웠다.

"생각하지 마."

"……."

"나는 둘 모두야. 네가 어떤 기억을 가졌든 그건 나와 함께 보낸 거야."

"……."

"그리고 누구도 아닌 네가, 모두를 바라고서 다른 소릴 할 순 없어."

여전히 하얗게 질려 있었지만…… 마지막은 확실히 옳은 말이었다. 자신이 돌아오게 해 달라고 떼를 써 놓고 뒷걸음질 칠 수는 없었다.

그녀는 주먹을 꽉 쥐며 중얼거렸다.

"두 사람이 합쳐졌는데…… 어떻게 그렇게 태연한 거야?"

"선후가 달라."

"……."

"네가 아니었으면 나는 미쳤을 테니까."

"……."

그의 시선은 진지하기 이를 데 없었다. 단단한 손가락 끝이 제 뺨을 파고들었다.

"안스와 안스카리우스는 그다지 비슷한 성격이 아니지. 살아온 삶은 정반대에 가깝고. 그렇게 다른 사람 둘을 붙여 놓으면 미치는 게 당연하다."

"……."

"그런데 우리에겐 부정할 수 없는 공통점이 있었어. 가장 깊은 곳에, 절대 분실할 수 없는……."

그의 숨이 느껴졌다. 흐린 말, 뭉근해진 입김이 닿자 목덜미가 뻣뻣해지면서, 저도 모르게 물러나려 했다. 그러나 곧장 이어진 그의 말이 그녀를 붙잡았다.

"너는 둘 모두를 붙잡았다."

"……."

"두 개의 완전히 쪼개진 물에서, 중간을 가로막고 선 수표水標였지. 나는 너를 향한 감정을 조심스레 살펴 기억, 생각, 태도를 조절했다. 그 덕에 한 사람을 만들 수 있었어. 그러니까…… 네가 아니면 불가능했다."

"……."

"그런 네가 떠날 생각을 하고 있다면, 네 손으로 날 죽이는 거란 사실만 알아 둬."

티티라는 무슨 말을 하려다가 꾹 닫았다.

아니, 결국 이기지 못하고 입을 열었다.

"안스, 정말 거기 있는 거 맞지?"

이 바보 멍청이. 정작 안스가 있을 때는 온갖 불평을 해 댔으면서, 이제 와 다시 안스를 찾는다니.

그의 이마가 살짝 꿈틀거렸다.

"여기 있잖아."

"……."

"못 믿어? 어떻게 증명해야 해?"

답을 줄 수 없었다. 그녀는 멍하니 그를 바라보았다. 너무도 가까워 속눈썹이 닿을 것만 같은 거리였다.

안스가 한숨처럼 내뱉었다.

"티, 나는 널 이해할 수가 없어."

"……."

"내가 꼬맹이 같은 정신머리로 돌아왔을 땐 날 질려 했으면서."

아, 그의 말이 옳았다.

티티라는 잔인할 정도로 정확한 지적에 상처받았다. 사실 '흰 벼락'에서 안스를 처음 만났을 때 느꼈던 찬란한 빛은 꽤나 빠르게 저물었다. 여전히 빛이었지만, 타오르지는 않았다. 단지 그곳에 있었다. 그에 대한 제 감정도 그러했다.

아마, 우리가 헤어지고 보지 못했던 시간 동안 소년이 조금 변했기 때문이리라. 티티라는 기억 속 그대로도 아니고, 그렇다고 성숙한 것도 아닌 친구의 애정을 온전히 받아 주기 힘들었다.

정말 두려운 건…… 스스로 상상 속의 안스를 너무도 깊게 파고든 나머지, 그가 어렸던 모습에서 변하는 걸 조금도 용납하지 못한 걸까 하는 생각이었다. 그저 서로밖에 없었던 어린 시절을 나이깨나 먹은 꼴로 반복하는 게 참 답답한 일인데 —내가 그걸 바랐던 건 아니라고 믿지만— 마음이 너무 복잡했다.

"난……."

티티라는 제 입에서 흘러나온 소리라는 것을 깨닫고 흠칫 놀랐다.

안스의 손이 귓가를 어루만졌다. 조금도 멀어지지 않은 채로, 자신을 부드럽게 따라 했다.

"'난'?"

그녀는 눈을 꾹 감은 채 말을 이었다.

"……요새 들어 가끔 생각했어. 널 너무 사랑하지만, 안스가 계속 시노드 신넬에 있었다면, 예견된 인생처럼 상인이 되어 소조폴로 돌아왔다면, 지금 같은 감정을 느낄 수 있었을까."

"나를 연인으로 보기 위해 '안스카리우스'가 필요했다면서? 그 이야길 하는 건가?"

안스와의 내밀한 대화를 읊조리는 안스카르에게 흠칫 놀랐다. 익숙해질 수 있을까.

"그래……. 맞아. 그런데 기기서 누락한 게 있어. 나는 아무리 시노드 신넬에서 자랐다 하더라도 '십 년'은 긴 세월이라는 걸 깜박했어. 십 년 동안 사람은 변해. 물론 안스카르처럼 기억을 잃어 완전히 다른 사람이 되진 않았겠지만, 어쨌든 너도 서서히 변했겠지. 어른이 됐겠지."

"……."

"그런데 솔직히 나는 네 변한 부분을 견디지 못했어. '안스'가 나랑 떨어져 있던 건 고작해야 한 해, 두 해인데……. 그조차 거슬렸다고……. 그렇다면 십 년이 지났을 때, 우리가 과연 맞물리는 조각이었을까. 나뿐만이 아니라, 너도."

"나는 널 사랑했을 거다."

"짐작일 뿐, 뭘 알고 말하는 건 아니지."

"티, 이미 증명했을 텐데. 난 기억이 흘러 나가도 널 사랑했잖아."

그녀는 침묵했다.

또 한 번 그의 말이 옳았다. 그는 기억을 잃고도 다시 자신을 사랑했다는 사실만으로 반박할 수 있었다. 솔직히 그녀도 그걸 모르진 않았다.

그러니, 어쩌면 공범을 만들려 했던 건지도 모르겠다. '나 말이야. 십 년을 더 자란 널 사랑하지 않았을 수도 있어. 너도 그렇지 않아?'

십 년 전 그를 향한 감정이 사랑이라는 건 뒤늦게 깨달았다. 하지만 그렇다고 지금까지 사랑할 의무는 없는 거잖아. 그사이 세월이 바다처럼 놓여서 사람이 변했다면? 의심이 끊임없이 꼬리에 꼬리를 물었다.

티티라는 그에 비하면 한없이 연약한 제 애정에 환멸이 났다. 흔들리다가, 끝끝내 모든 사람을 쫓아내 자신을 홀로 되게 만드는 제 물렁한 중심이 원망스러웠다.

안스가 자신을 떠나 더 좋은 사람에게 맹목을 바쳤으면 했다.

하지만 지금 그를 놓아줄 수는 없었다.

아, 염치도 없어.

"티, 네가 무슨 말을 할지 알 것 같은데…… 그 정도로 놀라진 않는다."

티티라는 기습당해 놀란 얼굴로 눈만 깜박였다. 안스는 정말로 태연해 보였다. 목소리의 높낮이도, 진지한 표정도.

"너를 사랑하는 감정 외에, '안스'와 '안스카리우스' 사이에 또 다른 공통점이 있었지. 뭔 줄 알아?"

침묵.

그가 작게 소리 내어 웃었다.

"네가 나를 사랑하지 않을 거라는 의심."

티티라는 자기도 모르게 몸을 뒤로 젖히려 했다. 그러나 뺨을 단단히 감싸 쥔 손에 옴짝달싹할 수 없었다.

"'안스'도, '안스카리우스'도 마찬가지야……. 너는 아무에게도 확신을 준 적 없다."

"……난 안스에겐, 네가 아니었으면 안스카리우스를 사랑하지 못했을 거라고 했어. 안스카르에겐, 안스는 과거고 너는 현재라고 했지. 둘 다 진심이었어. 둘 다 사랑했어."

그의 입가에서 웃음이 점차 사그라졌다. 일그러진 것은 아니지만, 이내 유쾌하다고는 볼 수 없는 얼굴이 되었다. 그는 앞으로 고꾸라지듯 이마를 기울였다. 그렇게 부딪혀 콧등까지 맞대었다. 이제 티티라는 그림자 속 눈밖에 볼 수 없었다.

그가 낮게 속삭였다.

"티, 너는 아무에게도 확신을 준 적 없다."

"……."

"네가 나를 사랑한다고 할 때에만…… 네 시선, 목소리, 몸짓에 정신이 팔려 있을 때에만 최면에 걸린 거지. 하지만 돌아서면 모조리 사라졌다. 네가 곁에 있은들 잠든 얼굴을 보면 낯선 이 같아 불안했어."

"……."

"가끔은 너를 다시는 만나지 않길 바란 적도 있었다. 물론 절대 떠나지 않겠지만, 그럼에도 내가 죽거나 네가 사라졌으면 좋겠다고 생각했다."

티티라는 오락가락하는 마음이 무엇인지 알았다.

안스가 다시 멀어졌다. 처음으로 그의 시선이 그녀가 아닌 허공을 향했다.

"네가 나를 사랑한다고 굳게 믿고 있다면, 그거야말로 대단한 착각이지."

그는 자기 비하처럼 내뱉고 엉망이 된 얼굴을 숨기지 못했다.

티티라는 급하게, 아무 의미 없을 줄 알면서도 선언했다.

"안스, 안스카르, 너를 위해서면 죽을 수도 있어."

"알아."

"……."

"단지 그다지 사랑하지 않는 것뿐이지."

티티라는 답답하여 작게 소리 질렀다.

"사랑해! 난 성격이 글러 먹어서, 내가 어디까지 희생할 수 있는지 이야기하지 않으면 증명을 못 했단 기분이 들어. 유형의 대가를 내놔야 한다는 압박감이 든다고. 안스, 너도 알잖아. 난 항상 그랬어. 그래서 '멋진' 저택보다 '만 금짜리' 저택이 더 와닿고, 사랑한다는 표현보다 진짜로 널 위해 죽을 수도 있다는 말이 더 와닿아. 사랑을 어떻게 증명해? 대신 난 너를 위해 죽으려 했잖아……."

급기야 애원했다.

안스는 고개를 젓더니 제게서 완전히 떨어져 나갔다.

"똑같은 이야기야. 나도 믿고 싶다. 아니, 네가 말할 때마다 진심이라는 생각에 토할 것만 같다."

"믿어, 그럼!"

"믿고 싶어."

"……."

"그러니……."

그가 어두컴컴해진 창밖을 흘끗 바라보았다.

"소조폴로 돌아가야지."

순간적으로 너무 많은 질문이 튀어나와 말문이 막혔다.

안스는 몸을 돌리던 중 제 새하얗게 질린 얼굴을 본 듯 설명을 덧붙였다.

"여기는 사람이 너무 많다. 다들 말, 행동, 생각…… 모든 걸 지나치게 많이 한다. 그래서 널 살필 여유가 없어."

"……."

"반면 시노드 신넬은 조용하겠지. 우릴 알아보는 사람이 없으니 이야기 나눌 시간만큼은 충분히 있을 거다. 그러면 기약하긴 어렵겠지만, 언젠간, 우리도……."

그가 한 발자국 물러났다.

티티라는 얼핏 포기한 듯한 시선을 보곤 참을 수 없었다.

몇 분 전까지만 해도 저 인간을 단단하다고 느꼈다니 믿을 수가 없었다. 그는 제 앞에선 미친 듯이 무력한 인간이었다.

누군가는 이런 자신을 이기적이라고 말할지 모르지만, 그래도 그 나약한 모습에 갑자기 심장이 쿵쿵 뛰었다.

그녀는 대번에 여러 걸음을 뛰어가 그를 콱 끌어안았다.

"떠나면 날 죽이는 거라느니 협박하고선, 이제 와 불쌍한 척을 하려고?"

"……."

"두 사람이 불쌍한 척하니 두 배로 미치겠네."

그의 손이 제 뒷머리를 파고들었다.

"티."

속삭임에 허리가 빳빳해졌다. 아니, 어쩔 줄 모르고 뒤로 쓰러지는 것을, 다시 한번 그가 받쳤다.

"바다가 얼었어."

"……."

"우리 세상이 변했다고."

"……."

"내가 잿더미가 되든, 물에 빠져 죽든 너만큼은 바뀐 겨울에서도 잘 살아야 한다."

'네게 파도를 돌려주고 잿더미가 되면

일렁이는 파도에 네 웃음이 들리면

겨울 속에 익사해도 미풍 같은 죽음.'

"다시는 네가 그 노래의 주인공인 척하지 않았으면 좋겠어. 넌 아무 고생도 하지 마. 내가 누구인지 고민하지도 마. 그냥 좋은 것만 보고, 재밌는 일만 하면서 즐겁게 보내."

그녀는 울컥하여 고개를 젖혔다.

"불쌍한 척하지 말라고 했지—"

"이게 '불쌍한 척'인가? 단지 널 사랑한다고 말하는 거야."

티티라는 처음으로 안스를 이해했다. '너를 위해 죽을 수 있다.' 는 제 말이 사랑 고백처럼 들리지 않는 이유. '네가 잘되기만을 바란다.'는 희망이 사랑 고백처럼 들리지 않는 이유와 마찬가지였다.

그들은 각자의 팔다리를 잘라 먹어 보라고 권유하고 있었다. 그게 세간에서 말하는 아름다운 사랑인지는, 정말이지 어느 누가 알까.

그녀는 살짝 빠르게, 높아진 목소리로 말했다.

"……안스, 우리는 왜 이렇게 엉망이지? 난 입으로는 사랑한다면서 행복해지려 들긴커녕 부나방처럼 적을 만드네. 넌 나 같은 인간 말을 사랑한다며 따르다가 공격받고……. 둘 다 자해잖아……."

안스의 시선이 놀란 듯 커졌다.

"알고는 있군."

"안스, 이제 시노드 신넬로 같이 돌아가면……."

자신을 안은 그의 힘이 아주 약간 죄어들었다.

"우린 더 이상 그딴 짓, 안 해야 해."

"맞는 말이야. 넌 편히 살아야 한다."

"헛소리하지 마. 너도 그딴 짓 하면 안 돼."

"……."

"나 때문에 기억을 잃거나, 나 때문에 네 지위와 명예를 걸거나, 안 돼. 정말 못 살겠어. 한 번만 더 그러면 나도 죽을 테니까 각오해."

티티라는 아까 전 그의 말을 그대로 돌려주었다.

안스는 잘 읽을 수 없는 얼굴로 자신을 바라보고 있었다.

"둘 중에 누가 말하는 건지 계속 헷갈려 하고 있었는데, 둘 다 나 때문에 미친 짓을 하는 꼴을 보아하니 고민할 필요가 없겠다."

"……."

"넌 여전히 불안정해. 나 때문이야. 그게 기쁘면서도 슬퍼."

티티라는 까치발을 해 그에게 가볍게 입 맞추었다. 그는 처음 키스한 소년처럼 딱딱하게 굳어 버렸다.

"안스, 안스카르. 누구든……. 난 예전처럼 실수하지 않을 거야. 그러니 너도 실수하면 안 돼. 시노드 신넬로 돌아가서는, 정말 안 돼."

안스는 침묵했다.

그러나 이내 갑갑할 정도로 강하게 자신을 껴안았다.

그들은 잠시…… 어쩌면 정말 오랫동안 포옹했다.

티티라는 디아딜로테를 만나는 자리에도 함께했다. 그녀는 신기하다는 얼굴로 여러 가지를 꼬치꼬치 캐물었다. 그러다 문득—

"안스카르보다 안스 그대와 대화를 더 많이 나눈 것 같기도 해요. 이 부분은 미안하네요."

하고 자기반성을 하더니.

"안스카르, 돌아오니 어때요?"

태연하게 안스가 아닌, 죽었다 살아 돌아온 사람을 쪼개어 대했다. 티티라는 그녀의 건조한 태도가 부러웠다.

'안스'는 턱을 매만지며 시선만 누이를 향했다. 긴 속눈썹 아래, 노란빛에 감싸인 벽안이 날카로웠다.

"크게 달라진 건 없습니다, 누이."

"음."

"다만 감사드리고 싶을 따름입니다. 제 모자란 설득에도 무거운 짐을 덜어 주셔서 감사합니다."

"아니, 모자라지 않았어요. 안스의 논거는 타당했지요. 어떻게 생각할지는 모르겠지만, '그대'가 잠시 부재하여 다행이었어요. 그대는 법황을 너무 싫어하여 내 결심을 방해했을 테니까."

"……당신도 법황을 싫어하지 않습니까?"

"난 법황을 개인적으로 싫어하진 않는데."

안스는 조용해졌다.

디아딜로테는 무표정하게 말을 이었다.

"덧붙여, 법황은 내게 기분이 상한 것 외엔 아무 피해도 입지 않았어요. 아니, 오히려 바를라암이 풍파로 고꾸라지는 것을 반길 수밖에 없는 입장이지요. 그대는 아마 그처럼 법황이 상처 하나 없다는 사실을 용납하지 못했을 거예요."

"……."

"그렇게 고민하다 시간을 놓치는 것보단 차라리 사랑에 눈먼 이가 앞뒤 없이 저지른 일을 수습하는 편이 나아요. 안스카르, 대답해 봐요. 그대가 있었다면 안스처럼 굴 수 있었겠어요?"

"……"

그녀는 살짝 고개를 돌려 티티라와 눈을 마주쳤다.

"그대야말로 떠나기보단 벗을 가두었을걸. 실제로도 내실에 유폐시켰잖아요."

티티라는 이 상황에서 자신이 두 분의 아버님을 죽여서 그랬다고 말하기가 조금 그랬다. 대신 애매한 표정으로 허공을 바라보았다.

"네. 아마 그랬을 겁니다."

―기가 막혀 옆을 돌아보았다.

"당시엔 티가 어떤 속셈으로 저를 경계하고 본인은 자살하려 했는지 알 방도가 없었습니다. 그러니 계속 상황이 같았다면, 저도 똑같이 행동할 수밖에 없었겠지요. 또 다른 제가 결정한 방식이 최선입니다."

티는 그를 툭 쳤다.

"이상하게 표현하지 마. 적응 안 돼."

"이상하게 표현한 적 없다."

"네 안에 두 사람이 있는 것처럼 굴잖아."

"하나라고 몇 번을 말하는지 모르겠군. 단지 편의상 과거를 설명해야 할 때 분리하는 것일 뿐이지."

"야― 아니, 음, 안스카르? 안스……."

디아딜로테가 빙그레 웃었다.

"정답네요."

티티라는 자기도 모르게 큰 소리로 혀를 찼다.

"동행하는 돔니니 당신이 어떻게 받아들일까 그것만이 걱정이었어요. 나야 동생에게 호의적이지만, 그럼에도 동생은 여전히 내 인생과 상관없어요. 무슨 이상한 일이 일어났대도 잠깐 놀라고 말 거예요. 그러나 그대에게는 전부잖아요."

"……."

"그러니 그대가 잘 지탱해 봐요."

티티라는 고개를 꾸벅 숙였다. 디아딜로테는 물론 침착하고 현명한 사람이었지만, 자신이 그녀에게 지은 죄가 있어 괜히 더 공손하게 조언을 받게 되는 것 같았다.

문득, 디아딜로테가 책상에 양손을 얹었다.

"자, 그러면 떠나는 짐은 언제부터 챙겨 볼까요?"

"세부 사항 먼저 공유하는 게 좋지 않겠습니까?"

"아펭글로가 전해 준 것 아니었어요? 아까 방문했지 않아요?"

"……이 일로 바빠 놓쳤습니다."

"아, 그렇군요. 나는 안스 당신도 알듯이 그대가 완전히 미쳤다는 소문을 퍼뜨렸어요. 시노드 신넬에서의 일로 정신이 나가 이제 정상적인 성인 구실을 하기 힘들다고 했지요. 정확히는 사제왕들에게 전했지만, 법황에게 들으라고 한 것과 마찬가지예요. 이미 법황도 알고 있겠지요."

"……."

"'나는 동생을 사랑한다. 그러니 어떻게든 건강을 회복시키기 위해 병이 일어난 대륙으로 요양을 시키려 한다.'고 말했습니다. 역시 사제왕들에게, 그러나 엿듣는 법황의 귀에. 다들 깜짝 놀라거나 애도하지, 크게 나를 탓하진 않더군요. 당연한 일이지요. 만일 내가 아버님과 당신을 둘 다 실각시켰다면 나를 동료로 대우하는 것이 훨씬 유리하니까요. 의도적인 무관심일 거예요."

티티라는 왠지 모를 아쉬움을 느꼈다. 물 흐르듯 이야기하는 상대가 고작 몇 년 정도만 사제왕의 자리에 머무를 거라는 사실이 안타까웠다. 그녀 특유의 이상한 맹신만 아니었다면 오래도록 좋은 권력자 노릇을 할 수 있지 않았을까.

그녀는 그런 제 생각에 흠칫 놀랐다. 소조폴 사람이 이딴 찬양이나 하고 앉았군. 나도 얼마 되지 않는 시간 동안 교국에 물들었나 봐.

그런데 그렇다면 나보다 훨씬 어리고, 훨씬 높은 지위에 있던 안스가 물든 것은 어쩔 수 없는 일이지 않았을까……. 그녀는 의외의 순간에 그를 이해했다. 그리고 그렇게 작은 조각을 해석해 냈다는 사실이 제게 앞으로도 나아질 거라는 희망을 주었다.

"그래서요?"

"음?"

"보급선을 이용하도록 이미 협의된 것으로 아는데, 혹 아펭글로가 상세안까지 정리했습니까?"

"그래요. 아펭글로는 보급선 대대장에게 거짓말을 하지 않았어요. 후폭풍이 더 클 테니까요. 어쨌든 당신들은 앞으로 반년 동안 그들과 어울려야 해요. 때문에 내 말처럼 바를라암의 전 주인이 미쳐서 요양을 보내려 한다고 전했죠."

안스카리우스는 티티라를 흘끗 내려다보더니 고개를 끄덕였다.

"안전을 위해서는 그편이 낫겠습니다. 미친 사제왕 혈족의 권위를 얼마나 존중할지는 모르겠지만."

"이끌 이인 그대가 그런 말을 하면 어떡해요."

"……존중할 겁니다."

"걱정 말아요. 어차피 그대가 인간의 언어를 제대로 말하지 못해도 아펭글로가 잘 해설할 거예요."

그는 처음으로 조금 난처한 얼굴을 했다.

"그 정도까지 해야 하는 겁니까……?"

티티라는 긴장이 풀려 푹 하고 웃음을 터뜨렸다. 그를 툭 치면서
핀잔했다.

"너, 잘하잖아."

실제로 안스는 미친 연기를 꽤나 잘했다. 그에겐 어떤 사람이든
특징을 잘 잡아 흉내 내는 특기가 있었고, 그건 정신이 혼란한 사
람을 본뜨는 데에도 똑같이 적용되었다.

안스카리우스는 찡그린 채 자신과 눈을 마주쳤다.

"티, 할 수 있는 것과 하기 싫은 건 차이가 있어. 입을 열지 않아
도 미친 취급은 충분히 받을 수 있다."

"넌 입을 안 열면 너무 멀쩡해 보여. 안 돼."

"맞아요. 그대 말이 진실로 맞아요. 안스카르, 원한다면 광인을
불러 줄까요? 따라 할 수 있을 거예요."

"필요 없습니다."

불만스러운 목소리였다. 기묘하게도 안스와 안스카르가 뒤섞인
모습이었다.

티티라는 여전히 혼란스러워하면서도 조금씩 그를 파악하고 있
었다. 안스의 모습이 더 많이 보일 때가 있고, 안스카리우스의 모
습이 더 많이 보일 때가 있었다. 그는 그 사이 어딘가에서 자신을
표현했다. 그러다가 완전한 안스가 되기도 하고, 완전한 안스카리
우스가 되기도 했으니, 이제 그녀는 그를 마음 가는 대로 부르고
있었다.

그녀는 기묘한 감각으로, 교차로의 누군가를 바라보았다.

"안스, 싫다면야 어쩔 수 없지요. 아무튼 그대는 광증을 얻은 주인이고, 돔니니는 불쌍한 시종이며, 아펭글로는 시노드 신넬을 다스리는 대리인 소존데에게 사정을 설명할 사람이에요. 역할을 꼭 명심하도록 하세요."

"시노드 신넬에 도착한 뒤 정식으로 소존데에게 가야 합니까? 불필요하다고 생각합니다."

"음…… 그러고 보니 아펭글로도 용건이 끝나면 당신들을 버리고 도망갈 생각이 더 커 보이더군요. 그 욕망을 숨기지도 않던데요."

"디아딜로테 님, 저희도 도망갈 거예요."

티티라는 불쑥 끼어들었다.

디아딜로테의 친절하고 냉정한 눈이 제게 닿았다.

"시노드 신넬은 제 땅이에요. 구석구석 모르는 곳이 없습니다. 그러니 배가 정박하자마자 흔적 없이 땅으로 꺼질 수 있어요. 추적도 못 할 겁니다."

"가장 안전한 길을 이야기해 주었더니, 아펭글로도 그대들도 진저리를 치는군요. 그래요. 대리인 소존데에게 가지 않아도 좋아요. 그러나 뒷감당은 그대들이 해요. 나는 바다 너머에서까지 '사고사'를 막아 줄 힘은 없으니까."

그녀는 지루하다는 듯이 —정말이지 희한한 여자였다.— 높낮이 없이 읊다가, 갑자기 손바닥을 마주 잡았다.

"내일은 타고 갈 배를 한번 보고 와요, 느긋하게."

"어딥니까?"

"보급선 부두이지, 어디겠어요. 정면으로 입항하지도 못하고 천대받는 자리. 그러니 눈에 안 띌 거예요."

티티라는 생각보다 너무 안전한 탈출이 아닌가 싶어 허탈해졌다. 안스가 미친 연기만 잘하면 '용도 폐기'되어 아무도 관심이 없다고. 교국이 새삼 기묘하게 느껴지기도 했다. 사제왕 왕관을 쓰고 있을 때에는 만인이 발아래 엎드리더니, 이제 디아딜로테가 적합한 승계자로 자리매김하니 아예 죽은 사람 취급을 하는군. 이래서야 인간이 아니라 지위네.

그녀는 다시 한번 친구가 이 난장맞을 곳을 탈출해서 다행이라고 생각했다. 그들에게는 그들인 그대로 받아들여지는 도시가 필요했다.

안스카리우스는 고개 숙여 인사했다.

"빠르게 전달해 주셔서 감사합니다. 부두에는 내일 방문하겠습니다. 모자란 척을 하려니 긴장되는군요."

"농담도. 그대는 잘할 거예요."

안스는 조용히 웃는 얼굴로 대답하지 않았다.

디아딜로테는 방금 정말 광인 흉내를 잘 냈다며 그를 칭찬했다.

그는 약간 혼란스러운 듯했다. 티티라는 그 모습에 웃음이 터져 얼굴을 가렸다.

그들은 다음 날 정말로 부두에 나왔다.

티티라는 안스가 '미친 척을 해야 한다.'며 걸어가자고 할 때에 웃음이 터졌다.

"걸어서 한 시간 거리인데?"

"미쳤다는 증거가 될 수 있겠지."

"아, 그러세요? 용감하시네. 그러면 가시죠."

사실 오히려 좋았다. 교국에 온 뒤론 바를라암 관에 갇혀 있거나, 마차에 갇혀 있거나, 법황청에서 괴롭힘을 당하거나, 셋 중 하나였지 이렇게 사람들이 다니는 일상의 건물들을 가까이 볼 수는 없었다.

그들은 바를라암 관을 떠났다. 누가 보아도 그녀와 그 모두 시종으로 여길 만큼 옷차림은 단출했다.

부두는 멀지 않았다.

티티라는 교국에서 가장 큰 도시일 텐데도 생각보다 조용한 거리를 살펴보았다. 물론 양심이 있지, 예배당처럼 고요하단 소리는 아니었다. 단지 소조폴이 이보다 다섯 배는 시끄러웠다고 생각할 뿐이었다.

단조로운 옷을 입은 사람들이 조곤조곤 이야기를 나누며 걷고 있었다. 호객 행위는 전혀 없었으며— 아니, 애초에 이곳에 일반 손님을 대상으로 한 가게가 있기는 한지 의심스러울 정도였다.

그랬기에 가는 길은 생각보다 빨리 지루해졌다. 그렇다고 안스와 떠들기에는, 혹여 누군가 엿들을 위험도 있을뿐더러, 또 아직까지 그들의 대화가 유연하지 못하다는 사실도 무시할 수 없었다. 시간이 해결해 주리라 믿고 웃음으로 떠넘긴 결과였다.

티티라는 안스가 가끔 자신을 뚫어져라 쳐다본다는 사실을 민감하게 알아차렸다. 무슨 의미인지는 모르겠지만, 성큼 걸어가다가도 고개를 돌려 빤히 응시해 왔다. 그녀가 '아는 척을 할까', '말까' 하는 사이, 그 순간은 빠르게 지나가 버렸다. 또다시 그런 시선이 닥쳤을 때에도 똑같은 고민을 반복하다 놓쳤다.

티티라는 일곱 번쯤 그런 짓을 반복하다가, 결국 스스로 먼저 대화를 꺼낼 생각이 없다는 사실을 깨달았다. 결국 순순히 항복하고, 욕심을 내려놓았다. 안스를 무시했다.

마침 바다가 눈앞에 보였다. 말문을 여는 대신 언제나 그러했듯 바다에 정신이 팔린 체하면 될 것이다.

부두는 컸지만, 고작해야 소조폴 정도였다. 교읍지 앞에 당당하게 버티고 선 항구와는 차원이 달랐다. 그곳에는 산더미만 한 배가, 고개가 돌아갈 정도로 많이 정박되어 위용을 자랑했지만, 이곳은 두 척뿐이었다. 그나마도 한 척은 수리 중인 듯 안이 다 드러나 볼품없는 상태였다.

티티라는 조금 의아해졌다. 아무리 대접받지 못하는 정기 보급선이라 하나, 이렇게 홀대할 필요가 있나? 예전이라면 곧장 안스카리우스에게 물어봤겠지만, 지금은 그저 입 안으로 삼켰다. 그렇게 궁금한 것도 아닌데, 뭐.

"티."

그녀는 흠칫 놀라 고개를 젖혔다.

안스가 천천히 걸음을 멈추었다.

"한 시간 동안 아예 말을 안 하더군."

"……."

"문제를 해결한 줄 알았는데, 아니었어?"

조용한 길을 원했다거나, 우리들의 비밀을 누가 엿들을까 두려웠다거나, 하는 헛소리는 내뱉을 생각도 하지 않았다. 그런 건 침묵이 오 분쯤일 때 하는 소리지, 한 시간은 어려웠다.

"어……."

티티라는 바보처럼 말을 끌었다.

안스는 그녀를 빤히 바라보다가, 갑자기 바다로 걸어갔다.

티티라는 반사적으로 그를 붙잡았다. 물론 아무 소용 없이, 질질 끌려갔다.

그들은 부두 한쪽 계단에 앉았다. 세 계단만 걸어 내려가면 출렁이는 파도가 기다리며, 이끼가 많이 낀, 일꾼들이나 잠시 앉을 법한 장소. 오래된 흰 돌 사이사이로 누런 실금이 가, 이 부두의 나이를 보여 주었다.

"……."

"……."

해가 중천에 떠 있었다. 태양이 바다 위로 무수한 빛을 뿌렸다.

이 장면이 기묘하게 느껴졌다. 손을 잡힌 상대는 안스카르인데, 이 장소는 소조폴이고, 함께 앉은 이는 안스 같았다. 사람의 감각이란 이토록 쉽게 속아서 자신을 흔들었다.

"아무도 우릴 안 보니까, 뭐가 문제인지 말해 봐."

티티라는 난처하다는 듯 그를 바라보았지만, 이미 마음속으로는 투덜대고 있었다.

"티, 이러다 돌아갈 때에도 한 시간 동안 조용하겠어. 그렇다면 차라리 마차를 부르는 편이 우리 모두에게 편할 거다."

"……습관일 수밖에."

"뭐가?"

티티라는 한숨과 함께 내뱉었다.

"안스는 안스카르처럼 대하면 화를 냈고, 안스카르는 안스처럼

대하면 화를 냈지. 내가 아무리 둘을 분리해서 보지 않는다고 해
도, 입 밖에 낼 땐 습관적으로 조심하게 된다고."

"이제 조심하지 않아도 돼."

"알아, 아는데⋯⋯."

그녀는 얼굴을 잔뜩 찡그렸다가, 억울한 사람처럼 중얼거렸다.

"난 안스가 안스카르보다 훨씬 좋아. 만일 한 사람만 고르라면
그놈을 고를 거야."

그렇게 시험하곤 급히 몸을 숙여 그의 표정을 살폈다. 그는 무표
정한 채 더러운 바닷물을 바라보고 있었다. 맥이 빠지려는 순간—

"그런 말은 하지 마."

티티라는 혼란스러워 대답했다.

"둘 다 너— 당신이라면서?"

"그래. 그러니 한쪽이 고통을 느끼면 쓸데없이 두 배가 된다. 한
사람의 짐이어야 하는데, 둘 모두의 눈을 가린다."

"'난 안스카르, 당신을 안스보다 좋아.'라고 한대도—"

"마찬가지지."

"그럼 여전히 조심해야 하는 거겠네⋯⋯. 어떻게 생각 없이 내뱉
으면서 안스카르와 안스를 절대 비교하지 않을 수 있겠어?"

안스카리우스는 무언가를 삭이는 듯 눈을 감았다. 눈앞에 펼쳐진
것보다 더 시퍼런 바다가 말라비틀어졌다. 그리고, 다시 살아났다.

그는 낮은 목소리로 대답했다.

"그래. 원하면 그렇게 해. 신경 안 쓸게."

티티라는 그를 물끄러미 응시했다.

안스는 그 순간 사람들이 분주히 오가는 갑판으로 시선을 돌렸

다. 일부러 눈을 피한 것이 틀림없었다. 그 망설임이 그녀를 잠깐 흔들 뻔했다. 하지만 그럼에도 그의 죄책감 함정에 빠질 수는 없다는 생각이 들었다……. 그건 한 번이면 족했다.

"안스카르."

"……."

"누구 이름을 부르든 내 맘이지? 네가 허락해 줬으니까, 그냥 할 거야."

"마음대로."

"그때 왜 뛰어내린 거야?"

그의 얼굴 위로 당혹이 스쳤다. 그에게 마지막까지 남아 있던 여유가 바스러진 것 같았다.

"안스카르, 목숨이 걸린 일이었다고. 난 진짜 죽으려 했으니까."

"……."

"참, 당신을 다시 만나면 죽도록 원망할 거라고 생각했는데, 홀가분하게 이런 대화까지 나누고 있다니…… 아무튼 안스카르, 그런 멍청한 선택이 어디 있어? 당신, 수영도 못하잖아."

그는 죽는 데 실패하여 듣게 된 분노가 곤혹스러운 모양이었다. 미뤄 두었던 공부를 해야 하는 처지의 학생 같았다.

한번 물꼬를 트자 말을 잇기는 쉬웠다. 티티라는 꾹꾹 삼켜 두었던 원망을 전했다. 짧지만 지독했다.

"안스가 어떻게 기억을 잃었는지를 생각해 봐. 그나마 안스는 마법 같은 술수에 걸린 거지만, 당신은 본인 결정으로 자살하려 했잖아. 그 바보짓에 '날 사랑한다'는 내용 말고 변명할 게 있어?"

"……."

"내가 당신을 보고 싶어 했던 이유 중에 절반은 이거야. 욕하려고. 아주 멱을 따면 좋겠어."

"……나머지 절반은?"

티티라는 잠깐 숨을 들이켰다.

"알잖아."

"모르겠는데."

"당신을 사랑해서."

"그래."

대화는 빨랐고, 관계는 오래된 기억처럼 돌아왔다.

그는 그녀에게 살짝 입을 맞추었다. 서로가 쓴 모자 사이로, 몰래 마주친 연인처럼 가볍고 은밀했다. 이 바다에 걸맞게 미풍 같은 키스.

안스카리우스는 티티라의 입술 위에 머무른 채 잠시 가만히 멈추었다. 햇살이 내리쬐어, 그와 자신 사이의 얼마 안 되는 틈을 물들였다. 윤곽을 따라 오렌지색 유성처럼 흘렀다.

그의 입술이 벌어졌다.

"티, 내가 절벽 위에서 몸을 던져 다행이다."

그가 움직일 때마다 간지러웠다. 그리고 그의 문장 또한, 자신을 아슬아슬하게 쓰다듬었다.

"네가 다시 '나'를 만나고, 건강해져서 다행이다. 몸뿐만이 아니야. 나를 만나는 내내 널 괴롭혔던 열병이 사라졌다."

"……."

"네 삶을 온전히 채울 수 있어 기쁘다."

티티라는 양손으로 모자를 꽉 움켜쥐었다. 얼마나 힘을 주었던지, 손톱이 천을 넘어 살까지 파고들 것만 같았다.

긴장, 초조감, 두근거림, 짜증스러움, 애정……

안스카리우스는 자리에서 일어났다. 그녀에게 손을 내밀어, 단단한 바닥에 일으켜 세워 주었다. 시선이 마주쳤다.

"이럴 생각으로 나오긴 했지만…… 배도 보고 가야지."

티티라는 기가 막혀 콧김을 내뿜었다. 안스에게는 없던 여유가 자신을 꽁꽁 묶어 버렸다. 그녀는 완벽히 패배했다. 아마 영영.

그들은 얼마 걷지 않아 부두의 배에 도착했다.

일꾼이 짐을 나르는 가운데, 관리자처럼 앉아 있던 군인들이 배의 선수상 앞에 선 둘을 목격한 모양이었다. 그들은 벌떡 일어서 다가왔다. 심지어 기다리고 있었는지 곧장 바를라암에서 온 심부름꾼들이냐고 물었다.

안스카리우스는 잠깐 고민하는 듯하더니 대답했다.

"아니."

"뭐라고?"

"내가 바를라암이야."

"……."

티티라는 그가 오늘부터 미친 사람처럼 보이기로 작정했다는 사실을 깨달았다. 사제왕이 제 발로 배를 확인하러 온다니. 심지어 군인을 직접 마주하다니, 말도 안 된다고들 생각하겠지.

안스카리우스는 짜증스레 다시 한번 명령했다.

"선실을 소개해."

"신분 증명은……"

"무례하다."

"음, 바를라암 관에선 수행인들만 보내겠다고 하였습니다."

"그래. 그러면 너희들이 사람을 보내 확인할 동안 여기 있으면 되겠네."

그는 그 외에도 몇 마디를 더 건네 군인들을 매우 불편하게 만들었다.

티티라는 다른 선실과 별다르지 않을 방을 반드시 제 눈으로 확인해야겠다는 모습을 보며, 고개를 피했다. 미친 사람 취급보다 더 힘든 건 미친 사람의 멀쩡한 동행인 취급이겠지.

그러나 군인들이 결국 떠밀려 선실을 보여 주었을 때는 조금쯤 다행이라고 생각했다.

호화롭지는 않지만, 두 사람이 엉겨붙어 있기에는 나쁘지 않은 선실이었다―물론 자신은 수행인 처지니 바닥에서 무릎이나 꿇어야 하겠지만―.

무엇보다 빛이 마음에 들었다. 티티라는 선실 창가로 흘러 내려오는 햇빛을 보며 이곳에 왔을 때와 비슷한 이별이 되리라고 생각했다. 각오를 다질 수 있었다.

티티라가 한 걸음 물러나자 안스카리우스도 더 이상 고집을 피우지 않았다. 그들은 아연한 기색인 군인들을 두곤, 돌아서 떠났다.

아무튼 그는 미친 사람 행세에 일가견이 있었다. 그녀에게든, 남에게든.

티티라는 안스의 손을 바라보았다. 그녀의 손등을 덮은 손은, 이내 손톱 끝을 훑더니 팔뚝으로 올라왔다. 주변은 아주 고요했으며…… 둘 사이에는 단 한 마디도 흐르지 않았다.

시간이 녹아들었다. 벌써 몇 분— 아니, 몇십 분이나 지났는지 모르겠다. 잠시 대화의 끈이 끊겼을 때에도 그들은 서로를 끔찍이 잘 아는 사람들답게 관계를 이어 나가곤 했다. 정적 속에서도 안정적이었다. 서로 미지의 공간에 앉아, 닿아 있는 것만으로도 만족하는 연인처럼. 매정해서가 아니라, 질문보다 함께 앉은 시간이 소중하기 때문이리라.

그의 가슴팍이 살짝 들렸다. 티티라는 고개 들어 대화를 반겼다. 그녀는 안스와 안스카르가 묘하게 교차하여 내는 목소리를 좋아했다.

"티."

티티라는 썩은 부두에 앉았던 이후부터 그를 분리해야 한다거나, 아니면 반드시 합쳐 봐야 한다거나, 이러한 생각들로 스스로를 옥죄지 않았다. 그저 그때그때 내키는 대로 행동했다.

"요아나 씨한테 갔을 때를 기억해?"

"응? 카르타타 여행 말이야?"

"그래."

"안스, 너다운 일이었지. 혼자 일을 마무리할 수 없다고 얼마나 징징댔던지 우스페히 씨가 기어이 나까지 보내셨어."

그녀는 홀가분하게 그를 안스라고 불렀다.

"그런 사소한 것 말고."

"그럼?"

"네 첫 번째 여행이었잖아."

티티라는 곰곰이 생각했다. 안스는 그녀보다 나이가 많은 것도 있지만, 그보다는 남자라는 무시 못 할 특징으로 인해 열댓쯤부터 엄청나게 돌아다니곤 했다. 그동안 자신은 손가락만 빨며 소조폴에 남아 있었고. 그렇게 편하게 오가는 안스를 부러워했던가. 그래. 부러워했다. 숨긴 적도 없었다.

그녀는 문득 깨달은 표정으로 그를 바라보았다.

"너, 그때 일부러 그랬구나."

"야, '처음' 소조폴 밖으로 나왔으면서 왜 이렇게 조심성이 없어? 혼자 돌아다니지 말라고."

티티라는 안스를 밉살맞다는 듯이 노려보았다. 나 혼자 우스페히관에서 편히 쉴 수 있었는데 도와 달라며 바짓가랑이를 붙든 인간이 저놈 아닌가.

그녀가 아무리 체력이 튼튼한 편이라 해도 여행길에서 잘 버티는 것은 조금 다른 문제였다. 애초에 길에서 자는 경험이 너무 오랜만이었다. 그러니까, 일곱 살 이후로 처음이었다. 음식도 별로였고, 매일 밤 다른 곳에 머문다는 사실 또한 은근히 정신을 갉아먹었다.

거기에 옆에서 자꾸만 주절주절 떠드는 안스를 보면 갑자기 짜증이 치밀곤 했다.

"안스, 내가 너만 아니었어도……."

그냥 떠들기만 하면 몰라, 묘하게 뻐기는 듯한 태도에 빈정이 상했다. 카르타타는 고작해야 소조폴의 절반만 한 도시인데 우편국에 혼자 다녀온 것만으로도 톡톡거리는 꼴을 도저히 참을 수 없었다.

"티, 내가 같이 갔으면 우편국 옆에 최신 기계도 보여 줄 수 있었을 텐데. 지난번에 여기 성벽을 수리할 때 쓴 물건이거든. 엄청나."

물론 자신을 비웃는 말이라기보단, 정말로 좀 더 많은 걸 보여 주고 싶어서 하는 말일 것이다. 쟤는 카르타타에 많이 방문했을 테니, 관광객을 대하는 느낌이지 않을까.

하나 디티라는 그저 귀찮아서 한 대 때려 주고 싶었다. 피곤할 때마다 우스페히 관의 안온한 제 방이 생각났다. 그리고 돌아갔을 때 쌓여 있을 일거리들도. 그러면 마음이 초조해져 주변을 둘러볼 마음조차 들지 않았다.

그러니까, 요아나 씨가 마지막 날 밤에 송별회를 열겠다고 하셨을 때 제 얼굴이 일그러진 것은 당연한 일이었다. 당장 내일 갈 길이 먼데, 소조폴에 돌아가서도 할 일이 많은데…….

물론 우스페히 씨의 중요한 손님인 요아나 씨의 청을 거절할 수는 없었다. 정신을 차렸을 때 티티라는 어느새 연회장 중앙의 탁자에 앉아 있었다.

그뿐일까. 분위기가 무르익고, 요아나 씨가 권하는 '차'를 마시자 왠지 기운이 깜빡깜빡 흐려졌다.

저 멀리서 웃고 떠들던 안스가 제게 가까이 온 건, 자신이 피곤해서 의자에 기대기 시작하던 때였다.

"차가 맛있어?"

"……응."

"내가 끓이는 법 배워 갈까?"

"좋아."

"그런데 왜 차가 차갑지? 난 모르겠는데, 넌 알아?"

무언가를 놀리듯 이죽거리는 웃음이 싫었다. 티티라는 태연한 척 말을 받았다.

"그런가? 뜨겁지 않게 먹는 차도 있잖아."

"어지럽진 않아?"

"왜?"

"가끔 각성 효능이 들어간 차들은 그렇대."

"그런가…… 아니. 별로."

티티라는 그 이상 대답하지 않겠다는 표시로 거칠게 손사래를 쳤다. 실없는 소리 그만 지껄이고 꺼지시지?

그러나 안스는 그때부터 본격적으로 제 곁을 지켰다. 남들이 주는 음식이나 물, 대화를 넙죽넙죽 받아먹으면서 엉덩이만큼은 꿋꿋하게 붙이고 있었다.

티티라는 일부러 몸을 돌린 뒤 혼자 '차'를 열심히 마셨다. 조금 떫고 썼지만 맛있었다. 그렇게 잔에 콸콸 붓다가, 병을 빼앗겼다.

"바보냐? 누가 차를 유리병에 따라 먹냐?"

"……아, 짜증 나."

안스는 얼굴을 찡그렸다.

"내가?"

"여기 너 말고 누가 있어?"

"티, 넌 이상해."

"무슨 소리야?"

"맨날 나보고 욕심을 더 부리라고 하잖아— 마치 본인은 욕심을 엄청 부리는 사람인 것처럼. 그런데 넌 바깥 세계로 한 발자국 나오는 것마저 불편해하네."

이번엔 티티라도 얼굴을 찡그렸다.

"상단이 바쁜 시기란 말이야. 이건 충분히 혼자 할 수 있는 일이었고."

"너한테 안 바쁜 시기는 없어. 그건 너 스스로 몰아넣은 함정이야."

"너 '혼자 할 수 있는 일'이란 건 인정하는 거야?"

안스가 한숨을 푹푹 쉬었다.

"난 네가 다른 도시에 가 보고 싶어 하는 줄 알았어."

"가 보고 싶었어. 가 보고 싶어. 이번은 너무 바빴던 것뿐이야."

"아니라니까. 넌 말하는 거랑 행동이 달라. 난 같이 나와서 설렜는데……. 카르타타도 열심히 소개해 주려 했고."

"무슨 소린지, 정말."

"바깥에 나오는 걸 싫어하면서, 항상 안전한 곳에 있길 바라면서 어떻게 '욕심을 부리'려고 해? 물론 네 말을 못 믿는 건 아냐. 다만 네 용기가 말을 못 따라간다고 느낄 뿐이지."

티티라는 마음이 바빠서 예민해진 걸 두려워한다고 해석하는 안스에게 기가 막혔다. 너도 서류 육백 장만큼 업무가 밀렸을 때 바다에 빠뜨려야 정신을 차리겠구나.

대답할 가치도 없었다. 티티라는 계속 '차'를 홀짝였다.

그러자 이번에는 제 손에 남아 있던 잔마저 빼앗아 갔다.

"야, 기분 안 이상해? 피곤하진 않고?"

"……."

빼앗아 간 것을 내놓으라 하고 싶었지만 너무 졸려서 목에 힘이 들어가지 않았다.

그 뒤로 기억은 점점이 흩어지다…… 뚝 끊겼다.

다음 날, 그들은 전날의 대화에 대해 이야기하지 않았다.

그 뒤 십 년도 훌쩍 지난 지금, 티티라는 안스가 일부러 제게 바깥 구경을 시켜 주려 했고, 그 여행을 기대하며 꽤나 신나했다는 것을 알았다. 반면 자신은 처음 나간 바깥을 무서워했으며, 그 사실을 인정하기 싫어 끊임없이 변명했다는 사실도 알았다. 세월이 쌓여 성숙해졌다기보단, 그저 한 발자국 떨어져서 봤을 때 보이는 진실이었다.

그녀는 다시 한번 안스에게 물었다.

"왜 '첫 번째 여행' 이야기를 하고 싶은 거야?"

안스의 시선은 낮게 깔려 자신을 피했다.

"티, 난 오래도록 그때 카르타타에서의 너를 생각했어. 너도 미지의 공간으로 나갈 땐 주춤거리는구나. 보통 사람처럼 주저하는구나. 그 사실이 나한텐 꽤 놀라웠거든."

"……."

"그래서 우리가 헤어지고 난 뒤로 너를 떠올릴 땐, 종종 그때가 생각나서 섬찟했어. 너는 온 세상을 가질 수 있을 것처럼 선언했지만, 정작 처음 가는 도시에선 그물에 걸린 생쥐 같았단 말이지."

티티라는 불쾌한 비유에도 픽 웃음을 흘렸다.

"부정하진 않겠는데…… 어려서 그랬던 거지. 누구든 시간이 지나면 잘못이나 실수에 대한 경험치가 쌓이고 뻔뻔해져. 그게 지금의 나야."

"잘 알고 있다. 단지, 그만큼 널 성숙하게 만들었을 십 년을 생각하는 거야."

"……."

"네가 혼자 상단을 만든 뒤 남부를 돌아다닐 때, 얼마나 긴장해 있었을까. 말도 걸음도 뻣뻣해선, 하나라도 실수하면 진창에 빠진

다고 두려워하지 않았을까."

그녀는 침묵했다.

그는 여전히 천천히, 일정한 속도로 그녀의 팔을 쓰다듬고 있었다. 그 온기가 목소리의 일부처럼 느껴졌다.

"너는 네가 과거에 선언했던 사람이 되기 위해 얼마나 노력했을까."

안스의 손아귀에 힘이 들어갔다.

"그리고…… 내가 너를 '다시' 만났을 때, 이 사실을 알고 있었더라면 얼마나 좋았을까."

"……."

"네 미숙한 모습을 알고 있었다면…… 재회한 네가 얼마나 노련해졌는지, 그리고 그렇게 되기 위해 보냈을 십 년에 전율을 느낄수도 있었을 테지. 내가 없어서 고통스럽지만, 내가 없어서 다행이기도 한 십 년……."

티티라는 놀라 그를 바라보았다.

자신이 아는 안스도, 안스카리우스도 저런 말을 할 수 있는 사람이 아니었다. 둘 모두 과거와 현재, 미래를 통틀어 자신과 한순간도 떨어져 있지 않으려 했다. 인격적으로 아주 못된 놈들이었지.

그런데 '내가 없어서 다행인 십 년'이라고?

티티라는 그의 양 뺨을 쥐고 이리저리 돌려 보았다.

"머리 괜찮지?"

그가 웃었다. 조심스레 제 손등을 감싸 떼어 내며—

"괜찮아."

"……."

"티, 난 그때 기억을 잃은 상태였어. 그러니 '돌아와서 너한테 좀 더 잘해 줄걸' 이런 무의미한 가정은 안 한다. 하지만 네 변화에 더 놀라지 못했다는 건 아주 오랫동안 슬플 거다."

"—우리가 헤어져 있어서 다행이란 말을 처음 들어."

안스카리우스는 어깨를 으쓱였다.

"이미 벌어진 일이니, 의미를 찾아야지."

"⋯⋯."

"그리고 진심이기도 하다. 네가 홀로서기를 하지 않았더라면 넌 여전히 카르타타의 너이자, 헤어지던 날의 너였을 테니까. 물론 그럼에도 널 사랑했겠지만, 존경하진 못했을 거다."

"⋯⋯."

그는 잠시 침묵하다, 조용히 질문을 더했다.

"티, 교국으로 오던 항해 중⋯⋯ 폭풍이 엄청나게 밀려왔던 날을 기억하나? 출항한 지 얼마 안 되었을 때."

티티라는 이제 그가 실없이 옛이야기를 꺼낸다고 생각하지 않았다. 그에겐 말하고픈 바가 분명했다.

그녀는 안스에게 살짝 입을 맞추곤 대답했다.

"물론, 기억해."

"나는 네가 대양을 가로지른 적이 있던가 의심할 정도였다. 어떤 인간도 처음 나오는 바다에서 그렇게 태연할 수는 없어."

티티라는 곰곰이 생각했다.

'비가 내리는 날'이라고도 할 수 없었다. 며칠 내내 하늘이 뚫린 것처럼 물이 쏟아졌으니까, 누군지는 몰라도 바다 위 작은 종기 같은 배를 부수려고 작정한 모양이었다.

티티라는 창 너머, 거친 물보라에 잠긴 바다를 바라보았다. 갑판 물이 흘러 들어와 찰랑이는 선실 바닥도. 마치 바다와 자신 사이에 작은 판자를 들이밀어 약간의 수위 차이가 생긴 것만 같았다. 그러니까, 바다는 언젠가 저 판자를 뛰어넘어 자신을 잡아먹을 게 분명했다.

그녀는 침대 위에 웅송그려 앉았다.

왜 이렇게 태연할까. 아니, 어떤 면에선 신이 나기도 했다. 주변 수많은 사람들이 흥분해 있다는 게 느껴지면 나도 함께 들뜨지 않겠어― 정말 미쳤나?

탈란타우에를 죽이고 내 인생의 복수가 마무리되어서일지도 모르겠다. 그나마 삶에 미련이 남아 있던 것은 안스카리우스 때문이었는데, 만일 여기서 자신이 죽는다면 저 자식도 같이 죽을 게 분명했다. 누군가 음모를 꾸미거나 권력을 부려서가 아니라, 그저 비바람과 바다 때문에.

"차라리 그편이 낫지."

티티라는 툭 내뱉고는 기가 막혔다. 내가 자기 파괴적이라고 생각한 적은 없는데, 완전히 맛이 갔나 봐.

그녀는 너무 방 안에 처박혀 있어서라고 생각했다. 그러나 바깥으로 나간다고 해서 그다지 상황이 개선될 것 같지 않았다. 이런 우울한 생각을 안 하려면 햇빛을 봐야 하는데.

티티라는 고개를 돌려 다시 어두컴컴한 바다를 바라보았다.

아.

순간적으로 엄청나게 큰 파도가 밀려와 바닥을 뒤흔들었다. 고정되어 있던 가구를 제하곤, 이미 박살 난 것들이 더 산산조각 났다.

티티라는 바닥에서 튀어 오른 물을 끼얹은 몰골로, 현실감 없이 갈기갈기 찢어진 가죽 표지 책을 응시했다.

잠깐 멍해졌던 귀로 무겁고도 새된 외침이 들렸다. 그리고 쿵쿵쿵 갑판 위를 뛰어가는 소리, 무언가 우지끈 부서지는 소리……. 귀를 때려 부수는 듯한 소음이 한동안 계속되었다. 모든 것이 컸다.

꽤 오랫동안 여러 사람이 난폭하게 움직였다……. 그러다 어떤 발걸음이 제게 접근하는 소리가 들렸다. 감각이 예민하게 쏠렸다.

누군가 문을 밀었다. 그러나 문의 아귀가 들어맞지 않는 듯, 잠시 힘주어 문을 덜컹였다. 마지막 순간엔 몸을 내던지듯이 밀어—

티티라는 거칠게 열린 문 밖에 선 안스카리우스를 발견했다.

당연하지만 그는 지독히도 피곤해 보였다— 그러나 자신을 보는 순간 눈 위로 빛이 돌아왔다. 금세 저물 등불이었지만, 죽어 가는 사람에게 갑자기 삶이 돌아온 것 같았다.

티티라는 맨발로 바닥에 내려섰다. 곧장 그에게 다가가서 껴안고 싶었다. 문득 자신이 흠뻑 젖은 몰골이라는 것을 깨달았지만, 짧게 고민한 게 우스울 만큼 그 또한 엉망이기 짝이 없었다.

그녀는 달려가 그를 포옹했다.

짜고, 축축하고, 단단한 벽 같은 포옹.

티티라는 그의 삐쭉 뻗은 머리칼을 움켜쥐었다. 빗물인지 바닷물인지 모를 것이 뚝뚝 떨어졌다. 그렇게 몸을 살짝 떼곤, 그의 얼굴을 바라보았다. 작은 상처가 있었다.

"괜찮아?"

안스카리우스는 무슨 말을 하려다가 갑자기 입을 다물었다. 의혹이 담긴 얼굴로 창가를 향해 자신을 끌고 갔다. 이곳이나 저곳이나 어두컴컴하기는 똑같을 텐데.

그들은 물이 절반까지 차올랐다가, 다시 뼈처럼 공기를 드러내는 소란 앞에 섰다.

"괜찮나?"

그들은 서로에게 괜찮은지 묻고 침묵했다.

"당연히—"

"넌—"

말이 다시 부딪혔다가, 금세 기척을 감추었다.

티티라는 그의 시선을 살폈다. 그리고 급습하듯 내리쬐었다.

"당연히 내 질문에 먼저 대답해야지. 당신은 계속 갑판을 오간 사람이잖아. 괜찮아?"

"안이라고 더 나을 것도 없다."

그는 인상을 찌푸리더니, 몸을 숙여 제 이마를 걷었다.

"다쳤군."

그녀는 기가 막혀 자신도 그의 머리칼을 걷어 냈다.

"당신도 다쳤네."

그가 어이가 없다는 듯이 웃었다. 아, 이상했다. 꽤나 잘 웃는 사람인데도 오늘은 지나치게 어색해 보였다. 입가가 뻣뻣하고 웃음이 주춤거렸다.

티티라는 다시 한번 뺨을 감싼 뒤 물었다.

"정말…… 괜찮아?"

"지나갈 거다."

"몸조심해."

"지금 이 바다 위에서 몸을 조심할 수 있는 사람은 없어."

"불평하지 말고 그러겠다고 해."

"알겠어."

그는 대답으로 자신의 입을 틀어막았다.

"그러니 이제 너도 대답해라. 괜찮나? 혹 긴장이 되면 사람을 붙여 주겠다."

티티라는 처음으로 기겁했다.

"교국 놈을 붙여 줄 생각은 하지도 마."

"……."

"당신 빼고."

제 말은 너무 소심하게 들렸다. 교국을 뭉뚱그려 욕할 때에도 그만 빼놓고 싶어 하는 마음이 우스웠다.

티티라는 안스카리우스를 볼 때마다 혼란스러웠다. 그와 함께하는 미래는 조금도 상상할 수 없었지만, 현재가 자신을 날카롭게 찔러 왔다. 지금 제 감정을 난도질할 수 있는 유일한 칼이었다. 과거도, 미래도 아무것도 없이 그저 현재를 이어 붙여 만든 관계.

안스카리우스는 그답지 않게 말을 고르고 있었다.

그렇게 고민하다 나온 말이란 고작.

"……정말 괜찮은 건가?"

티티라는 웃음을 터뜨렸다. 서로 똑같은 말만 묻고 있네. 흠뻑 젖은 낯으로 그의 어깨를 툭툭 쳤다.

"바다를 넘어오면서 이런 일이 있을 거라고 예상 못 했을까? 정말 괜찮아. 가서 할 일을 해."

그는 다시 한번 자신을 껴안았다. 티티라는 뒤늦게야, 엄청난 파도가 지나가자마자 그가 제 안위를 살피러 왔다는 사실을 깨달았다. 어쩌면 그 또한 놀라서 위안을 얻으려 했던 것일지도 모르고.

그러나 그녀는 그가 괜찮다고 말했기에, 그렇게 생각하기로 했다.

티티라는 마지막으로 그의 귓가에 무언가를 속삭였다.

"티, 그때 네가 말했었지. '이해해.' 글쎄. 배가 침몰할까 두려운 내 감정을 이해한다는 뜻이었을까, 아니면 널 걱정하는 마음을 이해한다는 뜻이었을까."

티티라는 정확하게 대답하기 어려웠다.

"아무래도 상관없지."

맞아. 아마 둘 다일 거야.

"나는 '나'로 돌아오고 난 뒤, 자주 '그날'들을 생각하곤 했다. 불안정하기 짝이 없던 네 십 대 시절과 폭풍우 속의 너."

"……."

"너는 우리가 언덕에서 헤어질 때까지 비슷했다. 마지막 여행에서조차 평소보다 말이 많아, 기어이 나를 화나게 했어. 절반은 교국의 침공 때문이겠지만 절반은 그냥 '너'였다. 소조폴에서라면 그러지 않았을 테지."

"……."

"도시 바깥으로 나오는 것조차 예민해하던 인간이 망망대해의 폭풍우 속에서 침착했다고."

티티라는 괜히 고개를 흔들었다.

"아깐 그 십 년간 변화를 못 느껴서 아쉬웠다면서, 무슨 소리야?"

"글쎄. 옛날에도 지금도, 나는 네 현재밖에 볼 수가 없어. 그 격차를 두 사람이 합쳐진 뒤에야 더 아득하게 느끼는 거지. 아쉽지만, 아득한 거야."

그녀는 입을 다물었다.

'과거도 미래도 없이, 현재만 이어 붙인 관계.'

안스카리우스와는 어쩔 수 없이 그런 구렁텅이에 빠졌다고 생각했는데, 안스마저 같은 생각을 했을까.

"침착해진 건 네게는 좋은 발전이었겠지. 그 시간 동안 함께하지 못했어도 괜찮아. 오히려 내가 없어서 네가 나아갔을지도 모르고. 하지만 만일 나쁜 것, 예를 들어 오트카저트. 그런 지옥이 뚝뚝 끊긴 초상화처럼 네게 남아 있다면 나는 괴로울 거다. 너를 예상할 수 없기에 그 단절이 괴롭다."

"……."

"항상 현재를 사는 것도 내게 고통을 준다."

"……."

"난 멍청이일지도. 네게 놀라고 싶은 마음과 익숙해지고 싶은 마음이 파도처럼 나를 뒤흔들어. 언제나 네게 놀랐기에 이제는…… 아니, 한 번쯤은…… 익숙해져 볼 수 있을까. 너무도 변한 너를 곱씹으며, 그런 생각을 품었다. 나는 너를 예측할 수 없어 두렵거든."

티티라는 입술을 깨물었다. 조금 억울했다.

"우리에게 '현재'만 있다니? 그래서 매번 낯설다고? 참, 뭐라 해야 할지. 안스카르와는 솔직히 미래를 생각하기 힘들었지. 하지만 안스에겐 내 목표에 대해 수없이 말했어."

"난 네 목표에 대해 물어본 게 아닌데. 너, 우리 관계, 그리고 다시 너, 함께 있는 앞날. 이런 것들이 궁금하지."

"……."

제 팔뚝에서 온기가 떨어져 나갔다. 매정하진 않았지만, 스스로를 되돌아보는 거리였다.

티티라는 그를 놓치지 않기 위해 곧장 몸을 일으켰다. 생각할 겨를도 없이 그의 배를 타고 앉았다.

안스카리우스가 헛웃음을 터뜨렸다.

그녀는 웃음으로 회피하려는 사람을 급하게 붙잡았다.

"너는 시노드 신넬로 돌아가면 뭘 하고 싶어?"

그는 속내를 살피듯 자신을 바라보다가, 대답했다.

"네가 원하는 것."

그녀는 불만스러운 신음을 내뱉었다.

"그거 말고."

"너와 함께 있는 것."

"당연하니까 그런 거 말고."

"뭘 바라는 거야?"

답답해서 인상을 찌푸렸다.

"우리 미래를 이야기해 보자고. 더 이상 나한테 놀랄 일이 없도록. 매번 날 보며 깜짝깜짝 놀라면 그게 무슨 연인이겠어."

그의 눈이 한 곳을 향했다. 티티라는 그 시선을 따라갔다가, 그가 손톱만 한 틈을 사이에 둔 그들의 손을 응시하고 있다는 사실을 깨달았다. 그녀는 재빠르게 상대의 양손을 깍지 껴 쥐었다.

"됐어?"

"……."

"대답해 봐."

"……따뜻한 곳."

티티라는 의외로 애 같은 대답에 웃음을 터뜨렸다.

"안스카르, 하하, 아니, 이러면 안 되지. 아니야. 큼."

그는 웃음에 흔들리지 않을 만큼 뻔뻔했다.

"티, 나는 따뜻한 땅으로 가고 싶다. 아주 따뜻해서, 여름엔 벌거벗어도 추악하기보단 신에게 환영받는 것으로 여겨질 만큼 따뜻한 곳. 바다가 보이고, 짠 냄새가 나고, 교국이란 단어는 영원히 사라진 곳."

"……그리고?"

"네가 행복해하는 모습을 볼 생각이다."

"너는?"

"네 등 뒤에나 서 있을까."

"넌 그간 수많은 곳을 돌아다녔어. 심지어 교국에선 왕 자리까지 해 먹었는데 고작 그걸로 만족하겠어?"

"그렇게 해 봤으니 너만 바라는 거야."

"……."

"네가 미래에 대해 듣고 싶다니, 이야기해야지. 이게 내가 상상하는 미래야. 고요하고 지체된 채…… 평화로운 삶."

그는 세밀하게 묘사하고도 갑자기 제 발이 저린 사람처럼 변명했다.

"너는 싫어하겠지."

티티라는 손을 더 꽉 쥐었다.

"아니. 좋은데?"

"돌아가면 다시 대도시 한복판으로 들어가고 싶잖아. 그걸 내가 모를 줄 알고?"

"십 년 동안 이미 경험할 건 다 했어. 다시 바닥부터 시작하긴 귀찮아. 그리고 난 이제 사람을 목표로 해도 부끄럽지 않아.”

귓가에 열이 올랐다.

“벌써 인생의 황혼기에 들어선 느낌이 들지만…… 난 그래. 너랑
같이 오래오래 살 거야.”

어느새 자신도 아이처럼 이야기하고 있었다.

티티라는 옆으로 휙 굴러 침대로 떨어졌다.

안스가 곧장 따라올 줄 알았는데, 그는 잠자코 누워 있었다.

얼마나 지났을까. 그가 몸을 숙였다. 제 관자놀이에 이마를 대고
한참이나 조용했다.

그리고.

“…….”

티티라의 얼굴이 붉어졌다.

“—안스카르는 그런 소리 안 했는데, 쓸데없는 것만 가르쳐선—”

“둘 다 나잖아.”

“—그래도—”

“그리고 ‘나’도 마음에 드는데.”

“—난 싫어—”

안스는, 안스카르는 제 품에 고개를 파묻었다.

티티라는 부르르 떨다가, 이불 속으로 숨었다.

그들에게 남은 시간은 얼마 되지 않았다. 그러나 그 짧은 순간순
간마저, 바를라암 관이 수많은 방문객들로 뒤덮이자 더더욱 빠르
게 흘러갔다.

티티라는 디아딜로테의 승계식 날 내실에 꽁꽁 숨어 있었다. 놀

랍게도 안스는 자신과 함께 테라스에 털썩 주저앉았다. 오히려 평소에는 디아딜로테를 만나기 위해 나가곤 했는데, 오늘만큼은 아예 방 바깥으로 한 발자국도 내딛지 않았던 것이다.

그녀는 궁금한 얼굴로 물었다.

"너도 승계식에 얼굴을 비춰야 하지 않아?"

"미친 사람이 할 게 있나."

그런 말을 하면서, 몹시 차분하고도 여유로운 얼굴이었다. 그녀는 타박하듯 중얼거렸다.

"그래도, 산 사람이 왕위를 넘겨주는 건데."

"디아딜로테에게도 내가 죽은 듯 있는 편이 훨씬 도움 될 거야. 이미 사제왕들 사이에서 내가 바다 너머로 요양 간다는 이야기가 파다하게 퍼졌는데, 만에 하나라도 의심을 사면 큰일이지."

안스는 아무도 없는 정원을 느긋하게 내려다보고 있었다. 그의 말씨처럼 후련한 태도였다.

보석과 세공이 눌어붙은 테라스, 햇살마저 장인의 작품으로 보일 지경인 호화 정원. 그녀는 그 광경에 왠지 압박감을 느끼곤 한숨을 쉬었다.

"시노드 신넬에 가면 이렇게 편하겐 못 살 거야. 그래서 난 당신이 마지막 연회라도 즐길 줄 알았어."

안스카리우스는 당혹스럽다는 듯이 고개를 틀었다.

"바란 적도 없다."

곱씹어 생각해도 기가 막힌지, 그는 떨떠름하게 부연했다.

"바다를 건너가 내가 널 먹여 살릴 생각까지 했는데."

"와."

티티라는 모욕받은 얼굴로 입을 쩍 벌렸다.

"너, 십 년이나 사람을 부리며 살아 놓곤 무슨 생활력이 있다고? 나는 당연히 내가 널 먹여 살리려고 했지."

"용병을 해도 되고."

첫 번째는 믿기지 않아 신음을 냈다면, 지금은 충격을 받아 신음이 튀어나왔다. 그녀는 입만 뻐끔거렸다. 정작 그딴 말을 내뱉은 안스는 햇살 아래 너무도 태연한데.

날이 지나치게 좋아 그의 얼굴과 팔뚝 위로 크고 작은 상처들이 도드라졌다. 완벽한 도자기에 툭툭 남은 흠집 같아서, 언제고 자신을 속상하게 하는 그런 상처들 말이다.

티티라는 겨우 말을 짜냈다.

"용병 소리 한 번만 더 꺼내면 죽을 줄 알아, 나한테."

"그게 아니면, 선원직도…… 아니. 둘 다 안 되겠다. 돌아다니면 너와 함께 있을 수가 없잖아."

"……."

"난 쓸모없군."

짧게 읊조린 그는 왠지 허탈해 보였다.

"시노드 신넬에 대한 지식은 전부 십 년 전의 것으로 멈춰 있어. 교국에서의 지식은 함부로 썼다간 군이 쫓아올 만한 것들이고."

"이상한 생각 좀 하지 마. 내가 어떻게든 할 테니."

갑작스레 온기가 훅 끼쳤다. 티티라는 그에게 양 뺨이 눌린 채 퉁명스러운 시선을 던졌다. 그가 고개를 기울였다. 뜨끈한 이마가 툭, 하고 닿았으나, 그 이상은 없었다.

"티, 익숙한 도시에서 살긴 힘들 거야. 그러니 소조폴, 이즈버르는 안 된다. 글쎄. 수십 년 뒤에는 돌아갈 수 있겠지만."

"알아."

"그리고 동쪽 해안이 열린 곳은 일괄 배제해야 한다. 아무리 법황의 발언권이 높아졌고, 이에 정복이 둔화되었다 해도 나는 조금의 불안 요소도 남기고 싶지 않아."

"안다니까. 이미 내 마음속에선 남부 촌동네들로 선택지를 좁혔어. 따뜻한 곳이 좋다면서."

그가 인상을 찌푸렸다.

"'남부'?"

"응. 스몰랴, 비토 니샤, 디모보 같은 곳들."

"가 봤어?"

"가 본 곳도 있고, 아닌 곳도 있고. 일단 스몰랴이 좋지 않을까 싶은데. 부두 세 개짜리 도시 중엔 제일 큰 곳이잖아. 적당히 외지고, 적당히 촌인 거지."

"너무 크지 않아?"

"너무 작으면 못 살아. 당신이랑 나랑 장작 패면서 살자고?"

그가 살짝 고개를 숙였다. 그림자 너머로 작은 웃음이 머물렀다 사라졌다.

"못 할 건 없지."

"아, 각하. 제발. 사흘 묵은 죽을 평생 동안 먹고 싶지 않으면 생각 좀 하고 말씀하시죠."

"난 너만 있으면 돼."

"무능력해."

"맞아."

"잘하는 것 좀 말해 봐."

"항해, 총포, 냉병기. 아, 수영도."

"물고기는 잡을 수 있겠다."

"그렇군."

한순간 몸이 둥실 떴다. 티티라는 아찔한 감각에 숨을 들이켰다가, 안스가 자신을 위로 올리자 짜증스러워졌다. 그의 허벅지를 무릎으로 조이곤 가슴팍을 퍽 때렸다.

"물고기 잡아서 구워 와."

"생각해 보고 있는데, 이건 큰 문제다."

"뭐, 당신이 무능한 게?"

"응."

"내가 일하면 되잖아. 참…… 물고기 잡아 오라는 게 진심이겠어?"

"네가 애라도 가지면 어떡해."

역시 세 번째 미친 소리가 제일이구나.

티티라는 당황하여 각양각색의, 뚝뚝 끊기는 웃음을 터뜨리다가 — 우뚝 멈춘 채 그의 가슴팍을 한 번 더 강하게 때렸다.

"두 사람분의 미친 소리를 입 하나로 내뱉으려니 얼마나 힘들어, 그치?"

그는 왈가왈부하기 싫은 듯 어깨를 으쓱였다. 대신 굵고 큰 손이 제 엉덩이를 감싸 끌어당겼다. 그녀는 무슨 말을 내뱉기도 전에 화들짝 놀라 경련했다. 떨림이 너무 커서 아무 일 없었던 척할 수도 없었다.

그녀는 자세를 고쳐 앉으며 그의 이마를 쿡 찔렀다.

"배에선 정말 아무 짓도 안 할 거야."

그가 인상을 찡그렸다.

"왜?"

"비위생적이야. 그리고 남장을 할 건데 눈에 띄는 것도 싫어."

안스는 이해했다는 듯이 고개를 저었다—정반대의 몸짓이었지만, 분명히 그런 뜻이었다—.

티티라는 그가 수그러진 느낌이자 속사포처럼 쏘아붙였다.

"그리고, 방금 뭐? '애'? 진짜 '애'?"

"딱히 생각 없는데. 오히려 싫어하는 편에 속하지."

푸른 시선이 너무 태연해서 화가 날 정도였다.

"그럼 왜 그런 말을 해서 날 무섭게 해?"

"애가 필요하진 않아."

"그러니까—"

"그런데 내 아이를 밴 너는 보고 싶어."

얼굴에 열이 올랐다. 수많은 사람들 앞에서 웅변을 분실한 것처럼, 등골이 서늘했다가, 머리끝까지 불이 차올랐다. 그 급작스러운 변화가 심장을 쿵쿵 두드렸다.

한 사람이 되어 두 배로 뻔뻔해진 안스는 그녀를 빤히 관찰하더니, 곧 가슴팍에 숨을 묻었다. 둥근 틈 사이로 여러 번 입을 맞추었다. 가만히 있자 제 맨살에 닿아 웅웅거리는 소리가 들렸다.

"농담이야."

"……."

"농담이라니까."

"익사할 놈, 농담 아니잖아."

"널 독점하기 위한 가장 쉬운 길이지."

"……."

"그래서 마음에 안 들어. 너무 쉬운 건 보통 허상이니까. 내가 신앙을 익히고 한 가지 깨달은 게 있다면 그뿐이야. 대가 없는 보상에 대한 두려움. 내가 원하는 게 네 애정이라면, '아이'는 너무 쉬운 금화라고. 쉽게 들어온 금은 쉽게 떠날 수밖에 없겠지."

티티라는 부르르 떨었다. 그의 말 때문만은 아니었다.

그는 그녀의 턱 아래에서, 약간 못마땅한 듯이 내뱉었다.

"독점했다는 감각은 순간뿐이다. 의미가 없어. 나는 무슨 짓을 하든 항상 불안할 테니."

"돌고 돌아 또 그 소리네."

"진심은 아냐."

"거짓도 아니잖아."

"반반."

"네 바보 같은 소리나 반반으로 쪼개라."

"애정의 본질은 불안이지."

티티라는 벽 같은 대화에 크게 소리를 지르고 싶어졌다.

"티, 네가 그런 불안감을 느끼지 않도록 노력한 나에게 종종 고맙다."

"이젠 혼자 칭찬까지?"

그녀는 코웃음을 치다가 숨을 들이켰다. 이젠 시도 때도 없이—안스와 안스카리우스 모두 기묘하게 집요한 부분이 있었는데, 지금은 정말이지 견딜 수 없을 정도였다.

제 옷자락이 소리 한 자락 없이 미끄러졌다. 서늘한 공기가 피부를 간지럽혔다. 그들이 바깥이라고 가렸던 적은 없지만, 오늘은 조금 달랐다. 티티라는 네 고상한 누이가 사제왕들과 담소를 나누고 책임을 다하는 와중에, 너는 이렇게 생각 없고 배은망덕한 짓을 하는 게 맞냐고 좀 물어보고 싶었다.

그 많은 말들이, 그의 손 너머에서 바보처럼 짧게 흘러나왔다.

"승계식, 중이잖아."

"그래서?"

"……."

"디아딜로테는 반대하지 않을 텐데."

"아니, 이 상황에서 그 사람 이름을 꺼내면 어떡해?"

"왜?"

"아, 아, 교양을 좀 지켜."

티티라는 단호하게 옷자락을 여몄다. 아직까지 잔뜩 흥분한 시선을 바라보며 빠른 속도로 쏘아붙였다.

"어떻게 먹고살까 진지하게 이야기하고 있는데 이런 짓부터 하는 건 정말 상징적이네. 쓸모없는 각하께선 금이나 좀 챙기세요."

그는 당연한 이야기를 한다는 듯 한쪽 눈썹을 치켜올렸다.

"가져갈 금이 부족하진 않다."

"당신 누이한테 허락 맡고 조금만! 그걸로 멀끔한 저택을 하나 산 다음에 사무소를 만들어 장부 검토료를 받으면 돼. 출장도 갈 수 있어. 지난번에 내가 '누체트'라는 작은 마을에 표류한 적이 있는데, 날 치료해 준 보답으로 비슷한 일을 했거든. 다들 좋아하던데, 그 정도면 돈도 벌 수 있겠지."

"사실 한 주머니만 가져가도 평생 먹고살 정도는 될 거다."

"안 돼. 돈 많고 할 일 없는 부자처럼 남들에게 찍히기 쉬운 인간은 없잖아. 우리는 가늘고 길게가 목표란 걸 잊으면 안 돼."

"그래."

그의 대답은 간단했다. 티티라는 잔뜩 부풀어 이야기했다는 사실을 깨닫곤 약간 민망해졌다.

"당신은 그럼…… 음, 내가 욕하는 놈을 쫓아내 줘. 난 손님을 가려 받고 싶거든."

"좋지."

"아, 뭔가 손해 보는 느낌이야. 안스, 너도 장부 볼 수 있잖아. 도와."

"네게 비할 바는 아니잖아. 내가 하면, 네 성격상 한 번 더 보느라 수고만 더 할걸."

"……."

티티라가 스스로에게 패배해서 한숨을 쉴 때쯤, 그가 문득 생각났다는 듯이 덧붙였다.

"그레슈카는 한 번쯤 찾아갈 수 있겠지. 네 비밀이 대부분 공유되었을 테고, 또 위험을 무릅쓰고 널 도운 사람이기도 하니."

"……생각 중이야."

"수배령은 전부 소각됐다. 우리가 걱정해야 할 건 교국의 변덕이니, 그것만 고려해 둬."

"아직 결정하긴 일러. 시노드 신넬에서, 좀 더 고민을……."

그는 문득 그녀에게 입을 맞추었다. 티티라는 잠시 동안 눈만 깜빡이다가, 시선으로 이유를 물었다. 평소의 그처럼 '그냥', '눈앞에 있어서' 등의 실없는 대답을 기대했으나.

"이런 이야기들이 비현실적이다. 믿기지 않을 정도로."

티티라의 입가에는 이미 웃음이 걸려 있었다.

"좋으면 좋다고 이야기해."

"기쁘다."

"아, 할 줄 아는 게 하나도 없는 귀한 분을 먹여 살려야 하는 내임무가 너무 막중해."

그녀는 미소와 함께 다시 키스했다.

"처량하고."

다시.

"고돼."

입맞춤.

"아주 귀찮아."

안스는 순순히 제압당했다. 티티라는 그와 이마를 맞댄 채 한참 동안이나 온기를 찾았다.

안스는 승계식 이후로 종종 불려 나갔다. 승계식이라는 중요한 행사에는 내보이기 부끄러운 친족이지만, 그래도 사제왕들의 궁금증을 풀어 주어야 할 의무가 있는 모양이었다.

안스는 '연회'에 다녀오면 피곤한 기색도 없이— 아니, 무슨 일인지 웃음기마저 느껴지는 목소리로, 제 임무는 멍하니 앉아 있는 것뿐이라고 했다.

테티케, 요아나, 밀론다스, 싱게크레메나…… 온갖 사제왕들이 은근슬쩍 미친 인간을 구경했노라, '아판둔' 원정이 얼마나 처절한 실패로 끝났는지 언짢음과 안도가 뒤섞인 표정으로 자신을 통해 확인했노라 했다.

아, 유일하게 탈란타우에의 딸이 그에게 시간을 할애했다고 했

다. 이제는 '탈란타우에의 혈족' 따위가 아닌, '사제왕 탈란타우에'
그 자체가 된 사람. 탈란타우에의 장례식과 승계식 모두에서 가장
앞에 서 있었을 인간.

그녀는 한참을 응시하다가, 몸을 기울여 읊조렸다고 했다.

"바다 너머에서 무엇을 보았기에?"

이야기를 전하는 안스카리우스는 아무렇지 않은 듯했지만, 티티
라는 인상을 찌푸렸다.

"안스카르, 그자가 뭔가를 아는 거 아니야?"

그는 고개를 저었다.

"아버지를 빼다 박은 인간이야. 못 본 몇 년간, 그리고 아버지의
죽음으로 무언가 변했을까 했는데 여전하더군. 시노드 신넬 침략
은 또다시 탈란타우에라는 골칫덩이 손에서 이뤄지겠지."

"'골칫덩이'?"

"말했을 텐데. 사제왕들은 시노드 신넬을 반기면서도 멀리한다
고. 한 번 계획이 우그러졌고, 두 명의 사제왕까지 망가진 상황에
근 시일 내 희생을 무릅쓰고 싶진 않을 거다."

"……."

"반면 탈란타우에는……."

그는 무언가를 표현하려다가, 결국 말끝을 흐렸다.

티티라는 안스가 '자신을 죽인' 탈란타우에를 기억하는 것일지,
아니면 '자신을 도운' 탈란타우에를 기억하는 것일지 궁금해했다.

그녀는 괜히 빙 돌려 물었다.

"지난 십 년이 아쉬워?"

안스는 곧장 대답하지 않았다. 대신 천천히 걸어가 창가에 앉았다.

"모르겠다."

"……."

"'아판둔 원정'이 흔들린 것은……. 한때의 내 목표가 무너진 것이나 다름없지. 안스의 기억을 가지고 있어도, 십 년 동안 애썼던 삶이 사라지진 않는다."

"……."

"하지만 네 살인을 눈감아 준 때부터 예견된 앞날이었다. 지금 와서 아쉬워하는 척을 해 봤자 의미가 없어. 난 너를 선택했고, 후회하지 않는다."

그는 담담했다. 진짜일 수도, 스스로를 달래기 위한 말에 불과할 수도……. 그러나 티티라는 더 이상 생각을 뻗지 않았다. 이제 상대를 반드시 읽을 수는 없다는 사실을 이해했다. 그에게 있는 미지의 공간을 존중하기로 했다. 그리고 잠자코 창밖을 응시하는 안스를 위해 침묵했다.

어쨌든 그는 안스처럼 분노에 차 있지도, 안스카르처럼 유대감을 내보이지도 않았다. 티티라는 그것만으로도 충분했다.

'연회'는 잠깐이었다. 떠나는 날이 가까워질수록 디아딜로테가 안스를 부르는 횟수는 점차 드물어졌다. 안스는 귀찮은 일들을 다 마무리했는데, 굳이 바쁜 사람을 마주할 필요는 없지 않느냐고 했다.

이제 와 말하지만 ―아니, 어쩌면 내내 투덜댔을지도― 티티라는 저 둘의 관계를 좀처럼 이해할 수가 없었다. 특히 디아딜로테.

고된 일을 대신해 줄 만큼 친애의 정을 쌓은 건가 싶다가도, 전혀 미련이 없는 것처럼 돌아서곤 했다.

언뜻 그런 궁금증을 내비쳤을 때, 안스는 자신도 모르겠다며 얕게 웃었다. '어떤 이는 신앙심을 한 사람에게 비추기도 하나 보다.' 알 수 없는 말을 덧붙일 뿐.

그렇게 그들은 서서히 떠날 준비를 했다. 정말로, 영원히, 마음부터. 때문에 고요한 작별에 익숙해졌던 티티라는, 디아딜로테가 그들을 함께 부른 밤에, 조금 놀랐다.

출항 전날이었다. 잠도 못 들 정도로 묘한 기대와 불안이 뒤엉킨 밤. 잔뜩 웅크려 있는데 디아딜로테의 전령이 찾아왔다.

안스가 툭 내뱉었다.

"한참 바쁘다던데, 희한하군."

그러나 그뿐이었다. 그는 더 이상 지체하지 않고 디아딜로테의 집무실로 향했으며, 티티라 또한 얼떨떨한 채 그를 따랐다.

문이 열리자, 그들의 눈에는 사람보다 어마어마한 짐이 먼저 들어왔다.

"오랜만에 뵙습니다."

티티라는 수많은 포장들을 곁눈질하며 엉성하게 인사했다. 인사를 하는 둥 마는 둥 하던 안스는 저벅저벅 걸어가 한데 쌓여 있는 물건 중 하나를 들어 보았다.

"테티케, 알렐링기에스……."

티티라는 희미한 기억을 뒤적거리다, 그가 중얼거린 이름이 사제 왕들의 명칭이라는 사실을 깨닫곤 눈썹을 치켜올렸다.

"'선물'입니까?"

디아딜로테가 처음으로 입을 열었다.

"그런 모양이에요. 그냥 버릴 생각이었는데, 버리기 힘든 것들이 와서."

"귀한 흑표 가죽이라도 보낸 겁니까? 당신이 그런 생각을 하게."

"그 아래."

'선물'들을 툭툭 건드리던 안스가 순간적으로 멈칫했다.

"……."

"법황도 제 딴에는 선물을 보내고 싶었나 봐요."

티티라는 '법황'이라는 단어에 발작하듯 반응했다. 한 번에 여러 걸음이나 뛰어가, 안스가 들여다보는 자리를 함께 찾았다.

"아……."

이렇게 앞에 서니 알 수 있었다. 법황의 선물이야말로 저 더미의 대부분을 차지하는 잡동사니였다. 그녀는 스치듯 바라본 것만으로도 그 내용을 알아차릴 수밖에 없었다.

그녀가 누렇게 들뜬 종이를 주워 올렸다.

조용히 읽었다.

"'우스페히.'"

고개를 돌리자, 안스의 얼굴이 조금 일그러져 있었다. 티티라는 그에게 우스페히 씨의 기억이 돌아왔다는 사실을 알았지만, 저렇게 직접적으로 드러나는 상처는 처음 봐 새삼 놀랐다. 누군가 본다면 우리의 얼굴이 똑같다고 말해 주었겠지.

티티라는 작은 기침을 몇 번 하곤 중얼거렸다.

"……예전에 법황을 찾아갔을 때, 안스 네 과거를 안다며 던져 줬던 물건들이야. 버린 줄 알았는데."

"버릴 곳이 필요했을 수도."

"이해가 안 가……. 왜 굳이, 이 시점에?"

안스는 대답하지 않은 채 법황의 도장이 찍힌 물건들 사이로 손을 뻗었다. 하나둘 꺼내더니, 문득 발치에 있는 단단하고 검은 상자 하나를 들어 올렸다.

"아."

공단으로 뒤덮인 덮개를 열자, 안에는 작은 칼이 있었다.

티티라는 소름이 돋아 한 걸음 뒤로 물러났다. 그날 자신이 보았던 안스의 물품들은 가벼운 종이 쪼가리, 혹은 잡기에 불과했다. 칼은 없었다— 혼란스럽고 조급한 생각으로 급하게 내뱉었다.

"내일 떠나는데, 무슨 속셈이지? 디아딜로테 님— 아니, 사제왕 각하, 이 '선물'들은 언제 온 건가요? 혹시 편지는 따로 없었을까요? 어쩔 수 없이 우릴 보내 준다는 생각 아니었나. 그 인간이 변덕을 부려—"

"쉬, 진정해요. 돔니니."

티티라는 말을 삼켰다. 어깨가 크게 들렸다 내려왔다. 디아딜로테는 친절하게 짚었다.

"단검에 글자가 있군요."

안스가 한숨을 쉬었다.

"예. 저도 확인했습니다."

"안스, 무슨 뜻이죠?"

"'알레스 상겔레아스. 과거를 베고.'"

"아, 이런. 악취미."

"생각이 짧고 오만한 인간이 주로 쓰는 경구군요."

"죄송한데, 저는 모르겠습니다. 무슨 뜻이죠? 무슨 뜻이야, 안스?"

안스는 단검을 칼집에 넣었다. 그리고 다시 품으로. 티티라는 그가 물건을 간직할 작정이라는 사실을 깨닫곤 언짢아졌다.

"티, 이건 성경 구절이야. 패배한 아그리니오인들을 받아 주며 선지자가 내린 말이지. 주로 승자의 아량하에 통치를 받아들이고 미래를 함께하자는…… 평화 협정에 쓰이는 경구다. 이즈버르와 맺은 조약에도 쓰여 있어."

티티라는 설명을 듣자마자, 방금 전 남매가 보인 반응을 완전히 이해했다. 그녀도 한 가지 단어밖에 떠올릴 수 없었다.

"아…… 촌스러워."

디아딜로테가 작은 웃음을 터뜨렸다.

"하하, 그래요. 다른 만 가지 방법이 있지만 그대들을 배려하여 거룩한 성은聖恩을 내린다는 것이에요."

"그렇게 비웃을 것만은 아닙니다. 이건 네가 약속을 지키는 한 자신도 지키겠다는 호혜성互惠性의 경구이기도 하니까요. 언젠가 원정이 재개된다면 우리는 항상 경계하며 살아야 합니다."

"그런 것치곤 법황이 다른 잡동사니들을 많이도 보냈는데. 본인은 그대를 위협하면서, 감사하게 만들면서, 또 '과거를 베라'는 경구에 맞도록 상징물들을 보냈다는 사실에 꽤나 만족하고 있을 거예요. 그렇게 다양하게 고민해서 마지막 말을 남기는 사람이 우습지 않기는 힘들죠."

"디아딜로테, 당신을 향한 경고이기도 합니다."

"그럴 수도."

디아딜로테는 여전히 유쾌해 보였다. 저 산더미를 보여 주면서 어떤 물건이 제일 중요한지 이미 한참 전에 알아차리고 상황을 예상한 사람 같았다.

그녀는 미소 끝에 말했다.

"안스, 단검은 가져갈 건가요?"

"예. 이 칼은 법황청의 칼이기에, 교국인에겐 단순히 보여 주는 것만으로도 의미가 있습니다. 바다 너머에서도 가치를 지닐 일이 한 번은 생길 겁니다. 법황 본인이 이를 예상했는지는 모르겠군요."

"그래요. 그러면 다른 선물들은?"

그는 미간을 좁힌 채 잠시 가만히 서 있었다.

"돔니니가 도움이 되리라 생각해서 불렀는데, 역시 그렇군요. 돔니니, 다른 선물들은 어찌할지 그대 의견을 바라요."

티티라는 짜증스러운 얼굴로 방 안을 둘러보던 중 흠칫 놀랐다.

그러나 답은 빨랐다.

"다 불태워요."

디아딜로테의 양손이 살포시 마주 닿았다. 그 표정을 읽기는 조금 힘들었다.

"안스, 따를까요?"

안스는 한숨을 쉬더니……. 짧게 답했다.

"예."

티티라는 한 걸음 걸어가 그의 어깨를 툭툭 쳤다. 발돋움을 하곤 조용히 속삭였다.

"남기고 가자."

십 년 전 저 애가 들고 왔던 이유가 있을 것이다. 그러나 이제는 완전히 다른 항해를 바라보고 있었다.

그들은 지금, 함께 고향에 돌아갈 것이다. 바스러지기 직전의 유년기도, 바깥세상의 흔적도 필요 없었다.

티티라는 왠지 디아딜로테가 이미 제 답을 알고 있었을 거라는 생각이 들었다. 그렇게 선언하도록 자신을 함께 부른 것은 아닌가 의심이 들었다.

"그 의견대로 할게요. 흔적 없이 태우겠어요."

"⋯⋯."

"참, 나는 내일 그대들을 배웅하지 못해요. 부끄러운 요양이고, 몰래 뒷문으로 나가야 하는 처지이니, 이해해요. 외면해야 해요."

"예. 압니다."

안스의 손이 자신을 살짝 밀었다. 그녀가 떨어지자, 그는 디아딜로테를 향해 한 걸음 앞으로 나섰다.

"어떤 인사를 드려야 할지 모르겠습니다. 신앙 속에 견실하시길."

디아딜로테는 조용히 미소 지었다.

"다시는 못 볼 내 동생에게 고해요. 돌아올 자리는 없어요. 나는 그대가 죽었다는 소식만 듣기를 바라요."

"그러겠습니다."

"인사는 필요 없겠지요."

안스는 고개를 살짝 숙였다. 디아딜로테는 인사 대신, 나가라는 손짓을 했다.

그들은 해석하기 어려운 밤을 뒤로하고 떠났다.

다음 날 아침.

아펭글로가 약속에 맞추어 나와 있었다.

그러니까, 아펭글로뿐이었다. 지나치게 고요했다. 그 옆에 선 초라한 마차는 그들의 편의를 위해서가 아니라, 그들을 숨기기 위한 것처럼 보였다.

아펭글로는 꾸벅 인사한 뒤 홀로 마부석으로 향했다. 안스 역시 지체 없이 마차에 들어서 손을 내밀었고, 티티라는 마지막으로 주변을 둘러보곤 그를 따랐다. 그들은 모든 것을 오래전에 겪어 본 양 자연스레 행동했다.

덜컹거리며 움직이는 싸구려 마차에서 그녀가 중얼거렸다.

"너무 각오했나 봐. 벌써 지쳤어."

실제로 떠나는 것보다, 그때까지의 길다면 길고 짧다면 짧은 시간이 그녀를 더욱 초조하게 했다. 그러니 앞으로 무슨 일이 벌어지든 이게 최선이었다.

안스는 대답하지 않았다. 그녀를 외면해서는 아니었다. 그보단 그답지 않게 조금 긴장해 있는 것 같았다…….

그들은 침묵 속에서 부두에 다다랐다.

종종 봐 왔던 배가 여느 때와 다름없이 정박해 있었다. 초라한 돛에 해진 상징까지, 온몸으로 천덕꾸러기라고 외치는 듯했다.

늦은 새벽. 아무도 마중 나오지 않았다. 단지 아펭글로가 조용히 인도하여, 꾸벅꾸벅 졸고 있는 배의 문지기에게 허락을 받았을 뿐이었다.

그들은 일전에 살펴 두었던 방에 유폐되듯 들어갔다. 얼마 안 되는 짐이 미리 옮겨져 차곡차곡 쌓여 있었다.

"이제부터 저희를 도울 사람은 아무도 없습니다."

오늘 처음으로 듣는 아펭글로의 목소리였다.

"최대한 바깥에 나오는 것을 자제하시고, 반드시 필요한 경우에는 저에게 요청하십시오."

아펭글로는 이미 배에 아는 이들이 몇몇 있어 군인들에게 쉬이 받아들여진 모양이었다. 그 때문에 출항일이 가까워질수록 바를라암 관보다 부두에 더 많이 나가 있었으니, 그에게 사절을 맡기는 것은 자연스러운 일이었다.

"그래."

"늦었지만, 저를 허가해 주셔서 감사합니다."

안스는 그를 물끄러미 바라보았다.

"그 말은 디아딜로테에게 했어야지."

"이미 드렸습니다. 하지만 당신에게도 말씀드리고 싶었습니다."

"마음만 먹으면 혼자 갈 수도 있었을 텐데, 구태여 고개 숙일 필요는 없어."

"아뇨. 전 아마 죽어도 떠날 결심을 하지 못했을 겁니다. 게다가 무엇이 되었든 밀항보다는 정식 수행원인 편이 낫습니다. 감사합니다."

안스는 어깨를 으쓱이곤 화제를 돌렸다.

"소조폴까지만 동행하겠다고 했지."

"예. 그러나 이 배에서는 제 힘이 닿는 한 당신의 안전을 지키겠습니다."

"네가 원한다면."

아펭글로는 다시 한번 예를 표하고 떠났다. 티티라는 노구의 그가 시노드 신넬에서 무슨 일을 하려는지 궁금했지만, 이미 여러 번

던진 질문에도 애매한 웃음만을 받았던 기억이 있었다. 이런 마지막 순간에도 그는 알려 주지 않을 것이다. 물론, 짐작 가는 바는 있지만—

티티라는 안스가 침대 위에 짐을 올리자 인상을 찌푸렸다.

"아직 누워 보지도 못한 침대에, 더럽게."

그는 아랑곳하지 않은 채 천을 풀었다.

"……."

압축된 총, 칼, 짧은 창. 그의 상체 길이를 넘지 않는 온갖 무기들이 덜그럭거리며 놓였다. 그녀는 기가 막혀 헛기침을 했다.

"안스, 여기 이백 명은 탈 텐데. 그걸로 다 죽여 보게?"

그는 그녀를 등진 채 짧게 대답했다.

"자구책 정도는 되겠지."

티티라는 또 한 번 웃음 섞어 말하려다가, 문득 이 순간이 어디서 많이 겪었던 상황이라는 사실을 깨달았다.

아. 우리의 '마지막' 여행.

서로 도망가지 못하게 꽉 손을 붙든 채, 니는 나 때문에 못 하고, 나는 너 때문에 못 한다며 우울해하던 시절.

그때 그는 신앙처럼 매일 밤 무기 손질에 집착했다.

티티라는 순간적으로 아찔하여 그의 등에 손을 얹었다. 그가 의아한 듯 돌아보자, 그녀는 버벅거리다 대답했다.

"안스, 후회되면 돌아가도 돼."

이 지경까지 와서 대체 왜 저따위 말을 하는지, 스스로도 얼굴이 붉어질 지경이었다.

하지만 무기를 고르는 그의 뒷모습이 옛날과 너무 똑같아서 그녀에게 불가해한 두려움을 불어넣었다. 자신을 지나치게 아껴 긴장에 차 있고, 그렇기에 언젠가 파멸을 부를 것처럼.

"무슨 소리야?"

그가 완전히 몸을 돌렸다. 얼굴에 불쾌감이 서려 있었다.

'우리에게 서로밖에 없으면, 또 과거의 반복이 되지 않을까?'

티티라는 무른 살을 꿰뚫고 올라온 창칼 같은 질문에 상처 입었다. 그나마 달라진 부분이라면, 추할 정도로 모자랐던 시절에선 조금 벗어났다는 점일까. 그녀는 이제 적어도 숨기지 않고 표현할 줄 알았다.

"너, 옛날 일을 반복하지 않을 자신이 있어?"

"무슨 말인지 설명해."

그는 한순간도 침묵을 용납하지 않겠다며 굳게 각오한 사람 같았다. 이미 언뜻 비치는 짜증을 넘어서, 미세한 분노가 말에 배어 있었다.

티티라는 그에게서 한 걸음 물러서려 했지만, 곧장 손이 잡혔다. 그녀는 감금당했다. 이 상황에서 뻔뻔하게 설명할 자신은 없었지만, 그래도 숨죽여 속삭일 수는 있었다.

"그냥…… 너무 그날을 닮아서. 우리가 그때 이후로 얼마나 변했을까, 갑자기 생각이 들었어."

그의 얼굴 위로 얇은 종이가 덧발렸던 듯, 본시 얼굴이었던 것이 가면이 되어 흘러내린 듯 불안이 우글우글하게 울었다.

"그래서?"

목소리는 음산하다시피 낮았지만, 그것이 강하다는 증명은 아니었다. 그 역시 한순간 떠밀린 길고 좁은 길에서 흔들리고 있었다.

"티, 나는 더 이상 열아홉짜리 얼간이가 아니야."

"……알아."

"그러면 너도 그렇게 대해선 안 되지. 지금 불안해한다면 그건 '우리'가 아니라 '네' 불안이라고."

그러니까, 만일 그게 내 마음속의 불안에 불과하다 해도, 그걸 달랠 생각 없이 순식간에 병장기처럼 벼려져 공격하려는 모양새가 옛날 같다고 말하고 싶었다.

그러나 실망하여 한숨을 쉬려는 순간— 그가 제 뺨을 감쌌다.

티티라는 코앞에서 안스의 시선을 마주하곤 모든 전의戰意를 상실했다.

그는 '흰 벼락'에 있던 이였다. 초조하고 절박했으나, 끝까지 제게 손을 뻗은 사람. 기억을 온통 지워 두어도 제 반대로 걸어갈 일이 없는, 어떤 것도 가를 수 없는 완전한 애정, 집착, 숭배를 지닌.

그가 목 졸린 듯 중얼거렸다.

"안 돼."

티티라는 자신이 언제나 꺼림칙하게 여겼던 상황에 다시 한번 걸어 들어가고 있다는 사실을 알고 있었다. 서로 다른 삶을 펼칠 세계는 접혀 사라지고, 온전히 상대밖에 남지 않는 삶. 예전보다 더 지독히 고삐에 얽매인 맹목…….

하지만 그를 마주한 순간 모든 것이 분쇄되어 사라졌다. 이제 제 두려움이란, 애정으로 짓밟아 버려도 될 만큼 하찮은 존재였다.

아, 나는 남은 평생 동안 같은 감정을 되새겨야 하겠지. 돌아서면 불안하고, 마주 보면 눈이 멀어 버리는.

티티라는 고개를 숙였다가, 다시 들었다. 여전히 제게 집중해 있는 시선 너머로—

바다가 보였다.

그들이 주저하는 사이 날이 밝아 있었다. 서서히 귀가 트였다. 거친 군홧발 소리도, 이젠 몸에 새겨질 정도인 출항 직전의 삐거덕 거림도 선명해졌다.

그의 시선이 멀리 바라보는 상대를 따라왔다. 뺨이 따가울 정도로 집요했다. 그러나 티티라는 넋을 놓은 채 바다를 응시하기만 했다.

아, 움직였다.

작은 사각형 안에 갇힌 세상이 기우뚱 기울었다. 땅 위의 사람들이 걷는 것보다 빠르게 지나갔다. 새처럼 허공을 비상하다, 후드득 떨어지는 밧줄들, 흰 천들…….

누군가 섬세하게 그려 둔 배경이 지평선에 맞추어 시야를 파고들었다. 끝없이 이어졌다. 대지 역시 바다와 마찬가지로 사람을 압도하는 힘이 있었다. 이제 안정된 인간의 땅을 뒤로하고 바닥 없는 물 위로 몸을 내던지는 것이다.

그렇게 빠져 있었기에, 갑자기 보인 성벽은 불쑥 나타난 것처럼 느껴졌다.

아니, 한순간은 성벽이라고 생각하지도 못했다. 오래도록 땅에 웅크린 전설인 듯 보였다. 지금껏 보았던 어떤 건축물보다 거대하여 더 이상 사람을 압도하는 힘조차 쥐지 못한, 단지 인간을 기묘하게 무력하도록 만드는 신의 흔적.

티티라는 문득 자신이 교국에 처음 들어오던 때를 떠올렸다. 아침 햇살을 받아 노랗게 빛나던 에예우의 성벽, 제 정신을 반지르르하게 밀어 버리던 충격이 아직도 선명했다.

그때는 성벽 자체도 놀라웠지만, 그녀 앞에 펼쳐진 땅이 눈앞을 캄캄하게 했다. 앞날이 어떻게 될지 모른 채 알 수 없는 권력에 부드럽게 머리를 쓰다듬긴 듯했다.

대적할 수 있을까.

승리할 수 있나.

너를 되찾을 수 있나.

맹수의 아가리처럼 벌어졌던 시야가 점차 한 점으로 좁아졌다.

멀리, 멀리, 아니, 가까이, 가까이…….

티티라는 안스를 바라보았다.

그녀가 멍하니 중얼거렸다.

"아, 괜찮아."

그의 손끝에 힘이 실렸다. 풀어 내린 말 뒤로, 더듬거리는 선언이 흘러나왔다.

"내 감정은 밑창 떨어진 부츠 같아. 이따금 제 구실을 하는 듯하지만, 사실은 아니니까."

"……."

"안스, 나는 사랑이란 걸 잘 몰라. 함께한다는 말마저 아득해. 아, 사실 난 나 스스로도 잘 모르겠어."

그때 콧등이 툭, 맞부딪혔다.

누가 먼저 기울었는지는 알 수 없었다.

"하지만 내가 널 구했어."

그의 속눈썹이 자신을 간지럽혔다. 단어와 단어 사이 틈을 파고들어, 한때는 속눈썹인 줄 알았으나 입맞춤이었던 애정이 따끔하게 그녀를 찔러 왔다.

"……감정은 엉망이지만 뒤돌아보면 내가 오른 산이 보여. 그러니 불안해도 헤쳐 나갈 수 있어. 우리가 옛날 그대로라도, 악착같은 마음이 앞을 다르게 만들 거야."

그는 다시 한번 키스했다. '그래.' 짧은 말을 들은 것 같기도, 그렇지 않은 것 같기도 했다.

"티."

많은 단어를 놓쳤지만 이름만큼은 제게 닿았다.

오랜 친구이자 새로운 연인은 묘하게 바다 같은 색을 띠고 있었다. 일렁이는 햇빛에, 그러니까 제게, 반사되어 수억 가지 빛을 쪼아 냈다. 진실도 그처럼 산란스러웠다.

"널 사랑하는 마음은 소년 시절이나 지금이나 같다. 그러니 나는 변하지 않았다고 해야겠지. 변할 수도 없고, 변할 마음도 없어."

"응."

"그러니 네가 바뀌어."

"알겠어."

"나를 더 사랑해."

"그래."

티티라는 웃음을 터뜨렸다.

"더 노력하고, 내게 입 맞추고, 나를 위해 싸워."

"나만 너무 손해 본다."

"너는 그래야 해. 나를 사랑하니까."

어두컴컴하다가도 불쑥 하얀 포말로 튀어 오르는 파도가 보였다. 그것이 진짜 바깥인지, 저릴 정도로 아끼는 상대인지, 아니면 제 감정인지 알 수 없었다.

그러나 한 가지는 분명했다.

티티라는 안스에게 고개를 끄덕였다.

"함께 돌아가자."

얇은 부채를 펼친 듯한 바다였다.

몰래 흔드는 손짓에 물살이 퍼질 뿐, 햇살처럼 평온한 바다.

아름다웠다.

넓은 부두, 판판한 대지, 무엇보다 진홍색 지붕이 눈에 밀려들었다. 너무도 오랜만에 보는 인공적인 색이었다. 평생을 함께한 대조가 아니던가.

여기까지 오는 길에 겪었던 폭풍은 총 세 개였다. 그 모든 고난 뒤 알량한 폭풍에 목숨을 잃었다면 얼마나 뼈에 사무쳤을까. 아마 바다 밑에 파묻히고도 인정할 수 없어 물귀신이 되었을 것이다.

그럼에도 다행인 점이 하나 있었다. 시노드 신넬의 배에선 언제고 곤두서 경계해야 했던 해적의 공격이 하나도 없었으니까. 그렇게 인간들에게 무적인 가운데 자연을 막아 냈으니 정말이지 평화롭고 무탈한 여행이었다고, 그녀는 생각했다.

티티라는 짜릿한 기분에 옆을 더듬어 누군가의 어깨를 꽉 쥐었다.

상대가 돌아보는 기색이 느껴졌다. 몸이 울린다.

"아직 한참 남았어."

티티라는 짜증스레 인상을 찌푸렸다. 내가 언제 나갈 수 있는지 궁금해서 물어본 것 같나?

"밖을 보라고 한 거야."

안스는 상체를 살짝 앞으로 숙였다.

"봤다."

티티라는 손짓으로 욕했다.

"십 년 만에 돌아오는 고향이잖아."

그는 어깨를 으쓱였다. 네 기분을 고려하여 '두 해 만에 돌아오는 정복지이기도 한데.'라는 말을 꺼내지 않겠단 투였다.

티티라는 그를 밀쳐 내고 다시 유리창에 붙었다.

오랜만에 보는 자유분방한 차림과 짙은 색 사람들이 소름 끼치게 좋았다. 떠날 때 이곳에 내 살을 발라 두고 가는 듯했지. 시계탑이 있든 없든 이곳은 제 고향이었다. 그녀는 산 아래 마을에서 처음 도시로 온 사람처럼 정신 못 차리고 바깥을 구경해 댔다.

그렇게 얼마나 지났을까. 어깨에 힘이 느껴졌다.

몸을 돌렸다.

어느새 짐을 들쳐 멘 안스가 보였다.

"나가자."

"······아펭글로도 안 왔는데?"

"올 거야."

"안전하게 그가 오면—"

순간 문을 두드리는 소리가 났다. 티티라는 멈칫했다.

"들어와."

문이 열리자, 아펭글로가 서 있었다. 그 역시 긴 여행을 떠날 만반의 준비가 된 모습이었다. 그녀는 헛기침을 내뱉곤 두 사람을 돌아보았다.

특별히 떠나자는 권유는 없었다. 안스가 제 손을 붙잡아 끌어당겼고, 그녀는 일곱 살 적처럼 종종걸음으로 따라갔을 뿐이다.

왠지 웃음이 났다. 진짜 그때 같은데.

갑판으로 나오자 갈매기들이 미친 듯이 꽥꽥대고 있었다. 희멀건 얼굴을 알 리가 없건만, 왠지 저놈들도 하나하나 제 친구처럼 정겨웠다. 정말이지 반가워서 미쳐 가는군.

군인들은 갑판 위에서 짐을 나르느라 그들에게 눈길 한 번 주지 않았다. 아니, 어쩌면 그것은 단지 핑계에 불과할지도 모르겠다. 항해 내내 일부러인 듯 그들을 무시하였으니.

그들은 주목받지 않고 부두에 내려섰다.

티티라는 돌바닥을 밟자 지나치게 흥분했다. 앞이 어지러웠다.

두 걸음 걷고, 바닥으로 무너지는 것을—

안스카리우스가 확 끌어 올렸다.

티티라는 그를 뿌리치곤 열렬히 무릎 꿇었다.

감히 소리를 낼 수 없어서, 입속으로 중얼거렸다.

'소조폴.'

누군가 다시 자신을 붙잡아 올렸다. 티티라는 투덜거리며 일어섰다. 감동을 받으려 했는데 도저히 가만둘 생각이 없는 모양이었다.

그녀는 희번덕 뜬 눈으로 사방을 둘러보며 끌려갔다.

아펭글로가 누군가와 짧게 대화한 뒤에야 마침내 부두 옆길로 들어설 수 있었다. 소조폴에 돌아왔다는 사실만으로도 이미 거대한 품에 감싸인 것 같아 좀처럼 변화를 느끼지 못했는데, 바다가 시야에서 사라지자 정신이 번뜩 들었다.

이제 그들은 넓지도 좁지도 않은 소조폴의 길에 서 있었다.

티티라는 그제야 헐떡이며 누렇게 뜬 벽을 짚었다.

소조폴.

소조폴.

"소⋯⋯."

말이 제대로 새어 나오지 않았다. 두터운 이불에 묻힌 듯 계속해서 고꾸라졌다.

"소조폴입니다."

그녀는 믿기지 않을 정도로 차분한 아펭글로를 홱 돌아보았다.

"⋯⋯나는 이 년 만에 돌아왔음에도 미칠 것 같은데 당신은⋯⋯."

"반세기를 꽉 채웠지요."

"어떻게⋯⋯."

"저는 도시를 찾아온 것이 아니니까요."

그는 홀가분하게 매듭지었다.

"많이 변하진 않았군요. 방금 전 보급선 책임자에게, 안스는 사제왕 바를라암께서 따로 마련해 주신 숙소로 간다고 했습니다. 나중에 법황의 대리인이 캐물으려 든다면 거짓임이 들통나겠지만, 크게 신경 쓰진 않을 겁니다."

안스는 그를 물끄러미 바라보다가 툭 내뱉었다.

"알겠어. 이제 그만 떠나도 좋아."

아펭글로는 고개를 살짝 숙였다.

"항해 동안 고생 많으셨습니다."

"방 안에만 있었지. 당신이 아니었으면 문제가 많았을 거야."

"별말씀을요."

"내가 사라졌을 때마저도 날 신경 썼단 걸 알아. 고마워."

"⋯⋯."

"같은 땅을 밟고 있으니 언젠간 다시 볼 수 있겠지."

"제가 어디로 가는진 이미 알고 계시지요? 당신이 먼저 절 찾아야겠군요. 연락 주십시오."

"그때까지 늙어 죽지 않는다면."

"그럼 제가 늙어 죽기 전에 연락을 하세요."

안스가 작게 웃었다.

손을 내밀었다. 시노드 신넬에서 물든 습관이었으나, 아펭글로는 자연스레 마주 잡았다. 그의 손은 그녀에게도 뻗어 왔으며, 티티라 또한 새롭게 예의를 표했다.

더 이상의 작별 인사는 없었다.

그는 배낭을 한 번 고쳐 메곤 뒤돌아 떠났다.

티티라는 한숨처럼 내뱉었다.

"소조폴······."

자신은 영원히 이 단어만 중얼거릴 수도 있었다.

"티, 우리도 떠나야지."

그녀는 흐릿해진 시야를 겨우 다잡았다. 그는 '스몰량'에 가자고 이야기하고 있었다. 긴 항해 동안 여러 번 고쳐 쓴 후보지 목록에서, 언제고 가장 위에 위치했던 도시였다. 소조폴에 도착하자마자 어떻게 이동할지 꼼꼼하게 계획해 두기까지 했다.

그러나 티티라는 그 전에 할 일이 있었다.

그녀는 발돋움을 하여 그에게 두건을 씌워 주었다.

"얼굴 가려."

그리고 제 얼굴 또한 깊게 덮었다.

"성문을 나서기 전에 가 볼 곳이 있어."

"미리 말 안 했잖아."

"위험하면, 안 할게."

"어딜 가느냐에 따라 다르지."

티티라는 몸을 들어 그에게 속삭였다.

그는 한숨과 함께 앞장서라는 손짓을 했다.

그들은 꽤나 큰 건물 앞에 도착했다. 휘황하진 않았지만 잘 정돈
되어 위신 있는 사람이 머문다고 짐작하기에 충분했다.

홀에 들어섰다. 홀 끄트머리 책상에 앉아 있던 남자가 휙 고개를
들었다. 그 동작은 꽤나 신경질적이어서, 곧 흘러나온 목소리가 부
드럽자 조금 놀라울 정도였다. 열심히 교육시켰군.

"무슨 용건이십니까?"

티티라는 두건을 벗으며 다가갔다.

"'상주 대리'를 보러 왔습니다."

"미리 약속하셨습니까?"

"아니요— 사람도 다 바뀄네. 다행이긴 하지만."

"예?"

"안에 계시긴 하지요?"

"당신에게 대답해 드릴 의무는 없습니다."

그녀는 고개를 절레절레 저으며 뒤로 손을 내밀었다. 이내 무언
가 묵직한 것이 얹히는 느낌이 들었다.

티티라는 안스에게서 받은 귀금속을 턱 하고 책상 위에 올렸다.

"약속을 하진 않았지만, 계약을 했습니다. 가치는 알아볼 수 있
을 겁니다."

사실 자신도 그 가치를 모르긴 했다. 안스가 줬으니, 뭐, 비싼 거

겠지.

남자의 눈이 점차 커지더니, 대답조차 하지 않고 익숙한 위쪽 방으로 줄행랑치는 모습이 보였다.

티티라는 팔짱을 낀 채 기다렸다.

얼마 지나지 않아 문이 열렸다.

"들어오십시오!"

그녀는 계단을 두 개씩 뛰어넘었다. 상주의 방으로 향하는 행동치곤 몹시 채신머리없는 짓이었다.

남자를 밀치곤 방 안으로 들어갔다. 정말로, 상대가 나동그라질 정도로 강하게 밀쳤다. 그 정도로 그녀는 들떠 있었다. 두건을 쓴 안스가 제 뒤를 따르며 적당히 문을 닫는 것이 느껴졌다.

티티라는 눈앞에 선 상대의 놀라 자빠질 것 같은 표정에 기분이 좋았다.

인사했다.

"오랜만이야, 오벰."

오블레드는 입을 열었다가, 아무 말도 하지 못한 채 닫았다.

"……."

"왜 이렇게 놀라지? 내가 죽었단 소문 같은 건 없었을 텐데."

"수배지가……."

"그건 폐기됐잖아. 실수랬어."

"아두커에서 널 잡았다고……."

"음, 그레슈카는 너한테 뭐라고 설명한 걸까. 상단을 샀으면 실질 운영인한텐 좀 설명을 해 줘야 할 것 아니야."

"……네가 도망치는 신세라서 상단을 싸게 넘겼다고 했어. 끝까

지 지랄을 하는구나 싶었는데, 그래도 그레슈카가 휘하면 좋은 일이
니 받아들였다."

티티라는 참 그녀다운 언사에 할 말을 잃었다. 그레슈카 아래로
들어간 것이 좋다고 생각하면서도 제 욕을 하고 있었다.

물론 그만큼 제 잘못이 컸지만.

그녀는 목을 가다듬은 뒤 사과했다.

"오벰, 그때는 상황이 안 좋았어. 미안하다. 이 말을 하고 싶어서
왔어."

"'오벰'이라 부르지마. 그리고 '그때'? 너는 312년 이후 계속 미쳐
있었어. 상단을 완전히 말아먹었다고."

"그래도 네가 여기 있었잖아."

익숙한 책상 너머 오블레드의 얼굴이 시뻘겋게 달아올랐다. 당연
하지만 부끄러움은 아니었다.

"너……! 당장 꺼져! 대체 무슨 염치로 다시 온 거야? 수배령이
내려지지 않았더라도 내가 뭐 신나서 맞이할 것 같았냐? 지금 와서
신세라도 지게?"

"오벰. 방금 네가 날 왜 불렀는지 기억해 봐."

그녀는 우뚝 멈추었다.

티티라는 다시 한번 안스에게 손을 내밀었다. 그가 짜증스러워하
는 기색이 선명했지만, 마구 손가락을 구부려 강탈했다. 결국 꽤나
묵직한 것이 주머니째로 제 손에 얹혔다.

그녀는 오블레드에게 다가갔다. 책상 위로 꾸러미를 내려놓았
다. 오블레드가 차마 자존심 때문에 벌어진 천 입구를 보지 못하는
것이 느껴졌다.

"요구하고 싶은 건 없어. 한 해— 아니, 두 해가 넘도록 너무 고생 많았다. 염치없지만…… 이게 조금이나마 보답이 되었으면 좋겠어."

"……."

"다시 안 올게. 난 그때 정말 해야 하는 일이 있었거든. 상단을 도저히 우선순위에 두지 못할 만큼…… 내 인생에서 이뤄야 할 목표가 있었어. 물론 변명이겠지. 그래도 정말 미안해. 진심으로…… 고생 많았고, 미안하다."

오블레드는 침묵했다.

티티라는 몸을 돌렸다.

음침한 그림자처럼 서 있던 안스가 문을 열었다.

문을 젖힌 그의 팔 아래를 지나가려는 순간.

"개 같은 놈."

티티라는 뒤를 돌아보았다. 그러나 더 이상의 욕설 없이, 시간이 멈춘 듯 침묵뿐이었다.

그녀는 왠지 오블레드가 하고 싶은 말을 알 것 같았다.

쓴웃음과 함께 손을 흔들었다.

티티라는 소조폴 상관을 떠났다.

곧장 성문으로 가려는 안스카리우스의 옷자락을 다시 한번 잡았다.

그는 이번에야말로 인상을 찌푸렸다.

"해가 지기 전에는 다음 도시에 도착해야지."

"충분해. 방금 용건도 빨랐잖아."

안스는 도무지 자신을 이기지 못했다. 티티라는 그 생각에 조금 쯤 히죽이는 감정이 되었다.

"정말이야. 빨리할게."

못마땅해하는 그를 끌곤— 아무도 찾지 않는 길에 접어들었다.

안스는 그답지 않게 혀를 찼다.

"여길 왜 가?"

그는 '위험하다'곤 말하지 않았다. 그 지역의 '위험'을 본인 손으로 소탕해 버린 총독이라면 자연스러운 반응일 것이다.

"만날 사람이 있어."

"너무 오래 걸리지만 마라."

소조폴 '거지 구역'은 똑같은 하늘을 아래에 두고도 한 단계 어두운 땅처럼 보였다. 길에선 퀴퀴한 냄새가 코를 찔렀고, 아니— 그렇게 표현할 필요도 없이 하마터면 누군가 제게 던지는 똥물을 맞을 뻔했다.

티티라는 가볍게 오물을 피한 뒤 주변을 두리번거렸다.

깨끗한 옷을 입은 사람이 눈에 걸렸는지, 낯선 이가 제게 다가오는 모습이 보였다. 물론 그는 몇 발자국 다가오지 못한 채, 제 곁의 과민한 누군가가 꺼낸 칼에 놀라 양손을 들었다.

"아, 아니…… 찾는 분이 계시다면 도움을 드리려 했습니다……."

"……여자아이를 찾는다."

그는 반색했다.

"아, 그럼요. 그럼요. 어떤 아이를 찾으십니까? 원하시는 특징을 말씀 주시면—"

"똑똑한 애. 가능한 많이."

"예! 잠시, 여기 계시면 빠르게 몇 명 추려 오겠습니다."

그는 발에 바퀴가 달린 듯 빠르게 달려 나갔다.

음.

티티라는 생각했다.

딱히 무언가에 사죄하려는 심산은 아니었다. 이따위 것으로 사죄가 될 거라고 생각하지도 않았다.

그저 제 이기심이었다. 그 애가 있었다는 것을 기억하기 위해, 지나가는 길에 사람 발자국을 몇 개 더 남겨 놓기 위함이었다. 마치 제 짐 속에 잠든 데이지 씨앗처럼.

남자는 정말로 빨리 돌아왔다. 그의 등 뒤로 얼굴에 숯검정이 잔뜩 묻은, 열두어 살 됨 직한 여자아이 셋이 쫄래쫄래 따라왔다. 그녀는 아이들을 살피며 남자에게 손짓했다.

"너는 가 봐."

"아…… 하지만 만일 데려가길 원하신다면 값을…….”

"어련히 알아서 할까. 가 보라고."

"예……?"

그의 말투에서 미세한 분노가 묻어났다. 제 뒤에 선 안스가 한숨을 쉬며 남자에게 손을 뻗었다. 무언가 중얼거리며, 동전과 함께 그를 달래는 듯했다.

티티라는 아랑곳하지 않은 채 가장 앞에 선 여자아이에게 몸을 숙였다.

"너희뿐이야?"

"……츠베탄 씨가 '똘똘한 아이'를 찾으셔서요."

"부지런하고 성실하기만 하면 누구든, 네 친구들을 모으면 좋겠다. 그리고 내일 소조폴 상관에 가. 어딘진 알지?"

"네, 알아요."

"'티티라 돔니니'가 소개시켜 줬다고 하면서, 상주 대리 '오블레드 체바'를 찾아. 그자가 일자리를 찾아 줄 거야."

"상관은 저희 같은 애들을 안 뽑는데요."

"응. 근데 내 이름을 대면 뽑을 거야. 그리고 뭐가 됐든 시도해 볼 만하지. 안 그래?"

아이들이 서로를 바라보았다. 오로지 시선만으로, 오랫동안 갈고 다듬은 것이 분명한 빠르고도 정확한 의견 교환이 이루어졌다.

"알겠습니다. 감사해요."

누군가 한 명이 나서 말하지도 않았다. 그들은 말이 뭉개질 정도로 앞다투어 대답했다.

티티라가 당부했다.

"꼭 가야 돼. 상단에서 숙소 정도는 마련해 줄 거야. 누구도 너희를 '구매'하지는 않을 테니, 잘 채비해서—"

"저희가 말씀 주신 내용을 따르지 않을 멍청이들이면, 츠베탄 씨가 여기 부르지도 않았을 거예요."

똑똑한 애들한테는 가끔 기분이 상할 때가 있다. 그녀는 헛웃음을 지으며 고개를 끄덕였다.

티티라는 몸을 일으켜 세웠다.

비스듬히 서 있는 안스에게 손짓했다.

가까이 다가가자 그가 물었다.

"뭘 한 거야?"

"좀 큰 데이지를 심었어."

안스카리우스의 걸음이 잠시 멈추었다. 대화는 끊기고, 생각이 자리했다.

그는 침묵이 필요한 순간을 알았다.

그들은 마침내 소조폴의 성문을 넘었다. 티티라는 아쉬운 눈길로
제 손때가 서린 건물들을 바라보았지만, 더 이상 지체할 수는 없었
다. 이제 정말로 다음 도시로 향해야 했다.

소조폴엔…… 죽기 전에는 한 번쯤 돌아올 수 있겠지.

아쉬웠지만, 또 그렇게 서럽지는 않았다.

십 년 동안 소조폴에 악착같이 발톱을 박고 있던 인간으로선 믿
기지 않을 정도로 홀가분한 감정이었다. 십 년? 아니. 이십 년 가
까이 소조폴이야말로 제가 묻힐 자리라고 생각하지 않았나.

티티라는 낯선 기분을 느끼며 고삐를 쥐고 터덜터덜 걸었다.

"티, 이만 타."

안스는 이미 말에 올라 있었다.

정오의 햇살이 미끄러졌다. 그의 눈은 짙은 눈썹 아래에서도 얼
룩덜룩하여, 도무지 깊이를 알 수 없는 바닷물임이 분명해졌다.

아.

티티라는 무언가를 깨달았다.

"안스, 내려서 걸어 봐."

"……이젠 정말 늦어지면 안 된다."

그녀는 팔을 들어 손짓했다.

"먼저 올라갈게."

곧장 말에 올라타 속도를 올렸다.

달렸다.

언덕에 도착하는 것은 순식간이었다.

매해 추억하고 증오하고 후회했던 나무가 눈앞에 뻗어 있었다. 심장이 쿵쾅쿵쾅 뛰었다.

그녀는 온몸을 내팽개치듯 말에서 내려왔다. 성벽이 감싼 항구를 씨근거리며 돌아보았다.

그리고 깨달았다.

소조폴은 더 이상 자신의 고향으로 느껴지지 않았다.

제 보금자리는 저 멋진 도시가 아니었다.

어떤 그림자가 제 삶을 고정시키기 위해 언덕을 걸어 올라오고 있었다. 자신이 어딜 가든, 누구를 만나든, 어떤 시간대에서든 제 곁에만 서면 그 자체로 깊은 바다 동굴이 되는, 그래서 발만 담가도 지느러미 돋은 인간을 빚어내는 누군가가 제게 다가오고 있었다.

안스, 안스카리우스는 천천히 언덕 위에 섰다. 잔뜩 힘이 들어간 턱으로 해묵은 나무를 올려다보았다.

티티라는 거의 들리지 않는 목소리로 속삭였다.

"너무 늦게 왔어."

안스가 손을 내밀었다. 그녀를 껴안으려 했으나, 곧장 불에 덴 것처럼 움츠러들었다.

티티라는 주저하듯 뻗은 그의 팔을 바라보았다. 제 손 역시 닿지 못한 채 엉성하게 주먹을 말아 쥐었다.

너무도 많은, 죽도록 힘겨운 일들이 있었나 보다. 이제 와 떠들어 대진 않을 테지만 정말 그랬다. 고통스러웠던 기억이 그녀의 목덜미를 부드럽게 긁고 떠났다.

그러니까, 떠났다.

"이제 다 괜찮아."

"……."

"너는?"

"마침내 너를 만날 수만 있다면 영원에도 감사했겠지."

"그랬을까."

"티, 늦지 않았어."

바닷바람이 나무를 흔들었다. 언젠가 포격에 움츠러들었던 나무는 이제 햇살 아래 새로운 항구를 보고 있었다. 더 나아갔다고는 생각하지 않았다. 그러나 추락한 것도 아니었다. 그저, 교차했다. 나뭇가지가 과거와 미래의 바람 사이로 몸을 떨었다.

쏴아아―

항구에서 자란 이들에게, 그 소리는 파도를 닮았다.

그들은 마침내 바닷속에서 손을 뻗었다.

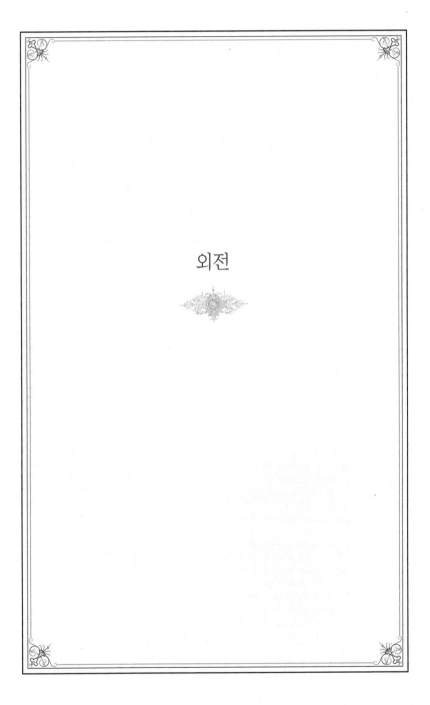

외전

외전

나는 '조'라고 불린다. '잘스테'라는 우스꽝스러운 이름을 가진 사람으로선 솔직히 어쩔 수 없는 일이다. 심지어 엄마, 아빠도 가끔 내 본명을 까먹곤 했으니까.

아무튼 나는 바닷바람이 잘 드는 스몰랸이라는 도시에서 십육 년을 자랐다.

우리 도시는 시골이라고 불리기엔 너무 크고, 소위 '항구'라고 불리기엔 너무 작다. 방문객들이 오지 않는 곳은 아니지만, 그래도 낯선 사람들이 오면 쳐다볼 수밖에 없는 어중간한 위치랄까. 난 여관에서 일하는데도 이 모양 이 꼴이니, 다른 애들이 어떨지는 뻔할 뻔 자다.

아, 그래. 우리 집이 육 대째 운영하는 자랑스러운 '푸른 동굴 여관' 이야기를 해 봐야겠다. 여기엔 호국경을 모셔도 부끄럽지 않을 최고급 객실이 하나, 상인 나리들이 자주 찾는 고급 객실이 셋, 평범한 여행객이 묵는 일반 객실이 무려 스물두 개나 된다. 엄청 크지? 나도 자랑스럽다.

사실 이 중 최고급 객실은 찾는 사람이 거의 없다. 너무 비싸서 일 년에 한 명 맞이하면 행운인 거지. 어이없게도 가장 좋은 객실이 가장 돈이 안 되다 보니, 전통을 지킨답시고 남겨 두면서도 진짜 피눈물이 났다. 사람들이 자꾸만 '스몰랸의 상징'이라고 하는데, 엄마는 저걸 부수고 일반 객실로 만들면 얼마나 더 많은 돈을 벌 수 있을까 상상하며 매번 꿈꾸는 표정이 된다.

그래. 용건에 거의 다 왔다. 일주일 전 일을 이야기해야겠어.

무슨 일이 있었냐면—

그때 난 평소처럼 손님을 맞이하고 있었다. 오늘은 여행객이 여섯 명이나 새로 와서, 꽤나 운 좋은 날이라고 생각했다.

저녁 청소를 마치고 의자에 드러누웠는데, 누군가 열려 있는 문을 두드렸다.

"계십니까?"

나는 벌떡 일어섰다.

"안녕하세요! 묵고 가시나요? 목욕, 방, 깨끗한 옷 모두 준비돼 있습니다! 물론 저녁 식사도요. 오늘의 특선은 바닷가재 버터 구이와 가지 호박찜입니다."

한 번에 저 말을 다 지껄일 수 있는 건 내 특기였다. 뿌듯하게 마무리한 뒤 고개를 들었다.

어…… 고개를 들 필요도 딱히 없었다. 내게 말을 건넨 여자는 나보다도 작았다.

저 체구로 혼자 다닌다니 대단한걸. 그래도 몸은 단단해 보이는데, 혹시 비수를 숨긴 용병일까? 아니— 아니다. 상처가 하나도 없었다. 그리고 솔직히 '용병'이리기보단 어디의 성질 머리 고약한 '아가씨'처럼 생겼다. 여행객답게 추레한 옷차림이 아니었다면 곧장 '수행인분들은 어디로 모실까요?'라고 물어봤을지도 모르겠다.

"다 좋아요."

여자가 습관처럼 고개를 흔들었다. 검고 짧은 머리칼이 부스스하게 따랐다. 나는 멍하니 그 모습을 보다가 흠칫 떨며 정신을 차렸다.

"네, 그러면 한 분! 일반 객실로 모실까요? 식사는 위로 올려 드릴 수도 있고, 식당에서 드실 수도 있는데 어떠세요?"

"아, 두 사람이에요. 그리고 객실은 제일 좋은 곳으로 주세요."

나는 말을 뚝 멈췄다.

인상을 찡그렸다.

아무리 그래도 그렇지, 무슨 자신감으로 도시 대표 여관에 들어와서 제일 좋은 방을 달라, 마라야? 여행객 주제에 스몰란을 우습게 보는 거야?

나는 비아냥거리듯 대답했다.

"십 금이에요."

내뱉고 나서야 너무 무례했단 생각에 숨을 들이켰다.

"앗, 네. 그러니까, 십 금입니다."

딱히 수습은 안 됐다.

"주세요."

나는 딸꾹질을 했다.

"진짜요?"

여자는 한쪽 눈썹을 찡그렸다.

"네."

"아, 저……."

"안 되나 본데?"

날 지적하는 줄 알고 펄쩍 뛰었지만, 아니었다. 여자는 뒤따른 누군가에게로 몸을 돌리고 있었다.

두건을 뒤집어쓴 남자가 흙이 묻은 부츠를 문턱에 문질렀다. 강하고, 짧게, 턱, 턱, 두 번.

나는 그자의 키가 그렇게 크지만 않았어도 여관 입구를 더럽히지 말라고 욕했을 거다. 하지만 너무 커서 그냥 속으로 중얼거리기만 했다. 교양 없는 뜨내기 놈!

물론 어마어마한 금을 쓰겠다고 말한 뜨내기들이긴 했다.

나는 서서히 현실로 돌아왔다.

"저, 저, 저, 일단 엄마한테— 아니, 주인분께 여쭤보고 올게요."

여자가 씩 웃었다.

"그래. 엄마한테 물어보고 와."

나는 얼굴이 새빨갛게 달아올랐다. 도망치듯 안쪽 사무실로 달려갔다.

엄마는 당장 내 귀를 세게 꼬집은 뒤 마구간을 돌보던 아빠까지 불러왔다. 결국 나는 부모님 뒤에 매달린 하찮은 돌멩이가 되어 새로운 손님들에게 갈 수밖에 없었다.

"안녕하세요, 불편을 드려 죄송합니다. 특별실을 원하신다고 들었습니다. 어떤 것도! 절대! 걱정하지 마시고, 지금 바로 안내해 드리겠습니다."

"아, 그래도 선불이 원칙이죠."

엄마 신발에 힘이 들어가는 게 보였다.

여자는 품에서 주머니를 꺼내더니 탁자 위에 펼쳤다. 차근차근 돈을 세는 모습을, 나는 눈이 휘둥그레져선 구경했다. 저렇게 많은 동전을 벌려 놓다니, 미친 거 아냐?

"자, 이렇게, 일단은 백 금."

여자는 두 손 모아 부모님이 서 계신 방향으로 돈을 밀어 주었다. 그 순간, 뒤에 서 있던 남자가 몸을 숙여 여자의 손을 짚었다.

"금을 더 계산했다."

"넌 눈치도 없어, 정말."

급히 몸을 굽히느라 드러난 남자의 얼굴은…… 놀라웠다.

그의 등 뒤에서 흘러 들어오는 석양이 그를 신처럼 보이게 했다. 자연광과 머리칼을 구분하기 어렵다 보니, 어쩐지 빛에서 사람으로 녹아든 것처럼 느껴지기도 했다. 가장자리부터 도드라지는 아름다운 인간이랄까. 입이 떡 벌어졌다.

좋아. 저 남자는 보호 귀족 출신임이 분명해. 물론 그 단어는 좀 고리타분하지. 하지만 내 상상력이 부족한 게 아니라, 세상부터가 저 인간의 지위를 알려 줄 만큼의 상상력이 없는 것이다. '백 금'도 저 남자의 돈인 게 분명했다. 그래그래. 그럼 이상하지 않지. 이제야 모든 의문이 풀렸다.

잠깐, 그런데 방금 먼지투성이 여자가 남자한테 '반말'하지 않았나? 나는 혼란에 빠졌다.

"그럼 저희는 이만 올라가겠습니다. 식사도 올려 주시고요. 아, 참. 그리고 게오르기 상주님을 뵐 수 있으면 좋겠습니다. 언제든 좋아요."

난 다시 부르르 떨었다. 스몰랸에서 제일 큰 상단 —물론 대도
시 수준에선 보잘것없겠지만, 그래도 우리 동네의 자랑이란 말이
다.— 주인을 냅다 부르다니.

엄마, 아빠가 바로 거절할 거라고 생각했다. 하지만 그분들은 진
지하게 고개를 끄덕였다.

"오늘 바로 전갈을 보내겠습니다."

"감사합니다."

여자는 싱긋 웃곤 몸을 돌렸다. 내 시선이 여자의 묵직한 주머니
로 가는 것을 막을 수가 없었다. 아, 나도 황금을 가지고 싶어…….

보통은 내가 여행객들을 객실로 안내하는데 이번만큼은 달랐다.
부모님께서 직접 두 사람을 이끄셨다. 나는 홀에 멍하니 선 채 복
도 너머로 사라지는 이들을 바라보았다.

부모님은 한참 뒤에야 돌아오셨다.

나는 엉덩이를 몇 대 맞고, 하마터면 특실 손님을 내쫓을 뻔하지
않았느냐고 호되게 혼이 났다. 그리고 당신들은 직접 게오르기 상
주께 이야기를 전하러 가야 하니, 네가 당장 따뜻한 물과 식사를
챙겨 드리라고 떠밀렸다.

아, 누가 불길한 음악을 깔아 줬으면.

그리고 그건 시작에 불과했다. 나는 그 뒤로 그 사람들의 전속
시종이 되었다.

특실에 묵는 여자의 이름은 '티티라', 남자의 이름은 '안스'라고
했다.

모든 대화는 티티라 씨가 도맡았다. 게오르기 상주님이 이튿날 바로 행차하셨을 때에도 그녀가 맞이했다. 무슨 대화가 오가는지는 잘 몰랐지만, 어쨌든 게오르기 상주님은 상당히 기분 좋은 표정으로 떠났다.

그 뒤, 일은 일사천리처럼 진행되었다.

그들은 스몰랸 중앙로에 근접한 작은 건물을 하나 샀다. —아니, 진짜로. 사흘 만에 건물을 샀다니까?— 모든 복잡한 서류는 게오르기 상주님과 시청 세금 돼지들의 호탕한 웃음 아래 부슬부슬 갈려 나갔다.

부모님은 보금자리를 구한 '특별 손님'들이 당장 떠날까 잠도 못 주무셨지만, 손님들은 건물에 수리할 곳이 많으니 계속 머무르겠다고 전해 여관을 기쁘게 했다—나만 빼고. 나는 이 시종 역할이 진저리 난다! 나는 좀 더 중요한 일을 하던 사람이었다고!—.

'특별 손님'들에게 어마어마하게 귀한 재료를 사용한 아침, 점심, 저녁 식사, 아주 가끔이나 북쪽에서 내려오는 희귀 과일들, 수면향, 최고급 의상실의 옷, 스몰랸의 기념품 —왜?—, 올해로 22년째 숙성한 포도주를 가져다준 나는 지칠 대로 지친 상태였다.

계속 일을 벌리는 돔니니 씨가 싫다. 심부름을 더 이상 늘리면 난 길 한복판에 드러누울 거니까, 이제 그만 자기 집으로 꺼졌으면 좋겠다.

무뚝뚝한데 가끔 되도 않는 농담을 꺼내는 안스 씨가 싫다. 뭐라고 대답해야 할지 모르겠으니까 같이 꺼졌으면 좋겠다. 외모조차 과중한 업무를 이길 수는 없는 법이다.

어쨌든 그래도 일주일이나 두 사람을 따라다니다 보니 그들이 무슨 '회계 상담사'라는 걸 알 수 있었다. 게오르기 상주님이 대우하는 모습을 보면 아무래도 꽤나 실력이 있는 모양이었다.

알고 보니 그들이 건물을 산 목적도 앞으로 꾸준히 스몰랸에서 일을 하기 위해서라는데, 솔직히 말해 볼까? 진짜 실력이 좋으면 대도시에 있었겠지. 스몰랸에서 뭔가 해 보겠다고 마음먹은 당신들은 삼류야.

나는 일주일 동안 순식간에 욕을 서른 개나 뽑아낼 수 있을 정도로 심통이 나 있었다. 왜 개인 심부름까지 해 줘야 하는 거야? 이 일을 시킨 엄마가 밉다. 처음 금화로 받은 충격도 온데간데없었으며, 이젠 그저 쉬고 싶었다.

오늘따라 아침부터 여관이 시끌시끌했다. 나는 습관적으로 손님을 찾아 묵게 해 드리려 했다.

그런데 입구에서 웬 심부름꾼 하나가 무표정하게 날 바라보는 게 아니겠어.

그리고 툭.

"'푸른 동굴 여관'이지요? 내일 그레슈카 상주께서 방문하실 예정입니다. 그에 맞는 준비를 해 주시면 감사하겠습니다."

나는 입을 쩍 벌렸다.

"그, 그레슈카요?"

'그레슈카'.

최소한 남부에서 그 이름을 모르는 인간은 없다고 장담할 수 있었다. 멀지 않은 과거에 이즈버르에서 문제가 있었다곤 하지만, 시노드 신넬인들은 그딴 거 신경 안 썼다. 그러니 여전히 굴지의 상주 그 자체였다.

심부름꾼은 태연하게 대답했다.

"예. 중부의 책임자 그레슈카가 스몰란에 방문하십니다. 내일 오시면 편히 묵으실 수 있다고 생각해도 되겠지요?"

"……아, 예."

"예. 가능한 '티티라 씨'의 객실에 가깝도록 해 주십시오. 그분에게 용건이 있습니다."

더 놀랄 힘도 없었다.

그 사람들이 '그레슈카'를 개인적으로 안다고?

심부름꾼은 내가 우물쭈물할 기회도 주지 않았다. 그렇게 냅다 요구하곤 사라지는 모습이, 내가 아는 상단들답게 무례해서 진짜라고 확신할 수 있었다.

이야기를 전하자, 엄마 아빠는 직원들과 함께 곧장 손님맞이 준비를 했다. 내가 뭔가를 물어볼 시간도 없이 무진장 바빠졌다.

난 괜히 특실 손님들을 흘끔거렸다. 물론 그 정도 돈을 흔쾌히 내는 것부터가 평범하진 않다고 생각했지만, 그래도 '그레슈카'의 지인이라니, 상상 이상이었다. 새삼 대단한 사람들처럼 느껴졌다.

그 때문일까……. 저녁 식사를 들고 올라가선, 평소보다 조금 꾸물거렸나 보다.

"용건 있어요?"

나는 쭈뼛쭈뼛 뒤를 돌아보았다.

티티라 씨가 젖은 머리칼을 쥐어짜며 나를 바라보고 있었다.

"……아니요."

"정말요? 그런가? 알겠습니다."

그녀는 미련 없이 다시 탈탈 머리를 털기 시작했다. 짧고 검은 머리칼이 부스스하게 밀려 올라갔다.

나는 그런 티티라 씨를 멍하니 바라보았다.

그녀는 뭐랄까…… 이상했다.

나이는 갓 서른쯤 되었을까? 안정기에 접어든 어른인데도 지나치게 자유분방한 느낌이 내 기를 죽였다. 함부로 설쳤다간 한 대 맞겠구나. 정말로 그런 확신이 든다니까?

물론 티티라 씨는 단순한 성질 머리 빼고도 돈, 말솜씨, 인맥, 그리고 꽤나 멋진 외모도 갖추었다……. 그 모든 게 하나로 뭉쳐선, 엉망진창으로 있을 때 묘하게도 더 매력적인 태피스트리처럼 보였다.

처음엔 귀족적인 생김새를 지닌 동행인이 왜 저렇게 고분고분한가 궁금했는데, 이제는 자연스럽게 여겨질 정도였으니 말이다.

음, 동행인— 그러니까 안스 씨는 그녀와 연인인 게 분명했다. 내가 뭐 뛰어난 관찰력을 지녀서 알게 된 건 아니었다. 그 사람은 너무 열심히 티티라 씨 곁을 지켰고, 자주 고개 숙여 속삭였고, 또, 그들 사이에 드리운 감정이 도저히 연인 말곤 다른 단어를 생각할 수 없게 만들었다.

아하, 물론 가장 중요한 게 남았다. 그들의 사적인 자리에 쳐들어온 내가 헛짓거리 한 번 못 봤다면 그것도 거짓말이겠지…….

"응? 왜 안 나가냐고? 아, 나한테 뭐 말할 게 있나 봐."

그래, 바로 저런 거—

나는 가볍게 입 맞추는 한 쌍을 보곤 부르르 떨었다. 둘 모두 헐렁하게 여민 매듭 사이로 맨살이 드러나 낯부끄러웠다.

"조, 할 말 있으면 하라니까요."

좀처럼 티티라 씨에게 집중하기 힘들었다. 그녀의 등을 꽉 껴안은 산만 한 덩치가 나를 감시하듯 바라보았기 때문이다.

"조?"

여기까지 와서 할 말이 없다고 하는 것도 솔직히 쪽팔렸다.

나는 마치 이 말을 하기 위해 기다렸다는 것처럼 운을 뗐다.

"그레슈카 상주님을 아시다니 놀랐어요."

대단하다고 표현하고 싶진 않았다. 그러나 말투에 경탄이 스며들어, 이미 그른 것 같긴 했다.

어쨌든 나는 조금 기대하며 그들의 반응을 살폈다. 그레슈카 상단에 대해 풀어 줄 만한 재미있는 이야기가 있을까?

그런데 그 둘은 인상을 찌푸린 채 서로를 바라볼 뿐이었다. 적어도 내 눈엔 명백한 당혹으로 보였다.

나는 허둥지둥 설명했다.

"그레슈카 상단 사람이 와서 내일 여러분을 만날 테니 방을 준비하라고 했어요."

침묵이 길어지자 말은 더 길어졌다.

"혹시 사람을 잘못 본 거 아니냐고 물어보신다면, 그럴 리가 없어요. 명패도 그렇고, 그레슈카 상단 심부름꾼이 확실했거든요. 참, 그리고 아는 사이니까 티티라 씨 옆방을 마련해 달라고도 했어요."

티티라 씨는 그제야 남자 품에서 빠져나왔다. 안스 씨는 밀쳐졌다는 사실에 아랑곳하지 않고 뒤돌아 몸을 숙였다. 종이에 무언가를 적는 모양이었다. 그 와중에 가운이 줄줄 흘러 울퉁불퉁한 등이 드러났다.

나는 봐도 봐도 익숙해지지 않는 화상 자국에 고개를 돌렸다. 남의 맨살을 보는 게 민망하다기보단 ―여관 종업원으로서 그럴 리 없다.— 저 사람의 몸에 새겨진 상흔들이 나를 놀라게 했기 때문이다. 지금은 그래도 두 번째지, 처음엔 얼마나 놀랐던지, 몸의 다른 수많은 상흔에도 전혀 신경 쓰지 못할 정도였다.

"조, 그 소식은 언제쯤 알려 주려 했어요?"

"……상단 사람이 너무 확실하게 이야기해서 전 여러분께서 이미 알고 계신 줄 알았어요. 아침 내내 여관을 떠나 계셨잖아요."

"앞으로 이런 일은 빠르게 공유해 주면 좋겠습니다. 생각지도 못했던 소식이라 놀라워요."

나는 그 이야기에 더 놀랐다. 그레슈카 같은 대상단의 상주가 연락도 안 하고 찾아온다고? 아니, 그럼 티티라 씨가 여기 있는 건 어떻게 알았대?

"안스, 아펭글로를 단속해야겠어. 그 인간이 분명해."

"벌써 한 해나 지났는데 아펭글로 탓을 하겠다고?"

"그동안 우리가 떠벌렸나? 아니잖아. 한참 전에 배에서 엿들지 않았다면 어떻게 알아냈겠어? 그 늙은이도 진짜 교활한 인간이네. 입 벙긋 않더니."

'아펭글로'가 누군진 모르겠지만, 저 사람들 혹시…… 그레슈카 상단에서 뭘 훔친 거 아냐? 그래서 이렇게 돈이 많은 거고?

나는 의심스럽게 그들의 대화를 훔쳐 들었다.

"아펭글로가 밀고한 덕택에 찾아온 거라면, 바로 떠나면 되지 않을까? 못 쫓아올 텐데?"

"저들이 권역을 특정한 이상 어렵다. 하루 동안 움직이는 덴 한계가 있어. 네가 산에서 숙식하고 싶다면 이야기가 달라지지만, 그 정도로 도망치고 싶나?"

"……."

"그냥 맞이해. 별일 없을 텐데."

"안스, 넌 위기감이 떨어져."

"네 덕분이다."

듣고 있어도 되나?

그들은 다시 입 맞추었다. 다시, 또다시.

나는 왠지 툴툴거리고 싶은 구경꾼 같은 기분이 되었다.

"침실에서 하시든가……."

티티라 씨가 고개를 돌려 의아하다는 듯이 중얼거렸다.

"침실인데?"

속마음을 입 밖으로 내뱉었다는 사실을 뒤늦게야 깨달았다. 얼굴이 새빨개졌다. 손발이 버벅대며 같은 방향으로 움직였다. 저녁 식사 그릇을 깨지 않은 것은 마지막 남은 자존심이었을까. 진짜 다행이었다.

"아니, 그런…… 죄송합니다. 실수였어요."

"괜찮아요. 죄송하긴 무슨."

티티라 씨는 웃음을 꾹 참는 표정이었다. 내게 다가오려 했지만, 그러거나 말거나 그녀의 허리를 꽉 껴안고 있는 누군가 때문에 두 걸음이 한계였다.

그녀는 배에 얹힌 남자의 손을 꽉 쥐었다.

"잠시만."

그러자 마법처럼 움켜쥔 힘이 사라졌다.

티티라 씨는 가운 위로 외투 하나를 엉성하게 걸치더니 나를 바라보았다.

"나갈래요?"

닷새 동안 제대로 이야기 한 번 안 나눴는데 왜 이제 와서 나를 부를까. 순식간에 많은 생각이 스쳐 지나갔지만 고민할 시간이 없었다. 이미 그녀는 나를 스쳐 지나간 뒤였다.

나는 멍하니 서 있다가…… 가운이 흐트러진 안스 씨를 보곤 휙 뒤돌았다. 그는 팔짱을 낀 채 이쪽을 바라보고 있었는데 신경 쓰지 않을 수 없었다.

등이 사라지니 그나마 나았지만, 팔뚝에도 똑바로 보기 힘든 흉이 져 있었다. 그리고 이곳저곳에 말라붙은 듯한 상처들도. 얼굴과 도저히 어울리지 않는 몸이었다. 대체 얼마나 험한 곳을 지나왔는지 짐작조차 할 수 없었다.

"……옷 좀 입지……."

아! 이 멍청한 잘스테 바칼로바! 똥 같은 조! 입단속 못 할 거면 그냥 앞바다에 뛰어들지 그래?

나는 완전히 얼어붙어 있다가, 뒤에서 키득거리는 소리가 날 때에야 정신을 차렸다.

"안스, 옷 좀 입으래."

"입었는데."

"네가 더 이상 열여덟 살이 아니란 걸 명심해. 검은 옷으로 꼭꼭 가리고 다니던 시절엔 어떻게 참았냐?"

그는 인상을 찌푸린 채 가운을 목 끝까지 여몄다. 저 덩치에 과하게 졸라매니, 이젠 남의 옷을 빌려 입은 것 같아서 우스꽝스러웠다. 나는 도저히 이 자리에 서 있을 수가 없어 복도로 도망갔다.

티티라 씨가 웃으며 문을 닫았다.

"미안해요. 내 친구가 남의 눈치를 안 보고 산 지가 너무 오래돼 시요."

"……."

"상처 때문에 그렇죠? 하긴, 웬만한 용병 놈들보다 심하니."

어디서 용기가 났는지 모르겠다. 나는 속에 담아 두었던 질문을 던졌다.

"어디서 입으신 상처인가요? 특히 등은……."

티티라 씨는 가벼운 발걸음으로 통통 계단을 걸어 내려갔다. 그녀의 뒤로 대답이 흘러나왔다.

"가족 때문이죠, 뭐."

전혀 설명이 안 됐다. 하지만 잔뜩 찌푸린 기색을 보니 더 설명하고 싶지도 않은 듯했다.

으음…… 집이 불탔나 보다. 가족을 구하기 위해 희생했나 봐. 진짜 그렇게 안 생겼는데, 역시 사람은 외모로 판단하면 안 되는 것 같다.

"……다른 곳은요?"

"아, 칼자국들. 그거야 다 본인 잘못이죠, 뭐. 누가 그렇게 험한 곳에서 구르래?"

"용병이셨나 봐요. 역시, 티티라 씨께서 혼자 다니실 리 없다곤 생각했는데 호위가 대단하신 것 같아요."

"'돈 때문에' 혼자 다닐 리 없다고요? 지금은 한 푼도 없어요."

나는 잠깐 걸음을 멈췄다.

그녀는 정원으로 나가는 문턱에서 씩 웃고 있었다.

"나 이제 진짜 거진데."

입만 벙긋거리는데, 티티라 씨는 어느새 다시 걸음을 옮기고 있었다.

나는 떨떠름하게 그녀를 쫓았다. 물론 우리 집이야 받을 돈을 다 받았으니 문제는 없지만, 돈 밝히는 스몰랸산産 눈들이 땡글땡글 박혀 있는데?

"정말요? 게오르기 상주님이 좋아하시던데, 투자하시겠다고 하신 줄 알았어요."

"전혀요. 내가 할 수 있는 것들을 제공하고, 그에 합당한 보수를 요청드렸죠. 돈 이야기는 하나도 없었어요."

"특실 가격이 어마어마한데…… 전 재산을 쏟을 이유는 없잖아요."

"특실에 안 묵었으면 스몰랸 제일 상주가 날 보러 와 줬을까요?"

나는 입술을 앙다문 뒤 다시 질문했다.

"스몰랸 로路에 구매하신 건물은요?"

"그게…… '건물'인가……? 작던데요. 그냥 우리가 살 곳도 필요하고, 업무 볼 곳도 필요하고, 겸사겸사."

"아…… 스몰랸에 정착하실 거예요?"

"네."

그녀와 이렇게 길게 이야기하는 것은 처음이었다. 티티라 씨는 딱히 숨기는 것 없이 투명하게 대답해 주었다. 나는 갑자기 경계심이 치솟아 톡톡거렸다.

"저한테 이렇게 다 말해 주셔도 돼요? 저도 친구들 많아요."

"비밀 아니에요."

"그러면, 저를 소문내는 도구로 삼으실 거예요?"

"그렇게 생각하면 섭섭합니다. 여기 정착한다고 했잖아요. 이웃과 좀 친해져 보자는 거죠."

나는 주의 깊게 반항했다. 이번 주기만 끝나면 특실에 머물 수도 없는 손님이고, 선불이었으니까 괜찮아. —제발, '거지'라는 말이 나를 떠보기 위한 술수일 수도 있잖아. 똑바로 행동해라, 조.— 아, 괜찮다고. 며칠 동안 조용했으면 좀 떠들어 보자.

"그래요? 그러면 두 분은 뭐 하시는 분들이에요? 그레슈카 상단은 왜 여러분을 찾나요?"

티티라 씨는 준비했다는 듯이 대답했다.

"예전에 상단에서 꽤나 높은 위치까지 올라갔거든요. 그런 인간들은 보통 상단 바깥으로 안 나오는데, 나는 사정상 때려치워서 여기저기 도움을 줄 수 있는 편입니다."

"게오르기 상주님보다 더 높은 위치에 있으셨어요?"

내 질문이 선을 모르네. 간이 배 밖으로 튀어나왔나 싶다.

"글쎄. 상단의 크기로 우열을 가르는 건 나쁜 짓이지……."

눈치가 빠르다면, 본인 상단이 게오르기 상단보다 크다는 말이란 걸 깨달을 수 있을 것이다. 그리고 나는 눈치가 빠른 사람이었다.

제자리에 우뚝 섰다.

"대체 어디서 무슨 죄를 저지르셨길래, 그 정도 크기의 상단을 버리고……."

그녀는 내가 추궁해도 아무렇지 않은 것처럼 보였다. 사실 당연하긴 하다. 게오르기 상주님이 나보다 훨씬 똑똑하실 테니까, 가능한 모든 질문과 의심을 헤쳐 나온 뒤겠지.

"조, 나는 북쪽에서 왔습니다. 그곳엔 좀 불쾌한 점령군이 있잖아요. 숨 쉬는 것마저 죄로 만들 수 있죠."

"······교국군을 보셨어요······?"

티티라 씨가 씩 웃었다.

"그럼."

표정과 달리 목소리가 꽤나 음산했으나, 당연한 일처럼 느껴졌다. 그녀가 말을 놓았는데 한순간 깨닫지 못했을 정도였고······ 남부인들에게 '교국군'이 주는 울림이란 그 정도로 컸으니까.

나는 숨을 들이켜며 물었다.

"······어떻게 생겼어요? 남쪽으로도 쳐들어올까요?"

"이런 시골엔 안 와요."

"······."

"물론 '그레슈카' 같은 곳에 문제가 생기면 소도시도 영향을 받으니······ 교국군 얼굴을 안 본다고 해결되는 문제는 아니죠. 아, 맞다. 얼굴도 궁금하다고요? 머릿속에서 남자만 만 명 있는 느낌을 상상해 보세요. 그거예요."

"······아니, 우리랑 다르게 생겼냐고요. 여행자들 말을 들어 보면 북부인들을 닮았다는데요."

그녀가 의미심장하게 눈썹을 치켜올렸다.

"생각해 보니 비슷합니다. 그럼 많이 보셨겠네. 스몰란에도 여행객들은 제법 있을 거고······ 지금 여관에도 있고······."

"그래 봤자 전부 '북부인'이잖아요. 전 '교국인'이 궁금해요."

"뭐······. 중요하지 않은 얘기는 그만두고요. 아무튼 내가 이곳저곳 돌아다니는 이유는 이해했죠?"

티티라 씨는 이 이야기를 게오르기 씨에게도 한 것이 분명했다. 게오르기 씨와 나는 엄청나게 다르지만 결국 똑같은 남부인이니,

그분도 나처럼 '아…….' 탄식한 뒤 이해하셨을 거다―교국 놈들은 다 대해에 익사시켜야 해―.

"네."

"그리고 두 번째, 그레슈카 상단이 왜 나를 찾냐고요?"

그녀는 한가하게 떠들 생각이 없는 것 같았다. 모든 대화가 용건에서 용건으로 직선이었다.

"예전에 한 번 같이 일한 적이 있는데, 꽤나 중요한 건이었어요. 내가 나가고 난 뒤 남은 사람들이 내용을 잘 몰라 쫓아온 거 아닐까요?"

"그것뿐인데 왜 '도망가려' 하셨어요?"

"정말 다 듣고 계셨네."

"제가 있는 곳에서 말씀하신 건 티티라 씨잖아요."

"전 남부인들을 무한히 신뢰하거든요."

"……."

"그레슈카 상단이 일을 너무 많이 시켜서요. 도망가지 않고 배기겠어요?"

그럴 리가 있나.

너무 많은 궁금증이 생겼다. 그러나 어차피 그레슈카를 만나겠다고 결심한 사람에게 추궁해 봤자 의미 없는 질문이었다.

나는 고개를 저은 뒤 몸을 돌렸다.

저 사람이 말한 것 중에 하나라도 진실인 게 있긴 할까? 수상쩍은 인간이었다.

'그레슈카'는 정말로 그다음 날 도착했다.

장난 아니었다. 진짜, 장난 아니었다.

최상급 용병 십수 명과 그 사이에 낀 호박 같은 마차 하나. 젊은 남자의 손과 지팡이를 양쪽에 짚고 나타난 그레슈카는 위명 그대로였다.

다른 모든 것은 세월과 함께했지만, 목소리만큼은 나이를 상상하기 어려울 정도였다. 그리고 남부 격언에 '목소리야말로 진정한 인간을 보여 주는 통로'라 했으니, 듣는 순간 신뢰하게 만드는 단단하고 멋진 음성이라면 그 사람도 멋진 사람일 수밖에 없었다.

반면 티티라 씨는 특실에서 나오지도 않았다. 창문을 여러 번 올려다봤는데 그림자조차 안 보였다.

어떻게 그레슈카가 자기 때문에 멀리까지 왔단 사실을 알면서도 당당하게 무시할까. 신비로울 지경이다, 진짜.

그 와중에 그레슈카 씨는 엄마와 즐겁게 인사를 나누었다. 그리고 아빠와도, 이내 장인의 솜씨로 대화 주제를 부드럽게 옆으로 밀어냈다.

"티티라 씨께서 계신 곳으로 안내해 주시면 고맙겠습니다."

엄마는 조금 난처한 표정이 되었다.

"오전 중 쪽지를 드렸는데 아직 답변이 없으셔서요. 잠시 기다려 주시겠어요?"

그레슈카 씨가 고개를 끄덕였다.

나는 운명을 받아들이려 한숨을 쉬었다. 그 일은 내가 해야겠지.

엄마는 내게 눈짓했다. 다른 종업원들도 많은데 나만 뛰어다니는 거, 아무래도 문제가 있어…….

반항하지 않고 계단을 올라갔다. 그래도 즐거운 부분이 있었다.

엄마가 예상했는지는 모르지만, 난 이럴 줄 알고 오늘 오전 내내 특실을 감시했다 이거야. 창문 넘어 도망가나 노려보고, 계단은 아예 다른 사람 세 명에게 맡겼지. 손님들이 도망가지 않았다면 내 덕인 줄 알아!

나는 방문을 두드렸다.

문은 벌컥 열렸다.

반쯤은 의기양양하게 '왜 안 나오시나요!'를 외칠 생각이었던 나는, 딸꾹질을 했다.

티티라 씨였다. 언제나처럼 하의를 상의에, 상의를 하의에 걸쳐 입은 꼴이었다. 고의에 가까워 보일 정도로 엉망진창인 평상복 말이다.

그녀는 손을 탁탁 털며 말했다.

"가시죠."

"……그레슈카 씨께서 올라오신다고 하셨습니다."

"그러면 여기 말고 다른 방이라도 줘요. 그레슈카 씨가 아직 들어가지 않은 새 객실이 좋겠네요."

나는 고개를 끄덕인 뒤 복도 끝을 가리켰다.

"저 모퉁이 방에 들어가시면 됩니다. 그레슈카 씨를 모셔 올게요."

티티라 씨는 고맙다고 말하곤 등 뒤로 특실 문을 꽉 닫았다.

나는 계속 복도를 올려다보며 계단을 내려왔다.

"티티라 씨를 그레슈카 씨 객실로 모셨습니다."

무례하다는 걸 알면서도 다시 쌩 올라갔다. 뒤에서 엄마가 당황해선 말을 수습하는 소리가 들렸지만, 어쩔 수 없었다. 수상쩍은 티티라 씨는 가만히 뒀다간 하늘로 날아가 버릴 것 같았다. 동행인이 땅 위에 남아 있든 말든, 혼자 도망갈 느낌이었다고.

나는 햇빛이 새어 나오는 그레슈카 씨의 객실 문을 바라보았다. 헐떡이며 문 앞에 섰을 때…… 소파에 앉은 티티라 씨가 고개를 돌렸다. 검은 머리칼이 스르륵 목선을 따라왔다.

"……."

"그레슈카 씨는요?"

"……지금 올라오고, 계세요."

"왜 이렇게 숨이 가빠요? 무슨 일 있나요?"

"……."

다행히 내 바보 같은 몰골 뒤로, 복도에서 기척이 느껴졌다.

티티라 씨도 함께 들은 것 같았다. 동물이었다면 귀가 쫑긋 섰을 만큼 집중한 기색이었다.

저벅, 저벅, 저벅.

나는 옆으로 비켜섰다.

그레슈카 씨가 방문 앞에 섰다.

두 사람의 시선이 마주쳤다.

티티라 씨는 입술을 앙다물었다가 이리저리 움직였다. 누군가에겐 단순한 습관처럼 보이겠지만, 그녀를 며칠간 본 내 의견에 따르면 저건 생각보다 초조한 얼굴이었다. 스몰란에선 무서울 게 없었던 사람이 그레슈카에겐 순식간에 밀리는 것이 묘했다.

"오랜만이군."

반면 그레슈카 씨는 일종의, 짜증이 극도에 다다른 표정을 하고 있었다.

"이젠 무어라 불러야 할지도 모르겠다. 이름이야 계속 쓰는 듯하다만."

그레슈카 씨가 방 안으로 들어왔다. 나는 아쉬움을 삼키고 조용히 문을 닫으려 했다.

"아, 잠깐. 조, 당신은 여기 있어요."

당황했다.

다행인지 불행인지 그레슈카 씨도 똑같은 의구심을 느끼신 듯했다.

"왜?"

티티라 씨는 '쯧' 소리와 함께 대답했다.

"남들 앞에서 할 수 있는 말씀만 하시라고요."

"내게 남들 앞에서 할 수 없는 말이 있으려고?"

"시끄러워요. 조, 문 닫고 들어와요."

나는 가시방석에 앉은 것처럼 우물쭈물했다.

"아, 들어오라니까요."

그레슈카 씨는 잠자코 소파로 걸어가 앉았다. 반대하시는 것 같진 않았지만, 그리고 나도 이 자리가 궁금하긴 했지만…….

티티라 씨가 벌떡 일어나 내게로 성큼성큼 다가왔다. 그렇게 등 뒤로 문을 쾅 밀어 닫곤 돌아갔다.

나는 갇힌 채 문에 등을 붙였다. 이미 두 사람은 내가 없는 듯 행동하고 있었으나, 그래도 너무 부담스러웠다.

"우선 그레슈카, 감사 인사를 드려야겠습니다."

"이미 들었는데."

"오뱀을 잘 챙겨 주신 것에 대해선 인사를 못 드렸잖아요."

"나는 감사를 바라는 게 아니라 사과를 바라고 있지."

"제가 잘못한 게 있나요?"

두 사람이 사이가 좋은 건지, 나쁜 건지 좀처럼 알 수 없었다…….

"헛된 목표 때문에 바다에 처박힐 뻔한 건 사과해야 한다. 내가 그간 네게 쏟은 정성이 적진 않았잖느냐."

"결과적으론 다 잘됐습니다."

"행운이 두 번 찾아오진 않을 거다. 나중에 위기가 다시 닥치면 똑같이 행동할 네게 진절머리가 난다."

"그럴 수밖에 없는 사정이 있었다고, 아펭글로를 통해서 한 번 더 말씀드렸고요."

"아, 아펭글로."

그녀는 헛웃음을 터뜨렸다.

"아주 늙은이를 보내 놨더군."

"당신도 늙은이예요. 고맙다고나 해요."

"그 난리를 쳐 놓고 아직도 저 잘난 맛에 사는군."

"당신도 친구 보내 준 데에 '고맙다.' 한마디 못 하는 게 저랑 똑같네요."

……솔직히 이쯤 돼선 그냥 자리를 박차고 나가고 싶었다. 위명 높은 그레슈카 씨와, 진위는 모르지만 상단에서 높은 위치에 있었다던 티티라 씨의 수준 높은 의견 교류를 궁금해했던 거지, 지금처럼 떽떽거리는 유치한 싸움을 보고 싶진 않았다.

"난데없이 아펭글로는 왜 욕한대? 당신도 그 인간 덕분에 우리가 어디 있는지 찾았을 텐데요."

"무슨 소리냐? 그자는 관련 없어. 아펭글로는 몇 달 전에 나를 거의 기절하게 만든 뒤 '너와 함께 돌아왔다.' 말한 게 전부다. 더 캐물어도 입을 꾹 다물더군."

"······."

"그래서 내가 직접 너를 찾은 거다. 남부 도시마다 들르면서 나한테 들키지 않길 바랐느냐?"

티티라 씨의 입술이 달싹거렸다.

"······하나도 안 말했다고요?"

"무엇, 그래— 보급선에 짐짝처럼 얹혀 왔다기에 고된 탈출이었겠군, 생각한 게 전부다. 잘못되었나?"

갑자기 티티라 씨가 벌떡 일어섰다. 나는 내게 달려오는 줄 알고 기겁해서 몸을 피했다.

아니, 그녀는 나를 넘어 문고리를 꽉 잡았다.

그 기세와 다르게 아주 살짝 문을 열더니, 콧날만 겨우 바깥으로 내보낸 채 조용히 무언가를 속삭였다. 바로 옆에 선 나조차 목소리를 듣기 어려울 정도로.

물론, 나는 그 문틈 사이로 익숙한 얼굴을 발견했다. 안스 씨였다. 뭘 말하는 걸까?

"뭐?"

안스 씨도 제대로 못 들었는지 반문했다.

"아, 이······."

티티라 씨의 입 모양이 수많은 욕설을 중얼거리는 것이 보였다.

"바깥에—"

등 뒤의 목소리였다.

나는 부르르 떨며 그레슈카 씨를 돌아보았다. 그녀는 어느새 일어서 있었다. 그녀의 지팡이가 움찔, 움직였다.

"누구지?"

티티라 씨가 등을 돌렸다.

"아닙니다. 종업원이 길을 잘못 들었네요."

나는 눈치 빠르게 돌멩이인 척했다. 즉, 바보처럼 멀거니 아무 곳이나 응시했다.

"이봐, '조'라고 했나요? 문 열어 봐요."

내 '돌멩이 되기' 작전은 실패했다. 그레슈카 씨가 지팡이로 나를 정확히 가리키고 있었다.

"아…… 네……."

말을 질질 끌며 티티라 씨를 바라보았다. 아무래도 서로 만나지 않았으면 하는 것 같은데, 어떡하지……? 그레슈카 씨보단 특실 손님의 발언권이 좀 더 위 아닌가……?

그때 갑자기 바깥에서 문이 덜컥였다.

미는 힘을 느낀 티티라 씨의 얼굴이 일그러지는 것이 보였다.

"티, 비켜 봐."

안스 씨의 두 번째 목소리는 좀 더 분명했다.

곧장 지팡이에 주춤거리는 걸음이 일어섰다.

"……설마."

"피해. 발 찧는다."

남자의 목소리는 그다지 엄중하지 않았다. 그보단 장난스러운 경고에 가까웠다. 티티라 씨는 이미 글렀다고 생각했는지 벌레 씹은 표정으로 물러섰다.

이윽고 문이 열렸다.

"……."

"……."

나는 감탄을 삼켰다. 평소 아무 거적때기나 입어도 휘황한 사람이었지만, 오늘처럼 완전한 시노드 신넬식 정복을 입었을 때는 감히 무엇과도 비교하기 힘들 정도였다.

잠시 그레슈카 씨를 돌아보았다.

다시 안스 씨를 보았다.

두 사람의 시선이 아치처럼 부딪혔다.

먼저 입을 연 사람은 그레슈카 씨였다. 잔뜩 낮아져서, 파충류처럼 도사린 목소리였다.

"……호칭을 정해 주시지요. 상황에 따라 이 아가씨는 나가야 할 수도 있겠군요."

그레슈카 씨가 나를 가리켰지만 그게 중요한 게 아니었다. '존대말을 쓴단 말이지……?' 나는 혼란에 빠진 채 계속 두 사람을 번갈아 바라보았다. 촐랑대는 짓을 하지 않으려 했지만, 이런 상황에선 누구나 호기심을 품을 것이다.

"괜찮습니다."

안스 씨가 부드럽게 대답했다.

"'안스'라 부르면 됩니다."

"……무슨 꿍꿍이인지……."

그레슈카 씨는 대놓고 들으라는 듯 투덜댔다.

"그레슈카, 아펭글로에게 이야기를 들었으리라 생각했는데, 상황이 번거롭게 됐군요."

"그 망종은 당신들에 대해선 하나도 이야기하지 않습디다."

"희한한 방식으로 의리를 지키는 사람이라고 항상 생각했지요. 오늘은?"

"동행하지 않았습니다. 근처 남부 도시를 돌아다니고 있을 겁니다."

정적이 흘렀다.

절대 끼워 맞출 수 없는 쇳덩이 세 개를 같은 구멍에 엉성하게 욱여넣은 꼴 같았다. 누군가 끈적끈적한 풀이 되어 틈을 붙여 주어야 할 텐데, 지금은 불가능한 임무였다. 계속 이야기에 등장하는 '아펭글로'라는 사람이라면 과연 그 역할을 할 수 있었을까?

물론 '아펭글로'가 부재한 상황에 선택지는 없었다.

티티라 씨가 한 발자국 앞으로 나섰다.

"그레슈카, 내가 설명을 해야겠어요. 두 사람은 대화를 나누기엔 상황이 좋지 않으니까요."

그들은 부정하지 않았다. 그레슈카 씨는 창가로 고개를 돌렸고, 안스 씨는 희미하게 웃었다.

"내가 이 자리에 없었어야 했나."

"입방정."

"……."

"그레슈카, '안스'는 제 옛 친구입니다. 저희의 마지막 대화를 벌써 잊으신 것은 아닐 텐데요. 제가 이즈버르에서 미친 사람처럼 절절매던 게 기억나시죠? 그건 첫눈에 반해서가 아니라, 옛 친구가 완전히 다른 모습으로 돌아왔기 때문이었습니다."

오……. 나는 소설 같은 이야기에 귀를 쫑긋 기울였다. 소꿉친구의 극적인 변신?

"그때 네 말을 신뢰했다고 생각하느냐? 말이 되는 소리를—"

소파 너머에서 당황한 듯한 문장이 불쑥 튀어나왔다—나만 재미있었나 보다—. 그레슈카 씨는 여전히 창가를 응시하고 있어서, 우리가 서 있는 쪽에서는 앙상한 등밖에 보이지 않았다. 그러나 그녀가 온몸으로 기막혀하고 있다는 사실만큼은 분명했다.

"생각해 보세요. 제가 고작 몇 달— 아니, 한 해 만난 남자와 사랑해 죽겠다는 연극을 찍고 자빠졌겠습니까?"

안스 씨가 한숨을 쉬었다.

"너무하군."

"조용히 좀 해."

"미안."

"보셨죠? 사람이 많이 달라졌습니다. 이건 옛 친구의 기억이 돌아왔기 때문이고요. 이제 같은 이라고 보기엔 힘들게 되었습니다."

"잠깐, 잠깐……. 정신 나간 년의 헛소리가 아니라, 지금 무어라고?"

장난스럽게 웃고 있던 남자의 얼굴이 찌푸려졌다. 그 표정 변화란 거의 하늘과 땅 차이였다. 안스 씨는 티티라 씨에게 집중하던 시선 그대로 몸을 돌렸다. '입조심하라.'는 말은 들리지 않았지만, 그 험악한 시선엔 으르렁댄 것이나 마찬가지였다.

티티라 씨는 그를 뒤로 밀었다.

"가만히 있어. 저 사람은 원래 저래."

"허."

"그레슈카, 혀만 차지 마시고 조금이나마 이해하려는 노력을 해주시면 감사하겠습니다."

그레슈카 씨가 몸을 돌렸다. 절반은 혼란, 절반은 혐오감이 섞인 얼굴이었다.

"네 말마따나 이해할 수 없지만…… 확실히 그런 태도는 도움이 안 되지. 아두커에서의 정신 나간 말을 기억하면 일관성은 있고…… 아펭글로가 내게 입 벙긋 안 한 것도 분명 숨겨진 게 있는 태도였고. 그러니 노력하겠다…….”

“좋아요.”

“말을 듣자 하니 저자가 기억을 잃었다고? 그러면 기억을 잃기 전엔 둘이 어떻게 알았던 게냐? 멀리도 살았잖느냐?”

나는 짜릿하게 재밌는 이야기에 뒤로 물러났다. 그림자 속에서 등받이 없는 의자에 걸터앉았다. 존재감 따위 희미한 채로 계속 듣고 싶었다.

“원래 같이 자랐어요. 그런데 일이 있어서 잠깐 헤어졌고요. 돌아온다고 했는데 돌아오지 않았고, 영 소식도 없어서 죽었나 보다 했는데 십 년 만에 저 낯짝으로 등장하지 뭐예요? 알고 보니 멀리도 표류했다던가요. 그러니 제가 소조폴에서 칼을 들고 날뛸 수밖에 없었지요.”

“널 보며 꽤나 미쳤다고 확신했건만.”

“결론적으로 틀린 얘긴 아니었잖아요. 미치긴 했습니다.”

“그래도 ‘그’와의 사랑에 목숨을 건 것보단 이편이 합리적이군.”

“……생각보다 빨리 이해해 주십니다.”

“이해해 보려고 노력한 이상 네 세계관을 받아들여야지. 앞뒤가 안 맞는 부분을 지적하거나, 거짓말이라고 비난하는 것은 미루고.”

“어디가 안 맞아요? 아펭글로가 있어야 했는데……. 그자가 제 친구를 도와 기억을 복구시켰어요. 그래서 이렇게.”

티티라 씨가 안스 씨를 가리켰다.

“함께 있습니다.”

안스 씨는 무표정하게 서 있고, 그레슈카 씨의 얼굴만 잔뜩 일그러지는 꼴이 진짜 볼만했다.

나이 든 상주는 이를 갈듯 응답했다.

"실제로 네 친구라손 치더리도, 난 용납할 수 없다."

"……."

"피가 너무 많이 흘렀어. 너는 애정으로 용서했나? 나는 어렵다."

"그레슈카."

"내가 널 잘못 찾았구나."

티티라 씨가 입술을 깨무는 모습이 보였다.

"아예 모른 척 살 것을 그랬어. 내 너희 용건에 함부로 참견하진 않을 테지만, 다시 볼 일은 없을 것이다."

무시무시한 정적이 흘렀다.

아, 젠장. 나만 멀뚱멀뚱 분위기에 맞지 않게 대화를 이해하려 노력하고 있었다.

안스 씨와 그레슈카 씨, 저 둘 사이는 왜 이렇게 나쁜 걸까? 아, 이즈버르에 있을 당시 동등한 상단으로 친하게 지냈는데 저들이 그레슈카 상단에 누가 될 일을 저질렀나 보다. 사람 목숨이 희생될 정도로 심한 잘못 말이지. 그리고 도망간 거다.

깨달았다.

아, 내가 내내 의심하던 티티라 씨가 아니라 안스 씨가 문제였구나. 얌전한 고양이가 먼저 화병을 깨뜨린다더니, 진짜 흉악한 죄를 저지른 사람은 저 인간이었네. 그런데 티티라 씨는 연인을 도저히 버릴 수 없어서 함께 도망쳐 온 거지.

골치 아픈 궁금증을 해결한 것 같아서 속이 시원했다. 이제 모든 대화가 이해되었다.

"당신과 좋지 않았던 시기를 기억하고 있지만."

나는 생각에 빠져 있다가 곁에서 들리는 목소리에 부르르 떨었다. 안스 씨였다. 평소보다 훨씬 낮고, 훨씬 부드러운 목소리였다.

"그것이 온전한 내가 아니라는 점은 헤아려 주세요."

그의 표정은 이제 완전히 순수해 보였다. 그레슈카 씨의 욕설에 찌푸렸던 인상은 온데간데없었다. 심지어 선량한 이가 억울하게 구박받는 것처럼 보이기도 했다.

"이제 와 이상하게 들릴 것을 각오하고 말씀드립니다. 티에게 많은 도움을 주신 점 감사드리고 싶습니다. '저'와 '놈들' 때문에 고생하셨습니다."

"'놈들'?"

티티라 씨가 반사적으로 속삭였다가, 흠칫 뒤로 물러서려는 기색이 보였다.

그 순간, 안스 씨가 고개를 숙여 그녀의 이마에 입을 맞추었다.

"'제 부모랑 흘레붙을 개새끼', '육시하여 해에 말릴 잡놈들.' 같은 '놈들'이지."

그리고 콧날이 점차 내려와, 조용히 입을 맞추었다. 소중한 도자기를 다루듯 감싸고, 키스하고, 따뜻한 날숨과 함께 멀어지는 움직임. 그만큼 빠른 입맞춤이었지만…… 솔직히 진짜, 지금은 아니지 않나? 뭣도 모르는 나도 이렇게 긴장해 있는데. 나는 때와 장소를 가리지 않는 저 한 쌍에 정말 질린 참이었다.

그레슈카 씨는 반응하지 않았다.

한참 동안이나 바짝 굳어 있던 티티라 씨가 앞으로 한 걸음 나섰다.

"제 친구는 정신이 불안정해요."

어?

나는 혼란스러웠다. 티티라 씨보다 멀쩡해 보이던데.

"당신이 옛날의 그를 싫어하는 것은 당연히 이해합니다. 저도 그의 죄악을 온전히 용서할 수는 없습니다. 하지만 기억이 혼란스러워 헤매는 이를 버릴 수도 없어요. 그러니 발아래 밟히는 유리 조각처럼 밟을 때마다 아파하며 사는 것이죠."

"……."

"그레슈카, 안스가 고작 당신을 만나기 위해 완전히 다른 사람인 척 연기하는 것은 말이 안 됩니다. 당신도 그걸 알 거예요. 아예 코빼기도 안 비추고 끝냈겠지. 그런데 안스는 처음부터 겁 없이 자신의 얼굴을 보여 주려 했잖습니까…… 옛날의 그자였다면 그러지 않았겠지요. 아픈 사람이에요. 저는 버릴 수 없어요."

그레슈카 씨의 눈이 가늘어졌다.

"그레슈카, 우리가 어떻게 '돌아'왔을까요. 친구가 여전히 힘을 가졌다면 가능한 일이었겠습니까? 그리고 절대자에 미친 사람들에게서 벗어나기 위해 무슨 짓까지 했어야 했는지……. 당신도 아펭글로가 어떤 일을 겪었는지 이제는 알잖습니까."

안스 씨가 한 마디를 내뱉었다. '아' 같기도 했고 '으', 아니면 '음' 같기도 했다. 단어가 무슨 뜻인지는 알 수 없었지만, 기억을 되새기는 신음이라는 점만큼은 분명했다. 한순간은 진짜 미친 것 같기도 했다.

"당신에게 절대 호의적으로 받아 달라고는 하지 않겠습니다. 눈앞에 보이지 않게 할 테니, 그냥 저만 견뎌 주세요. 저는 당신이 좋습니다."

티티라 씨가 얼굴을 한 번 쓸었다. 그리고 마지막 부탁처럼 중얼거렸다.

"의문이 생기신다면 옛 소조폴에 살던 '안스'를 찾으십시오. 어쩌면 이미 그럴 계획을 세우셨는지 모르겠지만요."

그레슈카 씨는 여전히 대답하지 않았다. 대신 외면하듯 걸음을 뗐다.

그녀는 지팡이를 짚은 사람답지 않게 빠르게 그들을 지나쳤다.

문이 닫혔다.

나는 어색하게 어둠 속에 숨어 있다가, 주춤주춤 벽에 붙어 움직였다.

"전…… 이만……. 객실 환불도 해 드려야 하고……."

문을 열고 잽싸게 도망쳤다.

의외로 그레슈카 씨는 바로 떠나지 않았다. 다만 다른 층 객실을 잡고, 대부분의 시간 동안 외출할 뿐이었다.

티티라 씨는 본인들 짐을 전부 묶어 놓은 채로, 언제든 떠날 사람처럼 방에 머물렀다. 아무리 봐도 새로 산 건물로 이사를 가려는 모양인데 어쩐 일인지 뭉그적대고 있었다.

이유를 물었더니, 속 시원히 그날의 답을 받아야 하지 않겠냐는 것이다. 그리고 괜히 '당신은 대답이 중요했던 적 없어요?' 하고 사생활을 물어보기에 도망쳤다. 으휴.

그렇게 하루, 이틀, 사흘, 일주일이 지났다. 티티라 씨는 그래도 기다리고 싶은 눈치였지만 슬슬 방을 잡은 기간이 끝나 가고 있다. 물론 나는 처절한 접객 정신을 발휘하여 일반 객실로 옮기실 거냐고 물어보았으나.

"좀 구질구질한데."

농담 같은 한마디를 듣고선 고개를 서었다.

"그레슈카는 그런 거 안 좋아하거든요."

티티라 씨는 진지하게 말하더니 얼마 안 되는 그들의 짐을 흘끗 바라보았다. 사실 짐이라기도 뭐한 게, 안스 씨의 등짝만큼도 안 될 것처럼 홀가분하긴 했다.

"……네. 그럼 내일까지 머무르시는 걸로 알겠습니다."

"알겠어요. 그런데 여기 뭐, 재밌는 곳 없나요? 아직 내가 당신 손님일 때 소개를 좀 받고 싶은데."

나는 어리둥절하게 그녀를 바라보았다. 그간 그렇게 사람들을 만나고 다니기에 이 작은 도시쯤은 완전히 섭렵한 줄 알았다.

숨기지 않고 말했다.

"저보다는 다른 분들이 더 나을 거예요. 제가 아는 건 조개찜이 맛있는 곳, 이런 어처구니없는 장소뿐이거든요."

"그래도요. 좋은 곳이면 금을 드릴게요."

"저번엔 거지라고 하셨……."

또 속마음이 바깥으로 나왔다.

창가 근처에 앉아 있던 안스 씨의 시선이 돌아왔다. 말을 달리며 봐도 '어이가 없다.'는 표정이었다. 나는 티티라 씨한테 속았다는 생각에, 심지어 말실수까지 했다는 생각에 귀뿌리까지 빨개졌다.

티티라 씨는 멋쩍은 표정으로 그와 나를 둘러보고는 웃었다.

"재산 크기는 관점에 따라 다른 거잖아."

"……."

순간 안스 씨가 자리에서 일어섰다. 나는 한참 멀리 떨어진 곳에서도 살짝 뒤로 물러섰다. 예전부터 큰 사람이라고 생각하긴 했지만, 지금은 꺼림칙할 정도였다. 솔직히 그간 객실에 잘 방문하지 않은 것도 그 탓이 컸다.

티티라 씨는 본인 재산에 대해 몇 가지 재기발랄한 설명을 덧붙이려다가 문득 내 경계하는 기색을 눈치챈 듯했다. 눈썹이 들렸다.

"그렇게 티 나게 피할 것까지야?"

"……."

"그레슈카가 안스에게 했던 말 때문에 그래요?"

나는 혼자 방 안에서 머리를 열심히 굴렸던 차였다. 그간 내 생각은 확신에 가까워져 갔다.

첫째, 안스 씨는 살인자다. 그건 무조건, 무조건이다.

둘째, 그레슈카 씨의 본거지라면 이즈버르고, 이즈버르는 교국놈들이 지배하고 있었다. 최근에 고초를 겪으신 것도 교국과 관련이 있다고 들었다. 그러니까, 종합하면 안스 씨는 비겁한 교국 하수인에, 사람을 죽여 그레슈카 상단에 해를 끼친 세상 말종이었다!

아무리 말실수를 잘하는 편이지만 '살인자'라고 중얼거리진 않았다. 용병들이 많이 오가는 여관인데, 꺼림칙하긴 해도 딱히 못 견딜 만큼 무섭지는 않았다. 그러니 그보단 배신자, 범죄자 정도가 처단하기에 좋은 단어일 거다.

나는 중얼거렸다.

"스몰랸은 작지만…… 작기 때문에 좋은 것도 있어요. 범죄만큼은 정말 빨리 추적돼서 처벌받거든요."

"안스는 범죄자가 아니에요."

"그레슈카 씨가 말씀하셨잖아요. '피가 많이 흘렀다.'고."

안스 씨는 티티라 씨를 빤히 바라보는 듯하더니, 내게로 한 걸음 다가왔다. 나는 다시 한번 물러나 이제 문에 찰싹 붙게 되었다.

그가 입을 열었다.

"피는."

"……."

"내가 저지른 실수 탓에 흘렀다. 그레슈카 상단의 어떤 일들이 폭로됐지."

나는 '헉' 숨을 삼켰다. 간단한 말이었고, 또 나같이 물정 모르는 애한테 숨기려는 듯 여러 번 돌리고 돌린 설명이었지만, 난 눈치가 빠른 편이었다.

그레슈카 상단은 교국의 본거지에 똬리를 튼 가장 큰 상단으로서, 이런저런 일들을 교국 몰래 해내야 했을 것이다. ―우리 남부인들은 교국 통치 아래 신음하는 상단을 떠올리면 항상 서러웠다. 예전에는 사탕수수 일백 포대기를 수십 금에 사 주던 나리들이었는데, 이제는 십 금이나 주면 다행이란 말이지.―

하여튼, 그런 막중한 부담감으로 교국에 대항하셨는데, 그 과정에서 저 사람이 실수를 한 모양이었다. 묵묵한 얼굴을 하고 있으면 절대 그럴 이처럼 보이지 않았지만, 가끔 저지르는 얼빠진 농담을 들으면 확실히 의심되긴 했다.

티티라 씨가 재빨리 말을 낚아챘다.

"그래서 그레슈카 씨를 잠시 떠날 수밖에 없었던 거예요. 작은 실수조차 용납하지 않을 사람인 걸 잘 아니까요."

"……."

"그러니 너무 무서워하지 마요. 우리가 가지고 있던 돈도 정당하게 번 거고, 그레슈카에게 저지른 잘못도 재판소에 가야 할 정도는 아닙니다."

나는 왜 저한테 변명하시냐고 꿍얼대고 싶었다. 하지만 정원에서 '그래도 여기 정착할 건데, 이웃과 친해지고 싶다.' 했던 얼굴이 자꾸 마음에 걸렸다.

"……그레슈카 상단이 일을 너무 많이 시켜서 도망 왔다고 하셨잖아요. 그게 거짓말인데 솔직히 지금 말을 어떻게 믿어요?"

"당신 같으면 이미 게오르기 씨, 다른 스몰랸 유지들과 돈 이야기를 해 두었는데, 실수나 저지르는 놈팡이라고 불신을 사고 싶겠어요?"

"……일하기 싫단 말이나, 엄청 큰 실수를 저질렀단 고백이나……."

들리지 않도록 중얼거렸지만 확신이 없었다. 어쨌든 그녀는 내게 성심성의껏 모든 걸 설명하려 했다.

"응? 그러니 좀 알려 주세요. 풍경이 좋은 곳도 좋고, 뭐가 맛있는 곳도 좋고."

티티라 씨는 안스 씨를 양손으로 밀치곤 내게 다가왔다.

나는 해명을 듣곤 한 시름 던 얼굴로—

"두 분 되게 안 어울리시는데, 용케……."

또 헛소리를 했다.

눈을 질끈 감았다. 아무래도 난 긴장감이 있어야 입을 닥칠 수 있나 보다.

티티라 씨가 오기가 인 목소리로 대답했다.

"어울리는데?"

한 번으로는 부족한지, 꿋꿋하게 반복했다.

"진짜 어울리는데?"

내가 실수했는데도 저 반응엔 웃음이 나올 것 같았다.

"조, 우리 어디가 안 어울린다고 생각하는데요?"

가까스로 짜증을 가라앉힌 티티라 씨가 존대를 찾았다.

"말 좀 해 봐요."

"설명할 틈을 안 주셨어요."

"그럼 지금 줄게요."

"……별 뜻 아니었어요. 성격도, 외양도 너무 다르시니까. 원래 사귀는 사람끼린 닮기 마련이잖아요."

"음."

다르단 것쯤은 알고 계신가 보다. 나는 안스 씨보다 한참 아래에 있는 티티라 씨를 보며 웃음을 꾹 참았다.

"그래서 우리, 아무 관계 아닌 것 같아요? 그건 궁금하네요."

아니, 그렇게 스스럼없이 입 맞추면서 아무 관계가 아닌 것 같아 보이냐니. 나는 '허' 하는 소리를 내며 대답했다.

"첫날에 알았습니다. 하도 함께 계셔서요."

"좋아. 마음을 바꿨어요. 연인에게 어울리는 곳을 추천해 줘요."

나는 숨기지도 못하고 기침을 했다. 정말 지독한 한 쌍이었다. 저건 애정이 아니라 오기라고 봐야 하지 않을까.

그러나 이내 안스 씨가 걸어와 그녀의 어깨에 손을 얹자, 나는 잠시 투덜대던 마음을 멈추었다. 그는 조용했으며, 희미하게 웃고 있었다. 그리고 그것만으로 티티라 씨를 가라앉혔다.

이상한 남녀였다. 저 정도로 서로를 잘 알기 위해선 대체 얼마나 오랫동안 친밀했어야 할까. 성격이나—하나는 초조해하고 하나는 느긋하잖아—, 외모가—하나는 북쪽에서 온 양 미끈하고, 하나는 딱 우리 옆집 살면 좋을 남부인이니— 너무 차이가 날 뿐이지, 막상 그 사이를 들여다보면 너무 엉겨 붙어 있어 징그러울 정도였다. 서로 다르다는 사실 때문에 더더욱.

나는 짧게 한숨을 내쉰 뒤 말했다. 무슨 바람이 들었는지, 잘도 정직하게.

"저기 네프스키 근처에 해저 동굴이 있어요. 제가 좋아하는 곳이에요."

티티라 씨가 문득 멍하니 안스 씨를 올려다보았다. 저렇게 모든 경계를 푼 모습은 처음이었다.

그가 몸을 숙여 키스했다. 전조는 없었다. 그들에겐 호흡처럼 자연스러웠다.

"나, 수영 잘하잖아."

"……."

"이즈버르에 다시 못 간 게 아쉬웠어. 예쁘더라."

확실히 그레슈카 씨한테 고백했듯 미친 사람 같기는 했다. 어떤 때는 바위처럼 무겁다가도, 이제는 급기야 애교처럼 들렸다. 기묘하게도 그에게서 드러나는 몇 가지 성격들은, 한 사람의 것이 아니라 서로가 서로를 밀치고 나타나는 경쟁자에게서 드러나는 것 같았다.

"좋아. 조, 위치를 알려 주세요."

"……저밖에 몰라요."

티티라 씨의 얼굴에 작은 웃음이 들어찼다.

"해저 동굴은 전부 애들 하나씩 끼고 사네. 그게 운명인가 봐."

"……네?"

"우리도 어렸을 때 숨겨 둔 해저 동굴이 있었거든요. 당신이 숨겨 두었다니 더 믿음이 가네요. 한번 데려가 주세요."

"말 타고는 못 가고 적어도 한 시간은 걸려요. 괜찮으세요?"

내가 왜 이렇게 냉큼 소개해 주려는지 나로서도 잘 설명이 되지 않았다.

그러나 나는 ―티티라 씨의 수없는 거짓말에 솔깃하는 걸 보면 ― 저 이리저리 튀는 공 같은 성격을 좋아하는 게 분명했다. 그리고 저 한 쌍이 이상하고, 희한하고, 또 멋지다고 생각했다. 범죄만 저지르지 않았다면 정말 이웃으로 받아들이고 싶은 사람이었다.

나는 이웃을 맞이하는 선물을 미리 준다고 생각하곤 고개를 끄덕였다.

우리는 다음 날 바로 해저 동굴을 찾았다. 짐은 사람을 불러 치워 두었으니, 이제 그들이 돌아갈 곳은 이 여관이 아니라 스몰랸 한복판 그들의 집일 것이다. 나는 여전히 가까이 산다는 사실을 알면서도 조금 아쉬워졌다.

하여튼, 두 사람은 입이 쩍 벌어질 정도로 체력이 강했다. '한 시간'? 하! 나는 내가 내뱉은 말을 열심히 주워 담아야 했다. 우리는 반 시간도 안 되어 해저 동굴 초입에 다다랐다.

티티라 씨는 항구 도시에서 자랐단 말이 농담이 아닌지 제대로 바다가 트이기 전부터 양손에 신발을 벗어 들었다. 나무 사이로 스며드는 작은 파도 소리, 굵은 알갱이가 섞인 흙모래. 나도 오랜만에 나온 바닷가에 신이 나 신발을 던져두었다.

티티라 씨가 뛰어갔다.

나도 무언가에 떠밀린 듯 그 뒤를 따랐다.

해는 이미 중천을 지났고, 발가락 사이로 스며드는 모래와 질긴 해안가 식물 줄기가 진짜 사람을 들뜨게 했다. 작은 나무숲에서 뛰쳐나와, 끝없는 수평선이 펼쳐진 광경에 심장 박동 소리가 더욱 커졌다.

나는 우스꽝스럽게 양팔을 바다 쪽으로 휘적였다. 누가 보면 허공에서 헤엄을 치고 있다고 비웃을 꼴이었다. 그래도 나는 즐거웠다. 광대 짓을 멈추지 않은 채 주변보다 훨씬 짙은 바다의 일부를 가리켰다.

"멋지죠!"

티티라 씨는 듣는 둥 마는 둥 바다로 걸어가며 옷자락을 하나씩 벗어 던지고 있었다. 나는 저 사람이 진짜로 항구 출신이라는 사실이 실감나서 웃음을 터뜨렸다. 항구 애들은 어릴 땐 어디서든 반쯤 벌거벗고 다니는 게 미덕이니까.

그러다 문득 뒤에서 느릿느릿 따라오는 사람이 기억나 몸을 틀었다.

안스 씨는 나무의 가장자리에 서 있었다. 그의 시선은 바다에……

아니, 티티라 씨에게 못 박혀 있었다. 같은 방향이었지만 확신할 수 있었다. 그녀는 어느새 흰 속옷 쪼가리만 입은 채 첨벙첨벙 물에 뛰어들고 있었다. 몸을 숙여 머리까지 담근 뒤, 일어서며 휙 우리 쪽을 돌아보았다. 짧은 머리칼에 얹힌 앙상한 포말이 바닷물에 흩뿌려졌다.

"안스, 들어와!"

지금까지 내게 건넸던 모든 거짓말에도, 또 아직도 수없이 많은 미심쩍은 부분에도, 바다와 함께한 모습이 내 신뢰를 가득 채웠다.

저건 분명 항구 인간이고, 항구 인간들은 배신 안 해.

나는 안스 씨가 바닷속으로 들어가지 않을 줄 알았다. 그는 실없이 굴 때마저도 어딘가 기품이 서린 것처럼 행동하곤 했으니까. 그런 인간이 어디 맨몸으로 바다에 들어가겠어?

그러나 내 착각이었다.

안스 씨는 내게 쥐똥만큼의 관심도 두지 않은 채 천천히 연인을 향해 걸어갔다. 그렇게 파도가 미치는 가장자리에 멈추더니, 큰 몸을 웅크려 모래를 한 움큼 쥐었다. 백사장이 물기를 잔뜩 머금어선 꼭 부드러운 반죽을 퍼내는 듯했다.

그는 흘러내리지 않는 모래를 쳐다보았다.

티티라 씨가 헤엄쳐 왔다. 깊은 곳에서 얕은 곳으로, 막 다리가 돋아난 물고기처럼 물을 뚝뚝 흘리며 움직였다. 그 앞에 쭈그려 앉는다. 같은 곳을 바라본다.

"안스, 바다는 오랜만이지?"

비로소 그의 시선이 들렸다.

안스 씨는 흰 모래가 덕지덕지 묻은 엄지를 그녀의 얼굴로 가져갔다. 호기심을 담고 둥그레지는 티티라 씨의 눈이 보였다.

흰 모래가 그녀의 눈덩이에 달라붙었다. 부드럽게 미끄러졌다.

두터운 손이 떨어져 나왔다.

나는 그 광경을 보곤 씩 웃었다. 건강하게 탄 피부 위로 남부 특유의 하얀 모래알이 묻자, 티티라 씨는 이제 흰 눈썹이 난 새처럼 변해 있었다.

"우리가 어린애냐?"

티티라 씨가 타박했다. 그러나 얼룩을 물에 씻어 내진 않았다.

"해 보고 싶었어."

안스 씨는 중얼거리며 나머지 눈썹을 만들어 주었다.

"이게 뭐라고……."

그는 빙그레 웃더니 옷 위로 단추를 하나하나 풀어내기 시작했다. 순식간에 내가 그렇게도 보기 싫어하는 끔찍한 흉이 나타났다. 단단히 잡힌 등 근육 탓에 상처가 살아 움직이는 것처럼 보여, 더더욱 징그러웠다.

그는 티티라 씨를 한 손으로 안아 올린 뒤 바다로 몸을 돌렸다.

팔뚝을 정면으로 보는 것은, 처음인 것도 같은데.

꽤나 거리가 있었지만 구분할 수 있었다. 단순한 흉이라기보단 모양이 있었다. 문신이 아니었다. 그러니까 '흉'인데 '모양'이었다.

나는 반사적으로 숨을 들이켰다. 그러나 제대로 살피기도 전, 그들은 이미 물속으로 몸을 담근 뒤였다.

티티라 씨는 바다에 들어가자마자 모든 구속이 풀린 듯 그를 밀쳐 냈다. 인간의 눈으론 우스꽝스럽게, 물고기의 눈으론 노련하게 헤엄을 치는 모습이 보였다.

그 와중에 안스 씨의 바지가 휙 날아와서, 결국 못 참고 웃음을 터뜨렸다. 이미 항구 출신이라고 확신했으니 거대한 해저 동굴 앞에서도 그다지 말릴 마음은 들지 않았다.

팔짱을 낀 채 나무에 기댔다. 이걸 어쩌나, 나는 갈까, 생각하는 순간―

더 깊고 어두운 바다로 들어가는 안스 씨를 보며 얼이 빠졌다.

파도를 거스르는데도 거침이 없었다. 물속에 단단한 줄이라도 있는 듯, 말도 안 되는 속도로 슥, 슥 그림자가 비쳤다.

파도, 너머 또 파도. 한참 멀어진 장소에서 그의 얼굴이 불쑥 튀어나왔다. 미친 듯이 흔들리며 그 곁을 따르는 작은 머리가 있었다. 한순간 티티라 씨가 모래사장까지 울릴 정도로 쩌렁쩌렁하게 웃었다.

그들은 바다 위에서 짧게 입 맞추었다.

오후 햇살이 비치는 남쪽 바다.

바다 신의 영역에서 물감을 풀어 둔 듯, 뭍에 다다를수록 묽어지는 색……

나는 연인을 보며 괜히 감상적이 되었다. 바닷가 앉은뱅이 나무에 등을 기대곤 철퍼덕 앉았다.

티티라 씨와 안스 씨는 여전히 잘 보이는 위치에 있었지만, 부서져라 하얀 햇살에 간혹 놓치곤 했다. 다행히 그림자 두 개를 찾다 보면 언제나 소리가 먼저 깃들었다.

그들은 한참 동안이나 물 아래 있다가 올라와선 네가 어쨌느니, 그건 안 된다느니 부산스레 티격태격했다. 그 소란은 파도와 해변 나무에 마구잡이로 울린 탓에 좀 더 시끄럽게 다가오는 듯했다. 나이깨나 먹은 어른들이 꼭 소년, 소녀처럼 굴고 있어서 우스웠다.

수없이 와 본 해변가인데도 저 두 사람이 있는 곳만큼은 낯설었다. 그들이 헤엄치는 광경이 꼭 몇 초씩 내게 늦게 다다르는 듯했다. 이해하는 것과 보는 것이 맞지 않을 때 느껴지는 위화감이 감각을 어렴풋하게 만들었다.

웃으려고 입을 움직이자, 문득 짠내가 혀끝을 잔뜩 채웠다.

현실감이 뭉근하게 다가오다가…… 게으르게 드러누웠다. 아무래도 상관없어. 나도 너무 들떴네.

시간이 얼마나 지났는지 모르겠다.

무언가 달라졌다는 느낌에 부르르 떠는데, 마침내 티티라 씨를 껴안은 채 해변가로 올라오고 있는 안스 씨를 발견했다. 그녀는 이미 한참 반항했는지 다소 축 늘어진 오징어 같았다.

"미안한데."

문득 들린 목소리에 고개를 틀었다. 엉덩이를 털고 일어나려던 참이었는데, 안스 씨가 아직 한참 멀리 선 채 나를 바라보고 있었다.

"네?"

그는 대답 없이, 껴안고 있던 티티라 씨를 살짝 내려 그녀의 맨등을 보여 주었다.

"어?"

나는 온데간데없는 상의를 바라보며 당황스러운 신음을 터뜨렸다.

"물에 떠내려갔어요?"

"그래."

나는 두리번거리며 티티라 씨의 겉옷을 찾았다. 아니, 이것들은 또 어디 갔대?

내가 아무리 멍하게 있었다 해도 옷이 사라지는 것까지 놓칠 인간은 아니었다. 티티라 씨가 원체 개판으로 던져두고 바다에 뛰어드셨으니 파도에 떠밀려 간 것일 수도 있지만…….

그런데 그럼…… 어떡하지?

헛기침을 했다.

"저도 홑겹이라."

'내 옷은 안 되니까 넘보지 마.' 일단 선언한 뒤 곰곰이 생각했다.

티티라 씨는 온몸에 아래 속옷 딱 하나만 걸치고 있었는데, 항구 인간으로서도 저 정도 알몸은 조금 무리였다.

"조, 괜찮다면 옷 한 벌만 가져다줄 수 있겠어? 대가는 치르겠다."

"……안스 씨 옷 나눠 입으세요. 안스 씨가 하의, 티티라 씨가 상의 입으시면 되겠구만."

나는 딱딱거렸다.

그의 대답은 빨랐다.

"싫어."

아, 정말. 안스 씨에게서 종종 튀어나오는 고집 센 애 같은 말투였다.

"뭐가 싫으신데요?"

"티 아래엔 속옷 한 겹인데, 마땅한 옷이 있으면 좋겠어."

"아, 예. 예."

"부탁한다. 얼마나 걸리지?"

허락도 안 했는데?

"조, 덕분에 좋은 구경을 했다. 우리가 동굴에 정신이 팔려 실수를 저지르고 말았는데…… 도와주면 좋겠어."

안스 씨는 더 이상 돈으로 회유하려 들지 않았다. 나는 잘생긴 사람이 건네는 부드러운 말에는 조금 누그러졌다―물론 돈도 받을 거긴 한데―.

"뭐…… 어쩌겠어요. 아직 저희 집 손님이신데."

"……"

"도와드릴게요. 스몰랸 망루까진 다녀와야 하니 한 삼십 분 걸릴 거예요."

"충분하다."

약간 이상했다. 뭐가 '충분'해?

그러고 보니 티티라 씨는 왜 저렇게 조용하지? 물 먹고 기절했나?

그러나 안스 씨의 급한 손짓을 견딜 수 없어, 생각을 뚝 끊은 채 돌아섰다.

흠……. 뭔가 놓친 것 같은데…….

나는 망루에서 옷을 받아 올 때까지 의구심을 풀지 못했다. 혼자 무엇을 이상하다고 여기는지도 명확하지 않았다. 에이, 모르겠다. 고개를 흔들어 쓸데없는 고민을 날려 보냈다.

나무를 헤치고 해변가에 다다랐을 때, 골칫덩이 두 사람은 느긋하게 누워 있었다.

정확히는…… 안스 씨는 해초 더미를 벤 채 누워 있고, 티티라 씨는 그 위에 길게 엎드려 있었다. 뭐, 남이 올 거라 생각했다면 어쩔 수 없는 자세겠지…….

그러나 한순간 강한 의심이 들었다.

와, 이 인간들, 진짜.

나는 티티라 씨의 옷을 꽁꽁 뭉쳐선 온 힘을 다해 던졌다. 옷이 그들 근처에 처박힌 뒤 몇 바퀴 굴러갔다.

나는 벌게져선 소리쳤다.

"아, 침실 잡으라고요!"

안스 씨는 듣는 둥 마는 둥 상체만 들어 옷을 잡아챘다. 그리고 상의부터 활짝 펴서 티티라 씨의 등을 덮어 주었다.

내 의심은 확신이 되었다.

"악, 진짜!"

나는 확 뒤를 돌았다가, 다시 그들을 바라보며 부르르 떨었다.

"다 말할 거야!"

뭘 말하겠다는 것인진 확실하지 않았다.

"아, 다 말할 거라고!"

겨우 옷을 걸친 티티라 씨가 고개를 빼꼼 들었다.

"뭘 말해요?"

"여기서……!"

"무슨 말인지, 참."

"티티라 씨, 이제야 입을 여시네요. 아까는 아주 꾹 다물고 계셨
으면서."

뒤늦게야 모든 게 이해가 됐다.

이 인간들은 물속에 들어가서 보라는 동굴은 안 보고 별별 장난
질을 한 게 틀림없었다. 그러다 옷이 멀리 떠내려갔고, 티티라 씨
도 정신 못 차린 채 안겨 온 것이다.

"내 해변가, 소개해 주지 말걸……. 아! 아! 아!"

"여기서 한 사람이 한둘도 아닐 텐데."

"좀 닥쳐, 안스."

티티라 씨는 투덜대며 바지에 다리를 껴 넣었다. 물기 어린 종아
리에 바지를 넣어 보겠다고 제자리에서 팡팡 뛰는 모습이, 잘못이
라곤 하나도 없다는 듯 뻔뻔해서 화가 났다.

"더러워요—"

나는 뒤돌아 도망갔다. 내 목소리가 메아리처럼 울려 퍼지는 것

같아서, ―더러워요, 더러워요, 더러워요……― 그게 참 볼품없이 웃기게 들려서, 더 쫓기듯 달아날 수밖에 없었다.

혼자 도망가는 길에 생각했다. 엄마한테 다 말해야지. 저 사람들 바다에서 자, 잤어.

머릿속에서 같은 말만 외우다 보니, 엄마를 보자마자 그런 말이 튀어나온 건 정말 불가항력이었다.

"조? 왜 이렇게 뛰어다니니?"

"엄마저사람들스몰랸에들어오는거싫어!"

엄마가 인상을 팍 찌푸렸다.

"숨 좀 쉬고 말하렴. 더위 먹은 거니?"

"티티, 티티라 씨랑 안스 씨를 내가 해변가에 데려다줬는데, 거기서 날 보낸 다음, 둘이 잔 것 같아."

엄마가 콧방귀를 뀌었다.

"설마 훔쳐보고 왔어? 엄마는 여관 주인으로서 널 그렇게 키우지 않았단다."

"그게중요한게아니잖아!"

"아니, 부부끼리 잠자리 가지는 게 무슨 문제라고. 쓸데없이 힘 빼지 말고 어서 엄마 도와."

나는 눈이 커져선 버벅거렸다.

"저 사람들 결혼했어?"

"딱 보면 알잖니."

"그냥 같이 다니는 애인 아냐?"

"아직 어려서 사람 보는 눈이 없구나."

"그럼 부부야? 아니, 어떻게 아는데?"

"조! 그만 농땡이 피우지 못해?"

나만의 해안가를 빼앗긴 것에 대해 슬퍼하는 사람이 아무도 없어 서러웠다. 동굴 다신 안 가! 더러워! 엄마도 미워!

"아, 맞다. 조, 그레슈카 씨가 떠나셨단다."

나는 분통이 터진 채 양 주먹을 움켜쥐고 있다가 고개를 들었다.

"편지를 남기고 가셨는데 티티라 씨에게 전해 드리렴. 저기 중앙 식탁 위에 보이지?"

"내가 방금 한 말은 하나도 안 들은 거야?"

"들었단다. 신경 쓰지 않을 뿐이지."

"엄마는 엄마도 아냐!"

"어서 다녀오지 못해?"

엄마가 본격적으로 빗자루를 들고 탁자를 건너왔다.

나는 편지를 구겨 쥐곤 꽁지에 불이 붙은 사람처럼 뛰어갔다. 인간 더러워. 엄마 미워. 두 가지 문장을 마구잡이로 중얼거리며 그들의 새집에 다다랐다.

두 사람은 아직 돌아오지 않은 듯했다.

나는 다행이라고 생각하면서도 비위 상하는 표정이 되었다.

아직 사람이 거주하지 않아서인지 창이 쉽게 열렸다. 나는 편지를 획 던져 넣곤 내 마음만큼 강하게 창문을 닫았다. 탕!

그리고 뒤를 돌았다.

방금까지 속 시원하게 욕하던 두 사람이 서 있었다.

티티라 씨가 웃음을 터뜨렸다.

나는 우왕좌왕하다 울타리에 한 번 걸려 넘어졌다. 그리고 가까스로 절뚝이며 도망갔다. 바보, 멍청이…….

티티라 씨와 안스 씨가 새로운 건물에 자리를 튼 뒤에도 나는 오며 가며 자주 마주치게 되었다. 물론 한동안은 시선을 피하고 또 욕설을 중얼거렸지만, 이내 그 감정도 흐려질 수밖에 없었다.

음……. 어쩌면 감정이 흐려진 건 티티라 씨가 선물한 고급 만년필 때문일 수도 있겠다.

나는 여관으로 배송되어 온 귀한 상아 만년필을 한시도 내 품에서 떼어 놓지 않았다. 물론 우리 집도 필요한 건 넉넉히 갖출 수 있는 형편이었지만, 이런 희귀품은 돈만으로 살 수 있는 게 아니니까.

결국 어느 시점에 이르러선 자연스레 여관과 티티라 씨 건물을 오가는 심부름꾼 역할을 떠맡게 되었다. 반항할 시기는 이미 한참 전에 지났고, 내 품에는 아직도 만년필이 있었다. 나는 마지막 자존심으로 투덜거리며 그녀의 집을 방문하곤 했다.

"몇 살이야?"

우리가 만난 지 석 달이 가까워져 오는데 이제야 묻네. 존댓말은 여관을 떠나자마자 순식간에 잘라 먹곤 친한 체하더니, 실은 나한테 쥐뿔도 관심이 없었나 봐.

나는 조금 짜증스럽게 대답했다.

"열여섯요."

"나중에 뭐 할 거야?"

"여관을 물려받아야죠."

"그럼 우린 영영 이웃이겠네."

나는 어깨를 으쓱였다. 티티라 씨 댁과 우리 집은 건물 두 개를 사이에 두고 있었다. 어찌나 가깝던지, 그들은 가끔 저녁을 먹으러 여관에 들르기도 했다.

나는 호기심을 품고 질문했다.

"진짜 여기 정착하실 거예요?"

"정착 안 할 거면, 여기엔 헛돈을 쓴 거고?"

그녀는 응접실을 손짓했다.

응접실은 깔끔하고 고상했다. 티티라 씨의 취향인가 했지만, 이사하고 한 달이 지난 지금도 큰 물건들의 배치가 이리저리 바뀌는 것을 보면, 안스 씨와 꽤나 갈등을 겪고 있는 모양이었다.

"……지난번에 저 조각상, 소파 옆에 있었는데."

"안스 녀석이."

아니나 다를까 쿡 찌르니 와르르 튀어나왔다.

"이쪽이 더 좋다며 들어올 때마다 자꾸 옮겨 놓지 뭐야? 내 말은 들은 척도 안 하고. 너는 어디가 더 나아?"

"네……. 진짜 중요한 일을 하고 계시네요."

"조, 우리 둘 다 스몰란에 쓸 만한 인재가 되려 노력하고 있으니 비꼬지 않아도 돼."

"티티라 씨는 그렇다 쳐도, 안스 씨는 뭐…… 쓸 만한 역할이 있나요……. 티티라 씨 남편이시니 힘쓰는 일에 동원할 수도 없고……."

티티라 씨의 눈이 가늘어졌다.

"'남편'?"

나는 바람이 일 정도로 눈을 빠르게 깜박였다.

"저희 엄마는 그렇게 알고 계시던데요."

티티라 씨의 검고 투명한 눈이 가늘어졌다. 무슨 생각을 하는지

통 꿰뚫어 볼 수가 없는 얼굴이었다. 그녀는 잠깐의 침묵 뒤에 중얼거렸다.

"어쨌든 평생 같이 살긴 할 거야."

내가 실수했을까, 잠깐 솟았던 불안감이 푸시식 꺼졌다. 다 큰 어른이 어린 소녀인 양 말하네. 지나치게 당당하다 보니 사뭇 되바라져 보이기까지 했다.

실실 웃다가, 문득 그럼에도, 그녀가 어린애가 아니기 때문에 말의 무게가 다르다는 사실을 깨달았다.

티티라 씨는 기본적으로 이해타산에 밝은 편이었다. 더 나아가 그동안 살아온 생이 있으니 사람들에게 수없이 실망했을 게 분명했다. 그럼에도 그와 죽을 때까지 함께하겠다는 말을 하는 거다.

나는 중얼거렸다.

"……그럼 결혼한 거죠, 뭐."

"굳이? 우리 둘 다 성이 없거든."

"하나 만드세요. 시청에서 다 해 줘요."

"그게 의미가 있나?"

나는 꼬리에 꼬리를 무는 질문에 철학 탐구를 하게 된 사람처럼 골치가 아파졌다.

"뭐……. 두 분께 의미 있는 단어로 정해 보시든가요. 근데 의미가 있든 없든, 여러분 아이도 성이 없도록 두실 거예요? 이렇게 부잣집 자식으로 태어나면서 성이 없으면 얼마나 우울하겠어."

티티라 씨가 화들짝 놀랐다.

"애는 딱히……."

항상 나보다 노련하던 그녀의 처음 보는 바보스러움이었다. 웃음을 꾹 참았다.

"아니, 내가 다 봤는데. 시시때때로, 장소도 안 가리시잖아요. 양심도 없으시지."

부드럽게 뻗은 눈썹이 확 솟았다.

"우리 피임 잘해."

"악, 관심 없어요!"

나는 반사적으로 구역질을 했다.

"조, 네가 먼저 말해 놓고 왜 그래? 웃기네."

"……."

"해변에선 미안했어. 그게 상처가 됐다면."

"……."

"그렇지만 억울하군. 너도 열여섯인데 왜 이렇게 못 할 얘길 한단 느낌이야? 여기가 작은 도시라 그런가. 난 네 나이 때 그 짓을 본다고 놀라진 않았거든."

"뻔뻔해!"

"미안."

나는 바닥 어딘가를 노려보며 붉어진 얼굴을 숨겼다.

티티라 씨의 곤란해하는 침묵이 느껴졌다. 나는 아직도 그녀를 종잡을 수 없었다. 믿을 수 없이 천진해서 내 또래인 양 느껴지다가도, 다음 순간엔 까마득한 벽 위에 서 있는 사람 같았다.

그녀가 입을 뗐다.

"조, 곧 저녁이니, 이만 가도 돼—"

"그거……."

"응?"

"하는 거…… 어때요? 물어봐도 돼요?"

티티라 씨가 멈칫하는 게 느껴졌다.

나는 귀뿌리까지 빨개진 채로 중얼거렸다.

"대답하기 어려우시면 말고요……."

"아니야. 그냥 옛날 생각이 나서. 나도 네 나이 때 똑같은 걸 물어봤거든."

"……무슨 답을 받으셨어요?"

"그냥, 좋대. 뭐, 좀 아플 때도 있는데 좋댔어."

"설명이 좀 불성실하네요."

"하니즈산 고추…… 뭐더라……. 에이, 모르겠다."

그때 대답해 준 사람보다 티티라 씨가 더 불성실해 보였다. 그녀는 기억을 더듬는 듯하더니 곧 내팽개쳤다.

"아무튼 그 사람 설명을 빌릴 생각은 없고……."

"……."

"하는 거 말이지. 앞에 있는 인간을 죽이고 싶어."

"네?"

"절정에 죽이고 싶어."

나는 입을 쩍 벌렸다.

"뭐라고요?"

"저 인간 삶에 이것보다 나은 경험이 있을까 무서워서 그래. 나는 아닐 텐데, 그가 나아간다면 용서가 안 돼. 그러니까 죽여서 안심하고 싶어."

"미치셨어요?"

나는 처음으로 안스 씨에게 동정심을 가졌다.

티티라 씨는 그녀 특유의 크고 둥그런 눈으로 나를 바라보았다.

"왜? 당연한 거 아니야?"

"그거, 안스 씨한테 직접 말씀드릴 수 있으면 이해해 볼게요."

"말했는데?"

나는 기가 막힌다는 얼굴을 했다.

티티라 씨는 눈을 굴리며 말을 더했다.

"안스도 그냥 죽으라고 했어."

저 사람들은 제정신이 아니었다.

"하다 죽으면 좋을 것 같다더라고."

"악! 그만! 싫어!"

나는 또다시 과한 정보를 받곤 귀를 틀어막았다. 마구잡이로 머리를 흔들며 내 건강한 정신을 방어했다.

"여러분은 진짜……. 상단 출신 중에 이렇게 앞뒤 없이 연애하는 사람은 처음 봐요. 그레슈카 씨와 척을 지신 것도 당연해요. 애초에 안 맞는다고요."

"그레슈카 씨랑 '척 지지' 않았어."

"네? 무슨 말씀을? 제가 다 기억하는데요."

"쪽지 기억 안 나? 네가 준 것 말이다."

"그게 화해하잔 소리였어요……?"

"나는 그렇게 해석하기로 했어."

티티라 씨는 고개 숙인 채 손톱을 토독토독 부딪히고 있었다. 나는 그녀가 그레슈카를 언급할 때마다 살짝 수그러든 괴물처럼 변한다는 사실을 깨달았다. 예의를 차리는 건지, 아니면 그만큼 그레슈카 씨가 대단한 건지……. 아무튼 기묘한 광경이었다.

"참, 그리고 안스도 써먹을 데 있어."

"……."

"재판소에 일자리 구했다."

휙휙 돌아가는 대화에 인상을 찌푸렸다. 그렇지만 이번 주제가 더 흥미로웠기에 다시 그레슈카 씨를 꺼내진 않았다.

"그분이 재판소 일을 하신다고요?"

"왜? 문제 있어?"

나는 이쯤 되어선 아예 말조심할 생각이 없었다. 당당하게 헛소리를 지껄였다.

"손에 물 한 번 안 묻혀 본 분 같아서요."

"조, 걔 몸뚱아리 본 거 확실하지? 온갖 곳에 개 같은 상처가 있는데 손에 물을 안 묻혀?"

"에이, 싸우는 거랑 '잡일'은 다르죠. 차라리 어디 보호귀족 아래에서 용병을 부렸다면 모르겠네."

"용병이 수영 잘하는 거 봤어?"

"그럼 해적인가?"

"어딜 갖다 대? 안스는 비열하고 추잡한 짓 안 해. 똑똑하고 침착해. 몸도 잘 써."

"정말 이러면 안 되는데, 티티라 씨는 안스 씨 이야기를 하실 때마다 제 또래 같으세요. 절대 아닌 거 알아도, 그냥 아, 너무 좀, 그래요."

티티라 씨가 소리 내어 웃었다.

"악바리 같은 사랑은 연극에나 있지. 내 건 일곱 살짜리야."

"……."

"죽고 못 살겠단 사랑을 하는 놈들을 조심해. 같이 망가질 수 있으니까."

"잘 모르겠어요. 안스 씨는 지금도 그래 보이셔서요."

"아닌데?"

티티라 씨가 '아닌데?' 전법을 쓰기 시작하면 꽤나 대처하기 어려웠다. 그녀는 모든 증거가 앞에 있어도 꿋꿋하게 '아닌데?'만 내뱉곤 했으니까.

물론 석 달간의 경험으로 나는 한 가지 돌파구를 마련할 수 있었다.

"제가 안스 씨한테 물어보면 제 말이 맞다고 하실 텐데요?"

"아닌데?"

"맞는데요?"

티티라 씨는 소리 없이 입으로만 '아닌데?'를 반복하곤 자리에서 일어섰다.

"너도 계속 여기서 노닥거릴 순 없지. 네 어머니께 혼난다."

나는 뜨끔해선 주춤 일어섰다. 티티라 씨 댁 심부름만 오면 내가 한참 놀다 돌아가는 것을 엄마도 아실까?

티티라 씨는 짓궂게 웃더니 방문 쪽을 손짓했다.

"다음번에 오면, 뭔갈 가르쳐 줄게."

"뭘 가르쳐 주실 건데요?"

"여관 운영할 때 도움이 되는 것들."

"엄마한테 배우고 있어요."

"더 많은 사람들한테 듣는다고 해가 될 게 있겠어?"

우리 엄마의 여관 운영 능력은 완벽하다며 투덜거리려는데, 누군가 응접실 문을 두드렸다. 똑, 똑. 느렸다.

"아, 들어와."

이미 노크 소리를 들을 때부터 알고 있었듯, 안스 씨가 들어왔다.

그는 스몰랸 상인다운 미색의 정장을 입고 있었는데, 솔직히 좀 안 어울렸다. 어떤 상인이 저렇게 우락부락한 몸으로 돌아다녀? 맵시 있게 맞춰진 옷이 억울하다고 외치는 것 같았다.

안스 씨는 내게 성의 없이 인사를 건네곤 티티라 씨에게 다가갔다. 심드렁한 시야 사이로 그가 짧게 키스하는 모습이 지나갔다.

나는 순간적으로 번뜩이는 생각을 떠올렸다.

"안스 씨, 티티라 씨가 죽고 못 살겠단 사랑을 하는 놈들을 조심하라고 하셨어요."

안스 씨의 눈꼬리가 내려가는 것과, 티티라 씨의 눈꼬리가 올라가는 것은 거의 동시였다.

"조―"

"티."

"……."

더 들을 필요도 없었다. 나는 불씨를 던진 사람처럼 신이 난 채 등을 돌렸다. 낄낄거리며, 침묵이 놓인 응접실 문을 닫았다.

어느새 이방인들이 스몰랸에 짐을 푼 지 반년이 지났다.

티티라 씨는 밤낮없이 일해 스몰랸에서 기틀을 잡았다. 그녀도 본인의 자리를 확신했는지, 최근엔 근처 도시로 떠나 업무를 보기까지 했다. 지난달엔 보브리치에 일주일이나 방문했지. 그런 촌 동네에 뭐 볼 게 있다고. ―티티라 씨는 궁금하면 설명해 주겠다고 했지만 사양했다. 난 여관 일만으로도 머리가 터질 것 같으니까.―

반면 안스 씨는 재판소에서 세상 지루해 죽을 것 같은 표정으로 업무를 보곤 했다. 대체 오전만 일하는 사람이 그렇게 지겨워하는 이유는 뭐란 말인가? 심지어 사람 대하는 업무도 아니고, 따로 마련된 업무실에서 기록을 정리하는 것뿐이면서.

나는 의심스러운 기색으로 그가 며칠 만에 해고되는지를 지켜보았다.

그러나 안스 씨는 해고되긴커녕, 오히려 업무를 보는 시간이 점점 더 줄어드는 것 같았다. 그렇게 농땡이를 피우면서도 재판장님이 그를 지나칠 때마다 좋아 죽겠단 표정으로 인사를 건네는 게 내겐 풀 수 없는 수수께끼였다. 재판 기록들을 정리하는 업무라고 했는데, 그걸 잘해 봤자 얼마나 잘할 수 있다고?

그렇게 절대 이해할 수 없는 의문이 하나 있었고…… 새로 나타난 훤칠한 남자에게 숨이 막힌 스몰랸의 숙녀분들처럼 이해할 수 있는 현상도 있었다.

나는 입술을 비뚜름하게 올리며 인정하기 싫은 사실을 떠올렸다. 장담하는데, 안스 씨가 재판소에 출퇴근 도장을 찍기 시작한 날부터 그를 한 번쯤 구경하지 않은 스몰랸의 숙녀분들은 없었다.

다행히 그들은 우리 스몰랸 시민답게 정중하게 다가갔고, 정중하게 거절당했다. 그리고 난폭하게 돌을 걷어찼다.

티티라 씨의 건물은 그 덕분에 조금 더 유명해졌다.

이전엔 '돈깨나 쥔 이방인이 왔다더라.' 남의 일처럼 한 번 중얼거리고 끝났는데, 이제는 '재판소 그 집 부부가 산다더라.'처럼 참 웃긴 문장이 되어 사람들 사이를 돌아다녔다. 어쨌든 대부분의 사람들은 사업과 무관하니 좀 더 흥미로운 소문이 입을 탄 것은 어쩔 수 없는 일이었다.

'재판소 그 집 부부'에서 '부인'이 된 티티라 씨는 자산가로서, 능력은 적당히, 외모는 하늘 끝에 달린 남편을 북쪽에서 데려왔다고 했다. 북부가 남부보다 가난한 것은 주지의 사실이었기에 이야기는 제법 탄탄했다.

졸지에 '꽃다운 남편'이 된 안스 씨도 웃겼지만, 그보다 '금반지를 휘두르는 부인'이 된 티티라 씨만 떠올리면 폭소가 터질 것만 같았다. 사람들은 대체 뭘 상상하는 걸까? 두툼한 머리채를 틀어 올린 중년 여성?

진짜 티티라 씨는 잘 만들어져 탄성이 높은 공 같았다. 짧은 머리와 깨끗한 피부 탓에 좀처럼 나이를 가늠할 수 없었고, 작고 강파른 몸은 언제든 뛸 수 있을 만큼 도사린 모습이었다. 아마 소문을 떠든 대부분의 사람들은 티티라 씨를 보고도 그녀인 줄 몰랐을 것이다.

티티라 씨 귀엔 소문이 들어가지 않은 모양이었다. 당연하지만 떠들 만한 사람들은 그녀와 인간관계가 겹치지 않았고…… 바로 이 몸이 해명하지 않았으니까! 거짓말을 한 적은 없지만, 그렇다고 틀린 부분을 지적할 생각도 없었다. 심부름 독박을 쓴 보복이라기보단, 그냥 그쪽이 웃길 것 같아서.

물론 엄마 아빠가 종종 해명하시는 듯했지만, '푸른 동굴 여관은 항상 인심이 좋아.' 평판에나 도움이 되는 모양이었다. 사람들은 역시 듣고 싶은 것만 듣는다.

그러다 수확제가 왔다.

물론 우리는 바다에 붙은 도시라 수확제를 진지하게 여기진 않는

다. 하지만 시노드 신넬에 존재하는 모든 기념일을 축하하고 말겠단 상단의 의지에 사람들은 꽤나 신나 했다. 뭐, 돈을 쓰는 핑계가 하루 더 늘어났단 뜻이다.

수확제 날 사람들은 시청 앞 광상에 벌린 소박한 무대 몇 개와 풍성한 음식을 즐겼다. 누군가 갓 잡아 온, 사람 몸뚱이만 한 청새치를 벌려 놓으면 무리 지어 구경하기도 했다—수확제에서 다들 가장 관심을 보이는 게 대어大魚라니, 근본이 없다는 증거다—.

아무튼 나는 그날 엄마 아빠랑 같이 시청 앞으로 출장을 나갔다. 인파가 아주 득시글했는데, 그들의 반짝거리는 이마가 전부 돈으로 보여서 좋았다.

그러다 티티라 씨를 발견하곤 입을 쩍 벌렸다.

그녀가 이 자리에 오면 안 된다는 뜻은 아니었다. 옷차림도 평소와 다르지 않아 딱히 놀랄 거리도 없었다. 다만 여관에서 떠난 뒤론 정말 두문불출하며 일해 왔기에, 이런 하잘것없는 놀이판에서 발견할 수 있을 거라곤 상상하지 못했을 뿐이다.

그런데 티티라 씨 얼굴에 조금쯤 불쾌한 기색이 서려 있었다. 놀러 나와서 잘도 저런 표정을 지으시네. 시끄러운 타악기 소리가 언짢으신 걸까— 생각하는 도중, 누군가 그녀에게 다가갔다.

거리가 있어서 무슨 대화를 나누는진 확실하지 않았지만, 상대방이 안스 씨가 아니란 것만큼은 잘 알 수 있었다. 그리고 그가 무슨 의도를 가진 것인지도 빤히 보였다. 그는 멋쩍은 듯이 뒷머리를 쓸었는데, 그러면서 몸을 기울이는 꼴이 퍽 엉큼했다.

나는 중얼거렸다.

"안스 씨가 보면 죽일 텐데."

안스 씨가 흥분한 모습을 본 적은 없지만…… 아마 그럴 거다. 나와 일대일로 마주했을 때, 그리고 티티라 씨와 함께 마주했을 때의 그가 내게 쏟는 주의력은 하늘과 땅 차이였고, 나는 그 하늘과 땅 사이에 티티라 씨가 있음을 믿어 의심치 않았다.

하여튼 나는 안스 씨가 멀리 있길 바랐다. 여름을 닮은 재판소 청년이 깻값 물어 주는 망나니로 전락하는 것도 한순간이다—

아, 텄다.

나는 멍하니 앞을 바라보았다. 보통 사람들보다 반 뼘은 더 큰 사람이 인파를 밀치고 티티라 씨에게 다가가고 있었다. 티티라 씨는 여전히 미간을 좁힌 채 대화를 이어 나가고 있었는데, 처음부터 투덜대는 표정이었기에 지금 무슨 심정인지 알 방도가 없었다.

안스 씨가 먼저 무슨 말을 한 걸까? 남자가 뒤를 돌아보았다. 티티라 씨의 얼굴이 더욱 구겨졌다. 천만다행으로 안스 씨는 냅다 남자의 어깨를 움켜쥐진 않았다.

그 대신…… 티티라 씨에게 입을 맞췄다.

나는 고개를 저으며 걸음을 옮겼다. 그래, 저게 저 사람 성격이긴 하지.

"어…… 조!"

이런, 나는 안스 씨가 누굴 붙잡는 걸 걱정하는 게 아니라 내 친구가 나를 붙잡는 걸 걱정해야 했다.

"왜?"

나는 이유를 알면서도 부러 날카롭게 대답했다.

"저 재판소 남자."

그랬다. 그는 통칭 그렇게 불렸다.

"바람피우는 거야? 부인 있잖아?"

나는 절대로 티티라 씨가 부인이라고 할 생각이 없었다. 첫째, 부인 아니었고, 둘째, 대답해 줬다간 바짓가랑이를 붙들릴 거다.

"모르겠는데?"

"네가 모르면 어떻게 해! 자주 만났다면서?"

"아, 모르겠습니다."

그사이 안스 씨가 한 번 더 입 맞추었다. 티티라 씨는 약간 심드렁한 표정이 되었다. 누군가는 어째서 연인의 키스에 저렇게 가라앉았느냐 하겠지만, 방금 전까지 짜증이 가득했던 티티라 씨의 얼굴을 생각하면 꽤나 괜찮은 상황이란 뜻이었다.

"야, 조!"

바짓가랑이를 잡히진 않았다. 단지 주변의 시선에 잡혔을 뿐이다.

뒤를 돌아보았다. '부인에게 정절을 지키는 줄 알고 포기했는데 나도 한번 시도해 볼걸!' 억울한 표정들이 가득했다.

나는 반년간의 침묵에 종지부를 찍을 때가 왔음을 느꼈다. 지금 저 인간이 급기야 티티라 씨의 뺨을 감싼 채 세 번째로 키스를 하고 있었는데, 두 사람을 배덕자로 만들 수는 없었다.

"두 사람이 '부부'야."

물론 이번에도 내 설명은 약간 틀렸다. 나는 저들이 아직도 시청에 가지 않았고, 여전히 두 사람의 성이 없단 사실을 알았다.

하지만 구구절절 설명하기 귀찮았다.

내 말에 친구 입이 딱 벌어지는 것이 보였다. 아, 티티라 씨에게 접근했던 남자 표정도 가관이었다. 징그러운 한 쌍은 역시 주변인들에게 피해를 준다.

나중에 이야기를 들어 보니, 그날은 안스 씨가 헌책 상인이 왔다며 외출하는 길에 티티라 씨를 부른 모양이었다. 굳이 축제를 즐길 필요는 없지만, 머리를 식히는 편이 좋겠다는 것이었다. 그래서 처음에 급히 불려 나온 티티라 씨의 표정이 언짢았던 것 같다.

그들은 축제에서 빠르게 사라졌지만, 소문은 길게 길게 남았다.

재판소 그 청년은 팔려 간 게―세상에― 아니었다. 상대가 어린 아가씨―뭐라고?―다 보니, 오히려 그 반대가 의심된다. 확실히 재판소에 오전만 머무르는 업무란 상당한 특혜가 아닐 수 없다. 재판소 청년이 돈줄을 쥐고 여린 친구를―예?― 협박하는 것 아닌가? 생각해 보면 정착한 지 반년이나 되었는데, 길에서 둘이 함께 있는 모습을 한 번도 못 봤다면 문제가 있는 거다! 가둬 놓은 거다! ―아 제발, 사람들아.―

그간 그를 내심 질투했던 여러 남자들의 활약으로 왜곡된 인상이 퍼졌다. 얼룩이 번진 구역이 그리 넓지는 않았지만, 그래도 천에 묻은 잉크만큼은 되었다.

물론 여자들은 조금도 믿지 않았다. 그러나 그들은 먼젓번 소문을 낸 주인이었다. 동시에 먼저 오해했단 사실을 반성할 정도로 양심 있는 부류이기도 했다. 그래서 한편이 침묵하자, 아이러니하게도 그 때문에 새로운 소문이 거칠 것 없이 퍼진 모양이었다.

'재판소 청년의 숨겨진 비밀과 그 건물' 소문은 기어이 게오르기 상주님께까지 다다랐다. 그분은 매우 불쾌해하셨다. 이유는 당연히, 상인으로서 명예로운 자신과 거래하는 이는 똑같이 상인으로서 명예로워야 하기 때문이다. 티티라 씨는 그의 기준에 부합하는 사람이었으나 소문은 그렇지 않았다.

게오르기 상주님이 섬뜩한 기세로 소문의 첨단을 부수자, 나머지도 순식간에 쪼그라들었다.

정작 장본인들은 이 일이 벌어지는 모든 시간 동안 아무것도 몰랐다.

나는 두 분에게 스몰랸 시민이 되기엔 아직 부족하다고 농담했다.

두 사람은 사업이 자리를 잡은 뒤 스몰랸 이곳저곳에 나타났다. 아, '나타났다'기보단 '출몰했다'고 말하는 게 더 맞을 것 같기도 하다. 초대받은 곳에 방문할 때도 있었지만, 응답하지 않을 때가 더 많았고, 그러면서도 난데없이 공원에 누워 있던 경우도 왕왕 있었으니 말이다.

그렇게 제멋대로 움직이는 그들과 친해지려는 사람들의 노력은 모두 실패했다. 심지어 나마저 성공한 것 같지 않은데, 대뜸 접근한 사람들은 어떻겠어? 나는 조금 울적하게 생각했다.

티티라 씨는 사업이 궤도에 오르자 업무량을 적당히 줄였다. 자연스레 내 심부름 값도 줄어들었고, 우리의 대화 시간도 줄었다. 나는 티 내지 않으려 했지만 조금 속이 상했던 것 같다. 새로운 이방인이 나를 개인적으로 마음에 들어 했다고 생각했는데, 그녀는 오로지 업무 생각뿐이었으니 말이다.

그렇게 한 발자국 떨어져서야 두 사람을 다시 한번 돌아보게 되었다. 티티라 씨와 안스 씨는 절대 분리할 수 없는 한 덩어리로, 아무도 들어갈 수 없는 원형 구 안에 본인들을 가둔 것 같았다. 잠깐 살갑게 대해 줬다고 그 선 안에 발을 디딘 게 아니었다. 그건 재판소 청년 얼굴에 설렜던 숙녀분들에게도, 티티라 씨에게 흥미를 느겪던 내게도 똑같이 적용되는 이야기였다.

그래도 그들은 여전히 독특했으며, 가까이하고 싶은 사람들이라는 게 억울한 부분이었다…….

나는 절대 인정하기 싫었지만, 이 모든 외면에도 불구하고 그들이 스몰랸에 정착하는 것이 기정사실화되었다는 것에 안심하고 있었다. 적어도 두 사람은 언제든 떠날 사람들처럼 행동하지 않았다. 지역 유지들과 끊임없이 인사, 사례를 주고받으며 '아! 정말 훌륭한 청년들이지!' 칭찬을 들었다.

결혼식은 시청에서 직접 치러 주겠다는 제안에 이기지 못할 정도로. 그랬다.

웃음이 났다. 티티라 씨는 혼인에 조금도 관심이 없었지만, 같은 맥락으로 굳이 왜 거절해야 하는지도 이유를 찾을 수 없는 모양이었다. 다만 성姓을 만들기 싫다는 의지가 확고해서, 주책바가지 인간들이 약간 난항을 겪긴 했다.

"대체 왜 성을 만드는 게 싫으신 거예요?"

나는 심부름을 와서 내내 딴 짓을 하다, 조심스레 물어봤다.

"저는 예전에 결혼에 성이 어쩌니 하는 게, 그냥 생각하기 귀찮아서 하시는 말씀인 줄 알았거든요."

"내가 그렇게 실없어 보여?"

"네."

"참 나."

티티라 씨는 책상 반대편에 앉아 나를 살짝 올려다보았다. 저게 사생활에 참견하는 어린애를 탓하는 시선이라 해도 난 고집을 꺾을 생각이 없었다.

"궁금해요."

"조, 결혼은 별의미가 없어."

"시청에서 의례를 치르신다고 하셨잖아요."

"그야 안 하면 노친네들이 백안시할 게 뻔하니까 그렇지. 아, 그 수확제인지 뭔지 하는 날 이후로 짜증이 나서⋯⋯. 어차피 아무 의미 없는데 정착하려면 그 정도는 해 줄 수 있어."

"왜 의미가 없어요?"

티티라 씨가 한숨을 푹 쉬었다.

"안스랑 나는 이미 평생 살기로 했어. 거기에 다른 어중이떠중이들 규칙을 들이대는 게 더 모욕적이야."

"그러면 성을 안 만드는 건 나름대로 반항하시는 거예요?"

"내 나이가 몇인데 '반항'이겠어⋯⋯. 혼인은 무의미하고, 성을 만드는 건 그냥 싫은 거지."

"평생 성 없이 사셨어요?"

"왜 이렇게 궁금한 게 많아?"

"⋯⋯."

그녀의 짜증스럽다는 말투에 순간석으로, 화끈한 게 눈가로 치밀었다. 아니, 아니, 왜⋯⋯.

눈물이 찔끔 났다.

드르륵 의자가 밀리는 소리가 들렸다. 아, 말미잘 개똥 같은 조! 나도 어이가 없는데 상대는 얼마나 당황했겠어.

나는 뒤로 확 물러났다. 눈가를 짚으며 급히 중얼거렸다.

"아니— 눈에 뭐가 들어가서⋯⋯."

이런 멍청이 같은 소리를 하네.

"조, 괜찮아? 뭐가 문제야?"

"아니에요."

나는 물기를 슥슥 문지르곤 다시 그녀를 바라보았다.

"아무튼, 궁금해서 여쭤본 거예요. 답하기 불편하시면 됐어요."

"기분 상했어?"

나는 단순히 방금 대화 때문이 아니라, 그녀가 요새 나를 찾는 빈도수가 확 줄어서 서러웠다고 할 수 없었다. 아, 죽었다 깨어나도 그런 말은 안 할 거다.

"조, 궁금하면 말해 줄게. 안스 놈은 태생부터 성을 가지지 못했어. 그리고 나는 성이 이미 있지. 다만 바꿀 생각도, 알릴 생각도 전혀 없다."

"……."

"따라서 새로운 성을 만들면 내가 포기해야 하는데, 난 내 이름을 포기하기 싫어."

"……."

티티라 씨가 책상을 돌아 나왔다.

"웃긴 거지. 우리 삶에 바뀌는 거라곤 시청에 찍히는 도장 하나와 보여지는 이름뿐인데, 그깟 게 뭐라도 되는 양 난리인 게. 심지어 이름조차 못 고친다고?"

"……."

"조, 이건 '수확제' 같은 거야. 지켜보는 이들만 신나는 셈이라고. 아니면 같은 규칙을 따른다는 데 안심하고 싶어서. 그거야 그 사람들한테 좋을 일이지, 우리한텐 종이 한 쪽만큼의 의미도 없어."

"……안스 씨도 그렇게 생각하세요?"

그녀는 잠시 생각하는 듯했다. 그러나 내가 예상한 답과 달라지지는 않았다.

"응. 걔도 이 소란이 대체 무슨 의미가 있나 생각하는 거 같다."

"그러신 것치곤 수확제에서 티티라 씨한테 접근하던 남자를— 막, 아주 그냥—"

"그거야 내가 안스와 함께하는 줄 모르니까 그런 거지. 서로 당황스러울 일이었어. 있을 수 있는 실수였고. 안스가 알리고 난 뒤로 이젠 아무도 안 그러잖아."

나는 티티라 씨의 믿음이 참 신기했다. 갓 사귄 연인들도 저렇게 확신에 차 있지는 않았다. 우리 엄마 아빠처럼, 수십 년간 같이 산 신뢰에 가까울까? 아니. 수십 년간 같이 살았으면 서로 외모가 저만큼 화려할 시기는 아니었겠지. 게다가 삶의 성숙기에 들어서 애정이 그리 불꽃같지 않았을 거야.

수확제에서 티티라 씨를 발견한 뒤 무기처럼 다가오던 안스 씨를 똑똑히 기억했다. 잘 벼려진 칼날도 아니고 둔탁하고 녹이 슬어, 죽이겠다는 생각보단 상대에게 고통을 주겠다는 흥분이 보였다. 그런데 그런 인간이 똑같이 결혼에 무관심하다니, 나는 진짜로 저 연인을 이해하길 포기했다.

"······날짜는 들었어요. 그날 성이 들어가는 자리는 비워 두시는 거고요."

"그럼."

"게오르기 상주님이 지원하신다니 꽤나 구색이 좋을 텐데요."

"내가 정리했어. 사람들 부르고 도장 정도 찍겠지. 아, 불렀으니 식사는 대접하고."

고개를 절레절레 저었다.

티티라 씨는 내 표정을 못 봤는지 곰곰이 생각하는 표정으로 중얼거렸다.

"흠, 청어가 제철인가?"

자기 혼인식 날에 어떤 생선이 신선할지가 제일 궁금한 사람……

"'푸른 동굴 여관'분들도 초대할 테니 와."

"……알겠어요. 선물 사 갈게요."

"안 사 와도 돼. 십 분 안에 끝날 거야."

"너무해. 그러면 안 하는 거랑 뭐가 달라요?"

"나도 똑같은 말을 했거든?"

"……."

저렇게 뻗대도 서류에 땅땅 도장을 찍어 주고 싶어 하는 어른들 마음을 모르는 건 아니었다. 그 자체가 스몰란에 받아들여 주려는 기묘한 호의니까 말이다.

나는 우울하게 읊조렸다.

"식사라도 맛있는 거 주세요."

"그럴 생각이다."

터벅터벅 뒤돌았다.

"그리고."

살짝 고개를 틀었다.

"혹시 내가 요새 뜸해서 슬펐어? 나는 바쁜 일 끝내고 안스랑 시간을 보내려 했지."

"제, 제가 언제 그런 말 했어요?"

아, 젠장.

"토라지지 마. 좀 지나면 옆 도시에 데려가 줄게."

"······."

"물론 너희 부모님 허락을 맡고."

나는 우물쭈물 서 있다가 도망쳤다.

'여관 옆 사무소' 사장과 '재판소' 청년의 결혼 의례는 정말 뚝딱 치러졌다. 티티라 씨와 대화를 나눈 지 채 사흘도 안 되어 우리 집에 초대장이 도착했고, 그 위 아로새겨진 날짜는 그보다 더 가까울 수 없었다.

그렇게 내가 이야기를 들은 지 이 주도 안 되던 시점에 시청 앞에서 조촐한 행사가 열렸다.

나는 초대받은 사람들만 앉을 수 있는 둥그런 원탁에 웅크려 있었다. 손님은 기껏해야 수십 명쯤? 스몰랸의 알짜들만 자리했다. 다들 흐뭇한 시선이었는데 나만 초조했다. 결혼식이야 꽤나 많이 와 봤지만 이렇게 한 치 앞도 상상되지 않는 경험은 처음이었다.

그 순간, 아무 예고도 없이 티티라 씨가 시청에서 걸어 나왔다.

그녀에게 딱 맞게 직조된 아름다운 드레스를 볼 틈도 없었다. 모두가 축하의 환호를 내지르기 전에, 티티라 씨가 몹시 큰 걸음으로 저벅저벅 중앙 단에 올라갔다. 가까스로 옷을 찢지 않을 정도로 거칠었으며, 그나마도 신발 뒷 굽에 찍혀 치맛자락이 더럽혀졌다.

아, 세상에.

몇몇 분들이 관자놀이를 짚었다. 무엇을 의식하고 한 행동이 아니라······ 정말 그들에겐 깜짝 놀라 숨을 들이켜는 정도의 반응이었을 것이다.

티티라 씨가 시청 방향으로 손짓했다. 손을 파닥이는 게 꼭 강아지를 부르는 듯했다.

잠깐의 침묵 뒤, 안스 씨가 걸어 나왔다. 안스 씨의 시노드 신넬식 정복 차림은 꽤나 많이 목격했기에 새로이 놀랍지는 않았지만, 그래도 여전히 작은 도시에서 보기엔 기막힐 정도로 잘 빚어진 사람이었다.

햇살이 강한 날이라 머리칼 위로 그 특유의 금빛이 흘렀다. 누군가 가마 위로 황금을 뚝뚝 흘리기라도 한 듯 빛이 떨어지고, 또 떨어져 옷을 덮었다.

그는 티티라 씨보다 한참 느리게 걸어와 단에 올랐다.

마침내 둘이 나란히 서자 티티라 씨가 책상을 툭 건드렸다. 그 위에 있는 두터운 스몰랸 명부록이 흔들렸다.

그제야 얼이 빠진 것 같은 시청 직원이 후다닥 올라와 책장을 넘겨 주었다. 그녀가 몸을 숙여 깃펜으로 이름을 휘갈겼다. 같은 손으로 안스 씨를 툭 치자, 그 또한 웅크린 채 그녀를 따랐다.

뭐라도…… 누구라도…… 말했으면 좋겠는데……. 예행연습 같은 거…… 안 한 거야……?

티티라 씨가 뒤를 돌았다.

"이제 부부예요."

'됐죠?'라는 소리가 거의 육성으로 들렸다.

다들 어찌할 바를 모르는 분위기였다. 솔직히 앞에서 개구리가 사람으로 변했어도 지금보단 나았을 거다.

티티라 씨는 그토록 어색한 반응을 둘러보더니 동반자의 손을 더듬어 잡았다. 안스 씨는 좀 심드렁한 표정이었는데, 티티라 씨는 그게 퍽 마음에 들지 않는 모양이었다. 그를 살짝 째려보곤—

그녀가 양손을 번쩍 들었다.

그의 한쪽 팔이 내키지 않는 듯 따라 올라갔다.

나는 식은땀이 났다.

와, 뭐 하는 거야? 이걸 어떡해? 저 사람은 혼인식에 가 본 적도 없나?

티티라 씨는 말썽을 피운 소녀처럼 사람들 시선을 살폈다. 그녀의 뒤통수를 향해 쏟아진 몇 개의 햇살이 곤두서 있었다.

아, 내가 헛것을 본 것이겠지만, 잠깐 동안은 정말로 그녀가 긴장해서 빛난다고 착각할 정도였다. 그러니까 '아름답게'는 아니야. 경계하는 동물들의 바짝 선 털 사이로 우글우글하게 비치는 빛 같은 거지.

아무도 입을 열지 못한 사이, 티티라 씨가 몸을 돌렸다. 무언가 결심한 것처럼 보였다.

그녀는 서로 꽉 부여잡은 손을 상대의 뺨에 얹었다.

둥그런 손아귀 안에서 부부가 입 맞추었다.

티티라 씨의 키가 작아 한순간은 대롱대롱 매달린 듯했다. 그러나 남자가 천천히 몸을 숙이고…… 살짝 떨어져 나갔다가…… 다시 숨을 맞대자, 흠잡을 곳 없는 한 쌍이 되었다.

마침내 티티라 씨가 웃었다. 이 자리에 발을 들이고 처음으로 자연스럽게 해낸 행동이었다. 오로지 눈앞에 있는 상대 덕분이겠지. 그는 이내 그녀의 얼굴을 모두 가렸다.

내가 여러 번 말했지만 티티라 씨가 시야에 있을 때 안스 씨가 보이는 집중력은 정말 사람을 소름 끼치게 했다. 뺨을 가두는 것마저 욕심의 아주아주 작은 일부라. 지금 떨리는 손이 보일 정도로.

누군가 짝, 짝, 박수를 쳤다.

나는 고개를 돌려 긴장을 깨 준 은인을 확인했다.

그자는 모자를 푹 눌러쓴 채 내 바로 뒤에 앉아 있었는데, 모르는 사람 같아서 솔직히 당황했다. 목소리도, 윤곽도, 모자 바깥으로 드러난 흰 머리도 평생 여기서 자란 내게 익숙하지 않았다.

그러나 누군가에게 물어볼 겨를도 없이 사방에서 박수가 터져 나왔다.

그에 맞추어 한숨을 쉬듯 조촐한 음악이 연주되었다. 연주자들도 드디어 할 일을 찾아 안도한 게 분명했다. 바짝 얼었던 분위기가 서서히 날에 녹아들었다.

티티라 씨는 이제 웃음을 숨길 생각도 없는 모양이었다. 뭐가 그렇게 웃긴지 배를 짚을 정도로 즐거워하다가, 먼저 성큼성큼 단을 내려왔다.

그렇게 급히 떠나는 티티라 씨의 손을 안스 씨가 잡았다. 거리가 멀지 않아 손아귀에 들어간 힘이 선명히 보였다. 그녀는 그를 제 쪽으로 당겼다. 종내 그들은 나란히 손을 잡고 걷게 되었다.

티티라 씨는 게오르기 씨에게 다가가 고마움을 표했다. 덕담을 나눈 뒤 다른 시청 관계자에게로, 또다시 다른 상주에게로, 그리고…… 우리에게로 왔다.

티티라 씨가 싱글벙글 웃으며 인사했다.

"참석해 주셔서 감사합니다. 보답이 모자람 없도록 하겠습니다."

내가 대답하고 싶었지만, 그랬다간 엄마한테 한 대 맞을 것 같아 꾹 참았다.

"아니에요. 저희야말로 영광이지요. 축하드립니다. 오늘 정말 아름다우시네요. 물론 안스 씨도."

"스몰랸 모두의 도움 덕분이죠. 이 옷은 저답지 않은데도 꼭 보관하겠다 생각하던 참이에요."

"오, 정말이요? 재단사를 추천해 드린 저마저 조금 뿌듯해지는군요."

티티라 씨는 소리 없이 긍정하곤 내게 고개를 돌렸다.

"옷이 예쁘지?"

난데없이 무슨 소리람. 나는 어리둥절한 채 답했다.

"그럼요. 혼인식 날인데요."

"'네프스키.'"

"예?"

무슨 소리야? 나는 얼빠진 얼굴로 곱씹었다.

네프스키, 네프스키, 네프스키……. 우리가 같이 갔던 해저 동굴?

갑자기 머리끝까지 열이 올랐다.

"뭐라고요!"

"응? 그때처럼 하면 좋을 것 같다고 생각했지. 옷이 예쁠수록 그런 짓이—"

"악!"

나는 귀를 막고 탁자에 얼굴을 쾅 박았다. 이마에 혹이 났을까 걱정될 정도로 아팠지만, 도저히 고개를 들 수가 없었다. 저 인간은 나 놀리는 게 진짜 재밌나 보다.

"아니…… 얘는 왜 이래? 미안합니다. 저희 딸애가 교양을 덜 배웠네요. 아무리 그간 친교를 쌓았다 해도 이런 날 지켜야 하는 예의가 있는 법인데……."

"괜찮아요."

"안 괜찮아!"

"조용히 하지 못해!"

나는 탁자에 이마를 비비며 엄마를 원망했다. 농담인지 진담인지 모를 말로 낄낄거리는 티티라 씨도 원망했다. 이번 건 만년필보다 큰 걸로 받아 낼 거야······.

앙심을 품고 중얼거리는 도중, 뒤에서 의자 밀리는 소리가 들렸다. 방금 전 박수를 쳤던 모자 인간의 자리였다.

"오랜만입니다."

나는 눈을 빼꼼 뜬 채 옆을 돌아보았다. '오랜만'이라고?

안스 씨가 한 걸음 앞으로 걸어 나왔다. 흔치 않은 일이었다.

"모자 벗어."

그의 목소리는 부드러우면서 강압적이었다. 항상 티티라 씨 다음에 입을 열던 사람에게서 그런 음성을 들을 수 있으리라곤 상상도 하지 못했다.

나는 토라진 척하던 몸을 곧추세웠다. 이럴 때가 아니었다. 구경해야지.

남자가 모자를 벗었다.

그레슈카 씨만큼 나이 먹은 노인이었다. 목소리보다 한참 노숙한 얼굴이었으며, 맑은 눈도 하얗게 센 머리와 어울리지 않았다.

안스 씨가 한숨을 쉬었다.

"아펭글로."

'아펭글로'라 불린 남자가 박수를 한 번 쳤다.

"두 분, 저도 진심으로 축하드립니다. 스몰랸으로 올 때는 이런 모습을 보게 될 거라곤 미처 몰랐는데."

"당신 나이에, 걸어오다 죽을 게 걱정되진 않았고?"

"다행히 제가 가진 보잘것없는 자산 중 제일 귀한 게 건강이어서
요. 귀가 잘리고도 용케 남아 있답니다."

나는 나름대로 화기애애한 재회를 흥미롭게 지켜보다가, 귀가 잘
렸단 이야기에 흠칫 놀랐다.

나를 살피던 티티라 씨가 노인의 어깨를 살짝 밀쳤다.

"쓸데없는 말을."

"아, 미안합니다. 저는 이제 기억도 안 나는 일이라 배려하는 걸
깜빡했습니다."

"기억나지 않으신다고요?"

"그럼요."

"참 나, 언젠가 다시 볼 거라고 생각했지만 이렇게 헤벌레한 인
간으로 만날 줄은 정말—"

노인이 웃었다.

"—인생 몰라."

"옳은 말씀입니다. 인생을 누가 알겠습니까? 저도 두 분이 혼인
하신다는 이야기에 기겁을 했죠."

"왜? 안 어울려요?"

나는 키득거리는 웃음을 참았다. 저 말은 티티라 씨의 전매특허
아닌가. 나만 당하는 줄 알았는데 저런 노인도 똑같이 고민하게 생
겼다니 너무 재밌었다.

"제가 어떻게 여러분을 보고 '어울리지 않는다.'고 말하겠습니
까? 백치라도 그런 말은 못 합니다."

"……."

"하지만 재밌는 선택이라고 생각했을 뿐입니다. 다른 방식으로 결합할 수 있었던 때가 적어도 두 번은 있었는데."

"둘 다 끔찍해. 지금이 나아."

티티라 씨는 얼굴을 찡그린 채 중얼거리다, 문득 한참 나이 든 이에게 반말을 했다는 사실을 깨달은 듯 괜히 몸을 틀었다. 네가 어떻게든 수습해 보라는 시선으로 안스 씨를 보고 있었다.

그는 언제나 그랬듯이 티티라 씨를 대신해서 수습했다.

"아펭글로, 오늘은 그레슈카 상단 때문에 방문한 건가? 그 명패로 자리를 받은 것 같군."

"맞습니다. 드릴 이야기가 있어서요. '도시'와 관련되었지요."

티티라 씨의 눈썹이 들렸다.

"……우리 집에 가 있어요. 여기 인사만 드리고 바로 이동하겠습니다."

대화는 그렇게 끊겼다.

노인은 고개를 꾸벅 숙이더니 자리를 빠져나갔다.

티티라 씨의 얼굴에는 웃음기가 옅어져 있었다. 그녀는 우리에게 마지막으로 인사를 하고 등을 돌렸다.

그 뒤 손님이 많지 않았기에 하나하나 성의 있게 이름을 부르며 감사하는 뒷모습이 보였다.

나는 '아펭글로'와의 대화가 너무 궁금했지만…… 요새 궁금해하지 않는 법도 조금씩 배우고 있었다. 티티라 씨처럼 비밀이 너무 많은 사람 곁에 있으면서 하나하나 궁금해하다간 멀어질 거야. 난 다 알지 못해도, 곁에서 볼 수만 있어도 괜찮아…….

입을 앙다문 채, 새로 결혼한 부부가 급한 일이 있다며 시청 광장을 떠나는 모습을 지켜보았다.

적절하게 처신했기에, 그들이 사라진 뒤에도 만찬은 계속 이어졌다. 오히려 사람들은 눈치 볼 주인공 없이 술과 음식이 운반되자 더 신난 것처럼 보였다.

나는 이른 오후에 시작한 만찬에서 석양이 질 때에야 풀려났다. 얼굴이 벌건 부모님 손을 벗어나선 푸른 동굴 여관으로 향했다.

잠시 큰길에 오도카니 서선…… 달려가는 어린아이 몇 명, 교양 있게 시계를 확인하는 행인 하나, 길 끝에 걸린 석양, 붉은색이 만드는 그림자들을 바라보았다. 왠지 불길한 기분이 들었다.

결국 그 기분을 이기지 못하고 티티라 씨 사무소의 문을 두드렸다.

아무런 대답이 없었다.

속이 콱 내려앉는 것 같았다.

반년이 넘도록 스몰란에 정착하려 했지만, 여전히 언제든 떠날 수 있다는 분위기를 풍기던 사람들이었다. 심지어 '그레슈카' 쪽에서 보낸 '중요한' 지인이 '중요한' 용건으로 불렀다면……?

나는 한 번 더 문을 두드렸다.

쾅! 쾅!

문을 두드리는 힘이 점점 강해졌다.

잠긴 창문으로 안쪽을 들여다보았을 땐 평소와 달라진 점이 보이지 않았다. 하지만 인적 하나 없이 어두컴컴한 공간은…… 언제라도 먼지가 쌓일 수 있을 듯 보였다.

떠났구나.

나는 문에 기대어 주르륵 주저앉았다. 길가의 꼬마 아이들이 나를 흘끔 바라보았지만 신경 쓰고 싶지 않았다. 아무리 아는 게 많고, 바깥 이야기를 자주 해 주고, 또 흥미로운 사람이었더라도, 내 인생에서 고작해야 반년 알았던 사람들인데. 우리 사인 고작 반년이었는데.

눈물이 주르륵 흘렀다.

볼 사람이 없으니 애써 닦지 않았다. 눈물과 콧물을 훌쩍이며 고개를 푹 숙였다. 건물까지 사 놓고 어떻게 이럴 수 있어? 스몰란 사람들과 친해지고, 결혼식에 초대도 했으면서 한순간에 사라지기야? 지금 저기 시청 앞에 거나하게 취해 있는 사람들한테 미안하지도 않아?

그리고, 나한텐……?

품에 대고 코를 팽 풀었다.

"진짜 미워."

"뭐가?"

나는 소스라치게 놀라 자리에서 벌떡 일어났다.

티티라 씨가 낮보다 한층 더 더럽고, 무릎 아래로 찢어 먹은 드레스 차림으로 눈앞에 서 있었다. 그녀가 있으니 그 곁엔 자연히 안스 씨도……. 그 역시 옷차림이 많이 지저분해진 상태였다.

"왜 울었어?"

"……."

"여기에는 왜 왔고……?"

"우리가 떠났다고 생각했나 보지."

티티라 씨가 갈피를 못 잡고 질문하자, 안스 씨가 나직이 받았다. 나는 얼굴이 불타오르는 것만 같았다.

"이런, 정말? 그런데 그게 정말 울 정도야?"

이 자리에서 사라지고 싶었다.

"아니, 이런 말을 하면 난처하겠지. 괜찮아? 따뜻한 차라도 줄까? 안스, 들어가서 끓여 주라."

안스 씨는 어깨를 으쓱이곤 자물쇠를 열었다. 반쯤 열린 문 사이로 그가 사라지자, 중앙 공간에 점점이 불이 들어왔다.

티티라 씨는 그를 따라가긴커녕 내 앞에 주저앉았다.

"괜찮아?"

"……."

"우린 알던 사람이 불러서 잠시 도시 밖에 다녀왔어."

"……낮에, 봤던, 그 사람이요? 그레, 슈카?"

"비슷해."

"어디, 끅, 어디를요?"

"말하기 힘들어. 세상엔 모르는 게 안전한 경우도 있지."

"위, 위험한, 일을 하세요?"

티티라 씨가 내 어깨를 툭툭 쳤다.

"그럴 수도, 아닐 수도 있어. 감당할 수 있는 정도만 해."

"앞으로도, 하실, 히끅, 거예요?"

"그럼."

"그레슈카, 상단에, 잘못하신 것 때문에요?"

"아니. 훨씬 더 오래전에 알던 사람 때문에……."

티티라 씨가 멋진 미소와 함께 팔을 위로 뻗었다. 어느새 다가왔는지 모를 따뜻한 찻잔이 내 머리카락을 스쳤다.

"안스, 고마워. 곧 들어갈게."

안스 씨의 손가락이 떠나기 전, 티티라 씨의 짧은 머리칼을 스쳤다. 일부러 쓰다듬은 게 분명했다.

나는 두 사람의 여전한 애정을 보며 안정을 찾았다.

작게 중얼거렸다.

"……계속 머무르시는 게 맞군요."

"그렇다니까. 스몰랸에 정착한다고 말했잖아."

"그래도…… 그레슈카 씨 말고도 더 오래 아신 분이 있다고 했는데, 그럼 언젠가는 그분을 따라가실 수도 있잖아요……?"

"죽어서 안 돼."

나는 딸꾹질을 했다.

"숨넘어가면 따라갈 수 있겠지만 난 아직 한참 남아서."

티티라 씨는 그런 말을 하는 사람치곤 너무 홀가분해 보였다. 그러나 나는 그녀가 아예 침묵하면 침묵했지, 거짓말을 하진 않을 거라고 굳게 믿었다.

"믿어요."

"비장하네."

"놀리지 말아요."

"이런 신뢰라니, 내 어깨의 짐이 무겁다."

"놀리지 말라니까요!"

"차 마셔. 안스가 요새 남부 차를 잘 우리더라고."

나는 붉으락푸르락한 채로 큰 찻잔에 얼굴을 묻었다. 티티라 씨가 바스락거리며 맨바닥에 주저앉는 소리가 들렸다.

고개를 빼꼼 들자, 길 끄트머리의 하늘을 바라보는 그녀가 보였다. 무슨 생각을 하는지 눈이 살짝 감기더니, 입가에 희미한 미소가 어렸다.

처음부터 안에 받쳐 입은 듯한 바지, 두 동강 난 결혼식 드레스, 냅다 다리를 벌리고 석양을 쬐고 있는 모습까지 전부— 좋았다— 나는 '좋았다.'고 표현하곤 멋쩍게 웃었지만, 말을 바꿀 생각은 전혀 없었다. 언뜻 말괄량이 같으면서도 항상 기댈 수 있는 상대인 듯, 또 언제라도 훌쩍 떠날 듯 종잡을 수 없는 그림자를 좋아했다.

그래서 나는 그녀가 궁금했다.

하지만 물어보지 않기로 했다.

이곳에 머무르겠다는 그녀의 말을 믿었기에. 우리에겐 앞으로 꽤나 많은 날이 남아 있을 테니까.

티티라 씨의 눈이 가늘게 뜨였다.

"남부 햇살에선 바다 냄새가 나……."

나는 손에 쥔 찻잔에서도 바다 향기를 느낄 수 있었다. 이 도시는 그런 곳이었다.

"행복해."

조용히 자기瓷器를 문턱에 내려놓았다.

그녀의 행복한 순간을 망치고 싶지 않았다.

우리는 한참이나 지는 해를 쬐며 앉아 있었다.

나는 땅거미가 다가왔을 때에야 자리를 털고 일어나 그녀에게 손을 내밀었다. 티티라 씨는 의아한 듯 고개를 기울였지만, 이내 나를 붙잡고 벌떡 일어섰다.

"티티라 씨."

"그래."

"축하드려요."

"됐어. 의미 없다니까."

"혼인 말고요."

나는 그녀가 되물을 줄 알았다. 말을 꺼낸 나조차 정확히 뜻을 설명하기 어려웠으니까. 단지 기분 좋은 얼굴로 석양을 즐기는 티티라 씨를 보며, 모호하게 떠오른 지난 여러 달간의 감정을 건네본 것뿐이었다.

그러나 티티라 씨는 씩 웃고 말았다.

그녀는 손을 뻗어 나를 포옹했다. 아주 얕은…… 감사의 포옹이었다.

티티라 씨는 이내 건물 안으로 들어갔다.

인사 없이 문이 닫혔다.

그녀다웠다.

나는 홀가분한 기분으로 발걸음을 돌렸다. 어스름이 진 고향 도시, 삶이 엉겨 붙은 멋진 길로 떠났다.

(사마귀가 친구에게 완결)

BLACK LABEL CLUB 039

사마귀가 친구에게 5

초판 인쇄 2022년 2월 14일
초판 발행 2022년 2월 28일

지은이 윤진아
펴낸이 신현호
편집장 예숙영
편집 이혜영
편집디자인 한방울
영업·관리 김민원
물류 이순우 박찬수

펴낸곳 ㈜디앤씨미디어
출판등록 2002년 5월 1일 제117-90-51792호
주소 서울시 구로구 디지털로 26길 111 JnK디지털타워 503호
대표전화 (02)333-2513 팩스 (02)333-2514
전자우편 dncbooks@dncmedia.co.kr
디앤씨북스 블로그 http://blog.naver.com/dncbooks

ISBN 979-11-264-5910-0 (04810)
ISBN 979-11-264-5903-2 (세트)